**grafit**

© 1989 by GRAFIT Verlag GmbH
Chemnitzer Str. 31, D-44139 Dortmund
Internet: http://www.grafit.de
E-Mail: Grafit-Verlag@t-online.de
Alle Rechte vorbehalten.
Umschlagillustration: Peter Bucker
Druck und Bindearbeiten: Elsnerdruck GmbH, Berlin
ISBN 3-89425-442-4
29 / 2003

Jacques Berndorf

# Eifel-Blues

Kriminalroman

**|grafit|**

## Der Autor

**Jacques Berndorf** (Pseudonym des Journalisten Michael Preute) wurde 1936 in Duisburg geboren und wohnt – wie sollte es anders sein – in der Eifel. Berndorf kann ohne Katzen und Garten nicht gut leben und weigert sich, über Dinge und Menschen zu schreiben, die er nicht kennt oder nicht gesehen hat. Ist unglücklich, wenn er nicht jeden Tag im Wald herumstreifen kann, und wird selten auf ausgefahrenen Wegen gesehen. Von Berndorf sind bisher im Grafit Verlag folgende Baumeister-Krimis erschienen: *Eifel-Blues* (1989), *Eifel-Gold* (1993), *Eifel-Filz* (1995), *Eifel-Schnee* (1996), *Eifel-Feuer* (1997}, *Eifel-Rallye* (1997), *Eifel-Jagd* (1998), *Eifel-Sturm* (1999) und *Eifel-Müll* (2000). Weitere Baumeister-Krimis sollen folgen.

# ERSTES KAPITEL

Morgens um sechs war die Nacht zu Ende, weil Krümel an der Schlafzimmertür hochsprang und sich auf die Klinke fallenließ. Ich habe nie begriffen, wie sie es dabei fertigbringt, die Maus in ihrem Maul nicht zu verletzen. Sie kam hinein, hockte sich dicht vor meinen Kopf, legte die Maus vor sich hin auf den Teppichboden und ließ ein triumphierend heulendes Gemaunze hören. Die Maus war ein kleiner, grauer, vollkommen bewegungsloser Ball.

»O Scheiße!« sagte ich brummig. »Wir haben Ferien, verstehst du? Ferien! Ich bin müde, ich will keine Maus.« Die Maus bewegte sich vorsichtig, wurde am vorderen Ende spitz und dünn. Ich nahm die Brille vom Teppich und setzte sie auf. Die Maus blinzelte und rannte los, direkt auf mein Gesicht zu.

Krümel neigte elegant den Kopf, mit einem Wisch war die rechte Pfote weit draußen und nagelte die Maus fest, ungefähr zwanzig Zentimeter vor dem Rand der Matratze, ungefähr fünfundzwanzig Zentimeter vor meinem Gesicht. »Du machst sie sowieso nie tot, und ich kann sehen, wie ich damit fertig werde.«

Krümel ließ die Maus los, und das graue Bällchen sauste im Geschwindschritt an der Matratze hoch und verschwand oberhalb meines Kopfes unter dem Kissen. Krümel leckte sich die rechte Pfote.

»Du bist widerlich«, sagte ich erbittert.

Ich setzte mich hin und nahm das Kissen hoch. Da hockte die Maus und blinzelte wieder, anscheinend furchtlos.

»Was machen wir jetzt mit dir?« Krümel drehte ab, lief steil schwänzelnd hinaus, maunzte in der Tür und rieb sich am Pfosten. Ich hörte, wie sie den Flur entlanglief und dann die Treppe hinuntersprang. Die Maus setzte sich vorsichtig in Bewegung, ich nahm sie schnell hoch und sagte: »Ich werde dir die Freiheit schenken, ich bin dein Freiheitskämpfer.«

Ich zog den alten Bademantel an und schlich die Treppe hinunter, die Maus in der Hand. Krümel rieb sich an meinen Beinen. »Ja, ja«, sagte ich, »du gestattest, daß ich deine Morgengabe erst mal an die frische Luft setze.«

Die Haustür quietschte, es war neblig, es nieselte, aber es war warm. Ich setzte die Maus auf die Stufen. Krümel beobachtete sie nicht sonderlich interessiert. Dann schloß ich die Tür, ging in die Küche und öffnete eine Dose für Krümel. Entenragout. Sie fing an zu schnurren und rieb sich an meiner Wade.

»Hör auf«, sagte ich, »du benimmst dich widerlich unwürdig, du verkaufst deine Seele für ein mieses Industrieprodukt.«

Ich schlich zurück in das Schlafzimmer, legte mich hin und schlief ein, bis Krümel mich mit einem sanften Laut weckte. Sie hielt, rund zwanzig Zentimeter vor meinem Gesicht, die Maus sanft auf dem Teppich fest und sah mich sehr stolz und gelassen an.

Es war neun Uhr, und soweit ich erkennen konnte, war es dieselbe Maus. Es war sogar bestimmt dieselbe Maus, denn in diesem Dorf würde es niemals zwei Mäuse von solch grandioser Dämlichkeit geben.

Ich nahm die Maus und brachte sie erneut vor das Haus. Das Telefon schellte. Ich dachte, es wäre Elsa oder irgendjemand sonst, aber es war Kohler.

Er sagte strahlend: »Hey!« Er sagt immer Hey und immer strahlend.

»Ich bin zweiundvierzig«, sagte ich. »Ich werde alt und fühle den nahen Tod. Und ich habe Urlaub.«

»Aber das weiß ich doch alles, mein Junge«, röhrte er. »Es ist nur so, daß der Chef dich unbedingt will. Er weiß schon, was er an dir hat …«

»Nehmt doch irgendeinen eurer festangestellten Redakteure, nehmt nicht mich. Es gibt bessere.«

»Nicht in diesem Fall«, sagte Kohler. »Es ist eine sehr leise Geschichte, eine Geschichte mit sehr viel Hintergrund. Und sie spielt irgendwo bei dir, irgendwo in der Eifel. Und weil der Chef so zurückhaltend ist und weil er über so schnöde Dinge wie Geld nicht sprechen mag, soll ich dir sagen, daß er dir achttausend zahlt. Pro Monat, versteht sich.«

Das war das Doppelte des Üblichen, das roch widerlich. »Es geht nicht«, sagte ich. »Ich muß Urlaub machen, verstehst Du? Ich bin wirklich kaputt, ich bin nur ein mieser Freier, der sich seine Brötchen verdient, um etwas Rente im Alter zu haben. Was ist es denn für eine Geschichte?«

Das schrecklich Normale an Kohler war, daß er irgendwann vor vielen Jahren beschlossen hatte, unter allen Umständen Karriere zu machen, oder das, was er dafür hielt. Und im gleichen Augenblick hatte er seine Seele verkauft, das Recht auf sich selbst abgetreten an irgendwelche gänzlich skrupellosen Chefredakteure, die ihn ständig mißbrauchten, ihn als Nachrichtenjungen benutzten, als postillon d'amour, als Arrangeur heimlicher Treffen. Zuweilen, das mag sein, fiel irgendeine höchst geheime Nachricht auch für ihn ab, aber in der Regel war es Klatsch, nichts wirklich Wichtiges, und er war verzweifelt bemüht, so zu tun, als wisse er alles aus den Kabuffs der Macht, als sei ihm nichts neu.

»Was für eine Geschichte?« fragte er gedehnt, als habe er meine Frage nicht verstanden. »Nun ja, wie gesagt: achttausend pro Monat, solange du an der Geschichte werkelst. Ich bin bloß eine kleine Nummer, verstehst du? Ich bin bloß der Chef vom Dienst. Und jetzt verbinde ich dich mit dem Chef.« Es klickte.

Da war sie, die geliebte, schnarrende Stimme. »Mein Freund, wie ich höre, machen Sie Urlaub. Na, macht nix. Können Sie sich vorstellen, daß Ihr Telefon abgehört wird? Verfassungsschutz, BND oder MAD und CIA und wie diese Jungensclubs alle heißen.«

»Ich weiß, daß ein paar von denen ständig Langeweile haben und sich gern in die Intimitäten anderer einmischen. Voyeure.«

»Ihr habt doch alle die Paranoia. Na gut, dann machen Sie sich auf die Socken und rufen mich aus einer Zelle an, klar? Und innerhalb der nächsten zehn Minuten, bitte.«

»Das geht nicht, das geht wirklich nicht. Wir haben hier im Dorf nur eine Zelle, und die ist immer kaputt, weil die Jugendlichen darin rumknutschen. Die nächste ist drei Kilometer weg.«

»Zwanzig Minuten, mehr aber nicht«, sagte er. Dann murmelte er noch verächtlich: »Dorf!« und »Eifel!« und hängte ein.

Ich zog mir einen Trainingsanzug an und ging auf den Hof. Es regnete sanft, der Wagen sprang widerwillig an, ratterte, als sei er verrostet. Krümel kam schmal und hübsch heran und miaute. Ich ließ sie rein.

»So eine Scheiße«, sagte ich ihr. »Aber für achttausend Eier kann ich dich bis an dein Lebensende ernähren.« Sie sprang auf die Rückbank, rollte sich ein und schloß die Augen. Sie mag es, wenn das Auto durch die Landschaft schaukelt.

Unten am Dorfbrunnen stand Alfred mit einem Hänger voll Heu und schrie: »Ich bringe dir nachmittags dein Holz.« Ich nickte, grüßte männlich mit lässig leicht erhobener Handfläche und fuhr weiter. Auf der Anhöhe zwischen den Dörfern peitschte der Regen in einer Bö fast waagrecht, aber weit im Westen war der Himmel blau. Ich würde gutes Wetter haben, nicht zu heiß. Ich mußte Holz schlagen, ich mußte die Natursteinmauer bepflanzen, ich mußte die Pflaumenbäume ausputzen, ich mußte den Abfall aus der Garage abtransportieren, ich hatte genug zu tun. Das alles in fast frischer Luft.

In der Telefonzelle hockte sich Krümel auf die Bücher und sah mir zu, wie ich das Kleingeld ausbreitete, die Münzen in den Schlitz steckte und wählte.

»Ich bin's wieder, Siggi Baumeister.«

»Gut, gut«, sagte er. »Haben Sie genug Kleingeld? Das dauert nämlich eine Weile. Ich muß Ihnen eine Geschichte erzählen, eine ganz komische Geschichte.«

»Ich habe genug Kleingeld.«

»Na gut. Also: Ich war gestern in Bonn beim Verteidigungsminister. Nichts Besonderes, nur ein Interview. Wir wollten wissen, ob er denn bereit ist, ein bißchen weniger zu rüsten. Er ist natürlich im Prinzip bereit, aber eigentlich ist er nicht bereit, weil er richtigen Frieden nicht mag. Klar, ist sein Job. Na gut, anschließend benahm er sich leutselig, ging mit uns in die Kantine essen. Der muß ja seinem Volk zeigen, daß er mit den bekanntesten Publizisten dieser Erde auf Du und Du steht. Der Fraß war saumäßig, der Minister stinklangweilig. Er erzählte mal wieder, wieviel gute Freunde er in Washington hat, und daß die eigentlich ohne ihn nicht leben können, wenn sie ehrlich sind. Gut, soweit auch nichts Besonderes. Dann wurde der Minister zum Telefon gerufen, und ich blieb da allein hocken.« Er räusperte sich hingebungsvoll, was besagt, daß es jetzt kam. »Sie müssen sich vorstellen, daß diese Kantine ein großer, niedriger Raum ist, ungefähr so anheimelnd wie das Pissoir auf dem Hauptbahnhof in Hamburg. Die Tische stehen dicht an dicht. Am Tisch hinter mir Zivilisten, zwei Männer, ungefähr fünfzig Jahre alt. Die unterhielten sich vollkommen normal, sofern in diesem Haus jemand normal ist. Anfangs habe ich nicht begriffen, um was es ging, aber dann habe ich es kapiert. Da ist ein Doppelmord passiert. In der Eifel. Irgendwo in Ihrer Nähe in einem Munitionsdepot. Also, der Mord ist nicht in dem Depot passiert, sondern außerhalb auf einem Waldweg. Der Ort heißt Hohlbach oder so ähnlich ...«

»Hohbach«, sagte ich. »Acht Kilometer von hier. Aber da war kein Doppelmord, das wüßte ich. Ich war gestern abend in der Kneipe.«

»Nun warten Sie's doch ab«, sagte er freundlich. »Aus der Unterhaltung der Männer ging hervor, daß ein Bundeswehrleutnant in einem Jeep gefunden wurde. Er saß hinter dem Steuer. Und neben ihm saß eine Frau, eine junge, hübsche Frau. Und beide saßen so, als würden sie sich unterhalten. Sehr friedlich, verstehen Sie? Aber beide sind erschossen worden. Von hinten in die Köpfe …«

»Das gibt es nicht«, sagte ich.

»Doch«, sagte er, »ein alter Bauer hat sie angeblich gefunden.«

»Das ist unvorstellbar«, sagte ich. »Sehen Sie, die Eifel ist zwar sehr schön, aber sie ist auch ein karges Land, ohne jeden Rummel. Und wenn hier so etwas passiert, reden die Leute, weil es nicht viel Abwechslung gibt. Hier wird schon geredet, wenn der Reißverschluß meiner Hose defekt ist.«

»Ja, ja«, sagte er ganz glücklich, »das dachte ich auch. Ich habe meinen Schlaf geopfert, ich habe sämtliche Dienste nachgelesen. DPA, UPI, Reuter und so weiter und so fort. Nichts von einem Doppelmord, überhaupt nichts.«

»Wie ging denn das weiter, haben die Männer irgendwelche Namen genannt?«

»Nicht die Spur. Das Einzige, was ich mitgekriegt habe, ist die Tatsache, daß das vor etwa vierzehn Tagen passiert sein muß. Und zwar an einem Sonntagabend oder in der Nacht vom Sonntag auf Montag. Einer der beiden Männer in der Kantine sagte, er habe kaum Hoffnung auf eine schnelle Klärung, weil, und an diesem Punkt kann ich wörtlich zitieren, »dieser DDR-Fatzke mit seiner Karre spurlos verschwand.« Baumeister, ich betone, daß ich nicht weiß, was das heißt. Eingesetzt sind der Militärische Abschirmdienst und der Verfassungsschutz und der BND. Ja, und noch ein Bonbon. Die Kripo ist aus dem Fall hinausgeschmissen worden, obwohl die Frau angeblich nicht bei der Bundeswehr war, also Zivilistin. Egal, wie lange Sie an dieser Geschichte sitzen, ich zahle alle Spesen. Kohler hat Ihnen gesagt, was Sie verdienen? Also los, das will ich im Blatt haben, egal wie lange das dauert.«

»Erinnern Sie sich an andere Einzelheiten des Gespräches? Hatte dieser Leutnant etwas mit dieser Frau zu tun? War es seine Frau?«

»Nein, nein. Einer der beiden Männer erwähnte, sie hätten mit der Frau unendlich Schwein gehabt, weil niemand sich für sie interessiert – außer mit ihr zu bumsen, als sie noch lebte.«

»Das kann aber eine Menge Interesse bedeuten«, sagte ich. »Und noch etwas: Schicken Sie mir bitte die ersten achttausend telegrafisch. Ich will sehen, wofür ich arbeite.«

»Gut«, sagte er. »Und schicken Sie mir die Recherchenergebnisse an meine Privatadresse. Niemand weiß von der Sache, und so sollte es bleiben.«

Ich nahm Krümel und sagte begeistert: »Ich kaufe dir drei Tonnen Whiskas vom Feinsten.« Sie hing mit geschlossenen Augen wie ein nasser Lappen in meinen Händen. Manchmal nutzt sie mich schamlos aus.

Alfreds Trecker mit dem Heuanhänger stand vor Manni Kappes Wirtschaft und tuckerte vor sich hin. Das hieß, daß Alfred bestenfalls drei bis sechs Bier trinken würde. Ich sagte Krümel, sie solle im Wagen bleiben, und ging hinein. Manni stand hinter dem Tresen, und vor ihm stand Alfred und trank sein Bier.

»Morgen. Ich hätte gern Kaffee«, sagte ich.

Manni verzog den Mund und ging in die Küche.

»Hör mal, da ist ein Munitionsdepot in Hohbach. Weißt du, was da gelagert wird?«

»Ganz normale Munition«, sagte Alfred. »Aber die Leute sagen auch, da gibt es unterirdische Tanks für Gas. Andere sagen, daß sie da diese Rucksack-Atombomben haben. Aber die Leute reden viel. Auf jeden Fall ist das die Säuferkompanie.«

»Was heißt das?«

»Na ja. Ein Depot am Arsch der Welt. Die Männer langweilen sich zu Tode. Ich habe da mal mitten in der Woche Holz hingefahren. Die waren alle besoffen. Das ist doch ein Scheißjob ist das.«

11

»Und was weißt du sonst noch?«

Er grinste. »Nix, ich weiß nie was. Aber ehrlich, du weißt doch selbst, daß wir hier jede Menge Depots haben. An jedem dicken Baum.«

»Na schön«, sagte ich. »Sag Manni, er soll meinen Kaffee trinken. Ich bezahle heute abend.«

Als ich rauskam, zogen zwei F-15 von den Amerikanern in Bitburg in ungefähr siebzig Metern Höhe über das Dorf und gingen parallel in eine Kampfkurve. Es kreischte.

»Idioten!« schrie ich. Krümel war vom Sitz gesprungen und darunter gekrochen. »Reg dich nicht auf«, sagte ich. »Sie müssen Krieg spielen, weil sie sonst arbeitslos wären.«

Es hatte zu regnen aufgehört, am Himmel segelten schneeweiße Wolken. Ich fuhr nach Hause, zog mir die Arbeitsklamotten an, zog das Telefon an der langen Strippe auf den Gartentisch, holte die Leiter und fing an, den Pflaumenbaum auszuschneiden, bis das Telefon zum erstenmal schellte. Es war schon wieder Kohler.

»Was ist es?« fragte er gierig.

»Nichts Besonderes«, sagte ich. »Es ist privat für den Chef.«

»Also, du schweigst?«

»Ich schweige«, sagte ich und hängte ein.

Eine Stunde später war Elsa am Apparat und schnurrte mit unterkühlter Stimme: »Ich wollte eigentlich nicht anrufen. Aber wir hatten einen Termin: Du wolltest hierher nach Hamburg kommen und mit mir in das Gitarrenkonzert von McLaughlin gehen. Du bist nicht gekommen.«

»Ich … oh Scheiße, ich habe das verschwitzt, es war so viel zu tun hier.«

»Das hilft dir nicht, du hast nicht einmal angerufen. Das hat wohl damit zu tun, daß ich eine Frau bin.«

»Hör auf mit diesem ewigen Feldzug für die Frauen. Ich habe es verschwitzt, wirklich und wahrhaftig verschwitzt. Das ist nicht gut, und ich entschuldige mich.«

»Wenn du das nächste Mal mit mir schlafen willst, werde ich vergessen, mich auszuziehen.« Sie war wirklich zornig, und ich sah ihre schmalen Augen.

»Wie geht es dir sonst?«

Sie lachte sanft und beängstigend sympathisch. »Es geht mir ganz gut, ich habe auch Urlaub. Bleibst du im Urlaub zu Hause?«

»Ja.«

»Komm doch ein paar Tage her.«

»Geht nicht. Hier ist so viel zu tun.«

»Du willst also nicht gestört werden? Vielleicht hast du Besuch bei dir?«

»Na sicher. Die Tochter vom Schimanski ist hier, vierzehn und willig.«

»Du bist zum Kotzen arrogant, Baumeister.«

»Das haben wir gemeinsam.«

Sie sagte eine Weile nichts, dann murmelte sie: »Wir haben beide unsere Geschichte. Kann sein, daß wir keine Übereinstimmungen finden, daß wir rummachen, rumtaumeln, rumstottern. Ich diene mich an ... habe ich mich dir angedient? Ja, und wenn? Wir tun uns weh, nicht wahr?«

»Zuweilen.« Hinter mir im alten Apfelbaum war das Dompfaffpärchen eingeflogen und schien sich aufgeregt etwas zu erzählen.

»Deine Sprüche«, sagte sie hart und flach. »Deine gottverdammten Sprüche!« Dann knallte es scharf, weil sie den Hörer so heftig auflegte.

»Ja, ja«, murmelte ich und hängte ein. Ich stopfe mir die *Royal Briar* von Stanwell, schmauchte ein paar Züge und erklärte dem Dompfaffpärchen: »Eine Frau kann ich doch jetzt wirklich nicht gebrauchen!« Um meine Biestigkeit deutlicher zu machen, murmelte ich: »Yesterday I had a love song, today I am singing the blues!« Natürlich kam ich mir vor wie ein Schmierenkomödiant, aber es tat gut. Schließlich stiefelte ich ins Haus und ließ das Joe-Pass-Trio ›Lover For Sale‹ jubeln, weil man da so schön in Selbstmitleid ersaufen kann.

Alfred kam mit dem Hänger voll Buchenholz runter vom Hochwald. Er zog den schweren Fendt vor die Garage und sagte: »Ich stapel dir das auf. Morgen komme ich mit der Kreissäge. Aber hacken mußt du es selbst, dann kriegst du auch keinen Bauch. Weshalb hast du nach dem Munitionsdepot gefragt?«

»Nur so. Jedesmal, wenn ich von Köln komme, sehe ich es da liegen. Ich wollte nur wissen, was es ist. Was kostet das Holz?«

»Zweihundert. Mit der Fahrerei zweihundertzehn. Wenn du einen Hunderter drauflegst, schicke ich dir wen, der das hackt und stapelt.«

»Ich hacke es selbst. Wieviel Mann liegen in so einem Depot?«

Alfred war ein rothaariger, schmaler, zäher Eifelbauer in meinem Alter. Er war stolz darauf, daß er nie geheiratet hatte, und einige Leute im Dorf sagten, er spiele gelegentlich den Clown, um zu verbergen, daß er scharf denken konnte.

»Du hast doch was«, sagte er, »du fragst doch nicht ohne Grund.«

»Lad das Holz ab«, sagte ich. »Du kriegst dann ein Bier und einen Schnaps, und ich sage dir, was ich habe.«

Er nickte und machte sich daran, die schweren Baumstücke herunterzuhieven und aufzustapeln. So, wie er das machte, sah es sehr leicht aus.

Ich stieg wieder in den Pflaumenbaum hinter dem Haus und holte die Geilzweige raus, die im Frühjahr geschossen waren. Als mir der Fuchsschwanz ausglitt und über den linken Handrücken ratschte, stieg ich runter, machte mir im Bad ein Pflaster drauf und sah dann zu, wie Alfred die letzten Stämme stapelte.

»In den kleineren Depots sind immer fünfzig bis sechzig Leute, vier bis sechs Züge. In Hohbach sind um die hundert Leute. In Hohbach sind auch keine Wehrpflichtigen. Daran kannst du sehen, daß sie wichtiges Zeug bewachen. Wenn es nur normale Munition wäre, hätten

14

sie Wehrpflichtige, aber sie haben keine, nur richtige Kommißköppe. Du hast was gehört, nicht?«

»Was soll ich gehört haben?«

Er nahm den letzten Stamm vom Hänger und legte ihn leicht wie ein Schilfrohr oben auf den Stapel. Er sah mich an. »Laß uns drinnen sprechen. Ich merke schon, du weißt was. Ich weiß auch was. Da steht ein Jeep im Wald, und da sitzt ein Bundeswehrleutnant drin, und daneben eine Frau. Und das ist beim Depot in Hohbach. Und beide mit Kopfschüssen, und ...«

»Wer hat dir das erzählt?«

»Ein Vögelchen, ein Vögelchen. Komm rein, du kannst mir ein Bier spendieren.« Er ging vor mir her, er ging leicht rollend wie ein Seemann. In der Tür drehte er sich um. »Sie haben alles vertuscht. Aber da ist was ganz Neues. Drei Tage später haben sie eine dritte Leiche gefunden, wieder eine Frau. Zweihundert Meter von dem Punkt weg, an dem der Jeep stand. Auch erschossen.«

Er ging vor mir her durch den Flur, bog ab in das Wohnzimmer und hockte sich mit dem halben Hintern auf die Sofalehne, wie er das immer macht. »Ich hoffe, du verscheißerst mich nicht«, sagte ich und ging, um das Bier und den Schnaps zu holen.

»Ich weiß, was ich weiß«, sagte er empört und laut. »Ich hab in Hohbach einen Kumpel wohnen aus früheren Zeiten. Aber woher hast du das erfahren?«

»Ich habe in Bonn zwei Männer drüber reden hören. Reiner Zufall. Was weißt du?«

»Ich weiß, daß du nichts rauskriegen wirst. Die haben alles wasserdicht gemacht, die machen immer alles wasserdicht bei der Bundeswehr.«

Ich stellte ihm eine Flasche Bier hin und goß ihm einen Schnaps ein. »Was weißt du?«

»Ich sagte doch, ich hab in Hohbach einen Kumpel. Der rief mich an und hat mir was erzählt. Einer von den alten Bauern ist morgens los, um nach dem Feld zu gukken. Dabei hat der Mann den Jeep mit den zwei Toten

15

gefunden. Das war der Sonntag vor Pfingsten. Er ist dann zum Depot gerannt und anschließend ins Dorf. Aber nach einer Stunde haben sie ihn abgeholt, mit Militärpolizei. Und als er von der Vernehmung zurückkam, hat er kein Wort mehr gesagt. Es wird erzählt, es ist ein Leutnant von der Bundeswehr gewesen und eine Frau. Und drei Tage später haben Kinder die zweite Frau gefunden. Die Bundeswehr hat das ganze Gebiet fünf Stunden lang abgesperrt, sogar die Verbindungsstraße zur Autobahn haben sie dicht gemacht.«

»Also mit anderen Worten: Die ganze Gegend weiß, was du weißt, und kein Mensch redet.«

»Warum sollen wir denn reden? Wir sind eben schweigsame Leute.« Er grinste und seine Augen versanken in Falten. »Der Gentleman genießt und schweigt. Im Ernst, Bundeswehr ist doch gut für die Eifel, Bundeswehr sind Arbeitsplätze, Bundeswehr macht Kameradschaftsabende mit den alten Kriegern, Bundeswehr bringt Geld. Sei doch ehrlich, Junge, wenn die mit ihren Scheißpanzern meine Wiesen pflügen, dann kommt irgendein Heini in Uniform und zahlt schnell und gut. Wenn hier bei der Bundeswehr was stinkt, dann halten wir uns alle die Nase zu, weil das doch klar ist, daß wir zu denen halten, weil …«

Er hatte sich in Rage geredet, denn dies war ein heikler Punkt in seinem Leben. Es kam sehr selten vor, daß er sich betrank, aber wenn er betrunken war, kam er auf die Bundeswehr zu sprechen und sagte mit Augen, die nichts sahen: »Das ist der beschissenste Verein, den es gibt, weil du nur eine Nummer bist und keine Chance hast, was anderes zu sein als eine Nummer.« Nie erwähnte er, daß ein Bundeswehrspieß ihm die Liebe seines Lebens vermasselt hatte, aber immer war er in dieser Stimmung drauf und dran, das ganze Lokal zu verwüsten.

»Und die Redakteure von den Lokalzeitungen?«

Alfred lachte. »Die wissen das, was ich weiß, aber schreiben dürfen die kein Wort, weil dann die Banken, die Handwerker und die Geschäftsleute sagen, daß es keine Anzeigen mehr gibt. Und so weiter. Sag mal, bist du von gestern? Junge, laß die Finger davon. Wenn du nur danach fragst, bist du schon im Krankenhaus.«

Es machte keinen Sinn, ihm zu widersprechen, er hatte recht. »Drei heimliche Tote«, sagte ich schwärmerisch. »Was sagen deine Flüstertüten? Liebesdrama? Familiendrama? Ehedrama? Oder Spionagedrama, oder was?«

Wenn er grinste, hatte er keine Augen mehr, nur noch Falten. »Der eine sagt dies, der andere das, du kannst es dir aussuchen. Aber tatsächlich weiß keiner was. Von Spionen ist in der letzten Zeit viel geredet worden, aber das kann Geschwätz sein.«

»Wer sind die beiden toten Frauen?«

»Die erste ist bekannt. Sie war seit einem Jahr Kellnerin in der Wirtschaft in Hohbach. Ich weiß nur, sie war nicht aus Hohbach, sie war aus Ostberlin. Sie hieß Susi. Und sie war rund dreißig Jahre alt. Wer die zweite Tote ist, weiß kein Mensch. Die Kinder kannten sie jedenfalls nicht. Außerdem war sie nicht mehr erkennbar.«

»Stammte der Leutnant aus dieser Gegend?«

Er schüttelte den Kopf. »Der soll im Münsterland zuhause gewesen sein.«

»Kannst du mich weiterreichen an deinen Kumpel in Hohbach?«

»Das mache ich nicht«, sagte er schnell und starrte aus dem Fenster. »Du mußt das verstehen. Ich bin ein Bauer und ich lebe hier. Du bist von der Presse und kannst jederzeit abhauen. Das kann ich nicht machen.«

»Schon gut«, sagte ich. »Vergiß, daß wir drüber geredet haben.«

Er zeigte sein Faltengesicht. »Ich kenne dich jetzt fünf Jahre, aber ich habe dich nie gesehen.« Damit ging er. Er hatte das Bier und den Schnaps nicht angerührt.

In der Haustür drehte er sich herum und war gegen den Frühsommerhimmel ein scharfer Scherenschnitt. »Du kriegst es ja doch raus. Irgendein LKW aus der DDR spielt da mit. Der war übers Wochenende in Hohbach, der Fahrer hat in der Kneipe übernachtet, weil er samstags und sonntags nicht auf die Autobahn darf. Und am Mittwoch vorher war der Lastzug schon mal in Hohbach, der Fahrer hat schon mal da geschlafen.« Er bewegte die Arme sehr rasch vor dem Körper. »Ich weiß nicht, wie das zusammenhängt, unsereiner hat keine Ahnung von so einem Scheiß. Die Leute sagen, da haben sich irgendwelche Spione gegenseitig umgelegt. Hast du gehört, daß die Toten in dem Jeep und die Frau, die später gefunden wurde, gar keinen Kopf mehr hatten?«

»Habe ich nicht gehört. Und dieser LKW-Fahrer aus der DDR ist verschwunden?«

»Verschwunden samt LKW. Hatte eine Nummer mit R, war aus Dresden. Und der Laster war ein Volvo Intercooler, drei Achsen hinten für ganz schwere Sachen.« Er lächelte vage. »Vielleicht haben die eine Rakete geklaut, oder so.«

»Weißt du die ganze Nummer vom Laster?«

»Nein, nur das R.« Er bewegte die Arme wieder. »Ich muß weiter.«

Es gibt Tage, da reagiere ich ausgesprochen musikalisch. Ich schob ein Band von Robben Ford in das Radio. Er sang ›Nothing but the blues‹ und scheuchte mit weich gesetzten Harmonien alle Verquastheiten aus meinem Schädel. Ich ging hinter das Haus, machte weiter an dem Pflaumenbaum, und als ich fertig war, schnitt ich drei dicke Scheiben vom Schinken herunter, briet sie und schlug dann drei Eier drüber. Dazu gab es schwarzen, italienischen Kaffee.

Ich mußte rausrennen in den Garten, als das Telefon schellte, mein Telefon steht nie dort, wo ich es brauche. Es war Elsa und sie sagte biestig: »Ich habe mit Kohler gesprochen.«

»Ja und?«

»Kohler ist ein Schwätzer und ein Wichtigtuer, und er glaubt, daß wir etwas miteinander haben und so.«

»Ja und?«

»Ich meine, nicht ich habe ihn angerufen, sondern er mich. Er will nämlich wissen, welchen dämlichen Geheimauftrag dir der Chef erteilt hat. Und er glaubte, ich wüßte es.«

»Kohler ist ein Idiot.«

»Da stimme ich zu. Ganz abgesehen davon hat sich aber herausgestellt, daß du keineswegs Urlaub machst, sondern eine Geschichte. Und als ich dich zum erstenmal angerufen habe, klang deine Stimme auch so.«

»Wie?«

»Na ja, wenn du eine Geschichte angehst, hast du eine besonders ferne Stimme. Man hat den Eindruck, du hörst nicht zu, bist nicht bei der Sache.«

»Es ist wirklich eine Geschichte für den Chef, und ich weiß nicht, was dabei herauskommt, denn sie ist erst ein paar Stunden alt. Ich möchte dabei allein sein.«

»Ich habe aber überlegt, daß ich mich in den Wagen setze und zu dir komme.«

»Du willst mit deiner Rostlaube von Hamburg hierher in die Eifel tuckern? Da brauchst du zehn Stunden, wenn der Wind günstig steht.«

»Das ist mir gleichgültig, ich habe mit dir etwas für mich Wichtiges zu klären, verstehst du?«

»Ja.«

Was sollte ich einwenden? Wenn sie etwas Wichtiges für sich klären wollte, würde es mir nicht helfen, augenblicklich eine Lungenentzündung zu kriegen, nichts würde mir helfen.

»Könnte es denn nicht sein, daß du dich ein wenig auf mich freust? Als wir das letzte Mal in meiner Wohnung hier zusammen geschlafen haben, da hast du …«

»Ich überlege gerade, daß es mich wirklich freut, daß … Na ja, die Geschichte für den Chef stört etwas, weil sie mich stark beschäftigen wird, und weil ich eigentlich gar keine Zeit für dich haben werde, und weil ich das Haus hier versorgen und weil ich Holz schlagen muß, und sägen muß ich es auch … und …« Ich redete und redete, bis ich irgendwann merkte, daß sie längst eingehängt hatte. Ich feuerte den Hörer auf die Gabel und rannte in den Garten. Mein Privatleben war in Gefahr.

Ich brach aus der Natursteinmauer einzelne Steine heraus. Die Höhlungen versah ich nach vorn mit einem kleinen Damm aus Schnellzement. Dann füllte ich die Löcher mit Erde auf und setzte lange Waldgräser hinein. Ich hatte irgendwann diese Idee geboren und wollte wissen, ob sie funktionierte. Dann räumte ich auf, sah die Nachrichten im ZDF, ließ mir eine Badewanne ein. Gegen zwanzig Uhr war ich fertig, zog Jeans und einen dünnen Pullover an, darüber die Anglerweste. Ich setzte auch diesen lächerlichen Pepitahut auf, der mich so mittelmäßig macht. Dann noch meine Ausweise und das kleine Diktiergerät. Mein Urlaub war zuende.

Es war bedeckt, aber es sah nicht nach Regen aus, die Wolken segelten zu fröhlich und zu schnell, schönes, glasklares Eifellicht. Ich nahm das Presseschild von der Scheibe und steckte es ins Handschuhfach. Im Rückspiegel sah ich, wie Krümel auf dem Holzstoß saß und beleidigt in die Gegenrichtung blickte.

Ich fuhr auf Köln zu. Kurz vor der Autobahn bog ich links ab. Ich sah das Bundeswehrdepot hellerleuchtet in den dunkelbraunen und grünen Hügeln liegen. Die Luft war feucht und die starken Scheinwerfer tauchten die Wachtürme und den Zaun in ein gespenstisches Licht, in dem sanft blauer Nebel waberte. Es war ein Bild wie aus einem Horrorfilm. Dumpfe, stark erregte Musik kommt auf, man kennt das.

Tagsüber fuhren die meisten Menschen achtlos vorbei, sie sahen es nicht. Nachts mußten sie es sehen, es wirkte wie die gewaltige Bühne eines Freilichttheaters.

Ich hielt vor der Kneipe in Hohbach und ging hinein. Es war wie in vielen Eifelkneipen: Nur ein paar Männer am Tresen, keine Frauen.

Ich setzte mich an einen Tisch, nachdem ich freundlich gegrüßt hatte. Der Wirt kam. Er war ein kleiner, runder Mann mit kleinen Augen in einem roten, listigen Schweinsgesicht. Ich fragte ihn, ob er mir etwas zu essen machen könne. Bratkartoffeln mit Spiegelei zum Beispiel. Er sagte, das ginge.

Die Männer am Tresen unterhielten sich laut und lärmend und zuweilen sahen sie aus den Augenwinkeln zu mir hin und ihre Gesichter versteinerten für eine Sekunde, als wollten sie fragen, wer ich sei und was ich von ihnen wolle. Da war Spannung.

Als der Wirt das Essen brachte, fragte ich: »Hier soll in der Nähe ein Feriendorf mit einem See sein, an dem man angeln kann.«

»O ja«, sagte er freundlich und übertrieben gedehnt wie ein Werbefachmann. »Der Hohbacher See, ein Staubecken. Da ist auch ein Campingplatz. Oder suchen Sie ein Hotelzimmer?«

»Nicht gerade ein Hotel«, sagte ich. »Vielleicht etwas Billigeres.«

»Nehmen Sie doch bei mir ein Zimmer«, sagte er. »Ist wirklich nicht teuer. Sie zahlen dreißig Mark inklusive Frühstück und können frühstücken, soviel Sie wollen. Sie können das Mittagessen sparen. Einen Angelschein kriegen Sie auch bei mir. Fließend kalt und warm Wasser, Dusche, schöne Aussicht, ruhig hier.«

»Das ist gut«, sagte ich. »Und wie ist der Fischbestand?«

»In Ordnung. Schleien, Karpfen, Rotaugen. Wir haben versucht, Hechte einzusetzen, aber das ist nichts, die gehen ein. Der See ist zu neu. Wenn er zehn Jahre alt ist, steht das Schilf breit genug und wir können es mit Hechten versuchen. Wenn Sie auf Forellen gehen wollen, weiß ich ein gutes Wasser für Sie. Aber erst mal guten Appetit.«

Ich aß und las dabei die regionale Tageszeitung. Dann ging ich hinaus und holte meine Tasche aus dem Wagen.

Der Wirt zeigte mir das Zimmer im ersten Stock. Es war groß und erstaunlich gemütlich. Ich legte die Hemden und die Wäsche in den Schrank, die Krimis auf den Nachttisch. Dann ging ich wieder in den Schankraum. Jetzt waren mehr Männer dort und auch ein paar Frauen, die vereinsamt an den Tischen saßen und so wirkten, als hätten sie ausnahmsweise die Erlaubnis ihrer Männer, eine Kneipe zu besuchen. Es waren keine einheimischen Frauen, Touristinnen wohl vom Campingplatz.

Ich stellte mich an den Tresen und ließ mir einen Apfelsaft einschenken.

»Geben Sie mir ein Wasser, Herr Wirt«, sagte jemand neben mir, dünn wie ein Federmesser. Es war eigentlich keine Stimme, es war etwas wie körperlose Gewalt, etwas sehr kalt Beiläufiges. Dann drehte er sich zu mir und stellte fest: »Sie trinken auch keinen Alkohol, das ist gut. Alkohol verwischt Konturen, Alkohol ist nur gut, wenn man sehr allein ist.«

Er war einen Kopf kleiner als ich, ein schmaler, harter Mann in einem dunkelgrauen Tuchanzug mit einer weinroten Krawatte. Sein Haar war schwarz und sehr kurz geschnitten, Mecki nannten wir das, als wir jung waren. Das Gesicht war das eines Asketen, der viel im Freien ist, seine Augen waren dunkelbraun und glänzend und ausdrucksvoll wie Kieselsteine. Er mochte vierzig Jahre alt sein oder fünfzig, vielleicht auch sechzig, er war unschätzbar.

»Ich habe früher getrunken«, sagte ich. »Dann kam meine Leber dazwischen.« Ich sah an ihm herunter. Er trug schwarze, feste Halbschuhe, die so glänzend gewichst waren, als ginge er gleich zum Großen Zapfenstreich.

Der Wirt stellte das Wasser vor ihn hin und sagte begütigend, als habe er Angst: »Das ist Studienrat Doktor Messner aus Köln. Auch ein Anglerfreund.«

Der Studienrat lächelte und lächelte doch nicht. »Gehen Sie auf Forellen, oder gemütlicher?«

Das war kitzlig, denn ich hatte in meinem ganzen Leben noch keinen Fisch geangelt. »Meistens Karpfen«, entschied ich. »Dann brauche ich mich nicht so viel bewegen.«

»Aus Köln?« Er zeigte eine Reihe makelloser Zähne.

»Ja. Ein Bekannter hat mir von diesem Stausee erzählt. Sind Sie oft hier?«

»Sehr oft, wann immer ich kann. Hier ist Ruhe, kein Geschrei, kein Geschwätz.« Das war eine Feststellung, keine Spur von Begeisterung, keine Spur von irgend etwas.

»Was lehren Sie, welche Fächer?« fragte ich.

»Physik«, sagte er und trank einen Schluck Wasser. »Physik, Sport, Chemie. Zuweilen Mathematik in unteren Klassen. Entschuldigung, meine Frau hat das Essen bestellt.« Er sah mich an, als sei ich eine Fliege, die er irgendwo einzuordnen habe. Er löste sich von der Theke und ging davon, wobei erstaunlich wirkte, daß seine Schultern sich dabei kaum bewegten. Es wirkte bei genauem Hinsehen ein wenig lächerlich und zugleich bedrohlich. Dieser Dr. Messner ging nicht, er glitt. Er mußte zu einem Tisch in der entfernten Ecke des Raumes, und er hatte nicht viel Platz. Aber seine Bewegungen waren schnell und gleitend. Die Frau, die dort auf ihn wartete, war hellblond und stark geschminkt und trug erstaunlich viel Gold an den Fingern und den Armen. Sie sah ihn nicht an, und er legte ihr begütigend die Hand auf die Schulter, als könne er damit verhindern, daß sie explodierte.

»Ist der Herr Doktor Messner ein guter Angler?« fragte ich den Wirt.

»Och, ich weiß es nicht«, murmelte der Wirt und zapfte ein Bier. »Ich stehe ja nicht daneben.«

»Er ist gar kein Angler«, murmelte ich.

Der Wirt hob den Kopf nicht, lächelte nur in den Bierschaum, sagte nichts, zuckte nur sanft die Achseln, stellte Biergläser auf ein rundes Tablett und schob damit ab.

Ich versuchte, Männer zu entdecken, die nach Geheimdienst aussahen, nach MAD oder Verfassungsschutz oder BND, aber ich entdeckte keinen, der in solchen Riegen zu sein schien. Einmal, während des Essens, stand die Frau an Messners Tisch auf und ging hinaus. Sie war größer als er, und ihr Gesicht war kalt.

Ich stand noch zwei Stunden herum, trat von einem Bein auf das andere, trank Apfelsaft nach Apfelsaft, wartete, daß eines der Bauerngesichter um mich herum eine Bemerkung machen würde. Vielleicht über den Doppelmord oder den dreifachen Mord oder das Munitionsdepot. Aber sie sagten nichts, und ein Tourist genügte wohl, um sie stumm zu machen.

Gegen Mitternacht kam eine Gruppe aufgetakelter Krieger in Tarnanzügen herein. Sie sagten lärmend »Guten Abend«, und ihr Anführer, ein kleiner, schmaler Mann mit einem Schnurrbart vom Reißbrett, schnarrte: »Wir sind sechs, also brauchen wir erst mal zwölf Bier, Hannes.« Die Kneipe lachte, ich zahlte und ging hinauf in mein Zimmer.

Ich zog mich aus und legte mich nackt auf das Bett. Der Lärm im Schankraum nahm ein wenig ab. Irgendwann döste ich ein und wurde wieder wach, weil ich fror. Ich deckte mich zu und hatte eben das Licht ausgemacht, als es klopfte.

»Messner«, sagte er durch die Tür. »Ich möchte Sie schnell noch etwas fragen.« Es war ein Uhr dreißig. Ich stand auf, zog die Jeans über, fummelte nach meiner Brille und öffnete ihm.

Da stand er und lächelte freundlich und kam einen Schritt herein. Er sagte heiter: »Sie werden hier nicht herumschnüffeln, Baumeister.«

»Und was werde ich statt dessen tun?«

»Sie werden Ihre Klamotten einpacken und verschwinden. Sofort. Das mit dem Zimmer hier erledige ich schon. Und Sie werden sich nicht weiter um diesen Fall kümmern.«

Ich drehte mich herum und setzte mich auf das Bett. Ich schüttelte den Kopf. »Ich weiß nichts von einem Fall, ich werde bleiben.«

»Nein.« Er kam ganz herein und schloß die Tür hinter sich. »Sie wissen, wovon ich rede.« Er sprach leise und sehr bestimmt.

»Ihre Tarnung ist mies. Ein Studienrat, Doktor mit Physik und Chemie und Sport und Mathematik in Köln. Aber dauernd in der Eifel. Verfassungsschutz? MAD? BND?«

»Keine Schonzeit für Schreiberlinge. Ich werde Sie verscheuchen, Sie stören die Arbeit.« Er runzelte die Stirn. »Ich habe Ihre Akte hier, ich weiß, was Sie so schreiben. Ich habe auf Sie gewartet, Sie sind die Schmeißfliege in diesem Fall.«

»Wie schön«, sagte ich. »Dann sind Sie der Scheißhaufen.«

Er reagierte nicht erkennbar, er lehnte neben der Tür an der Wand, links über seiner Schulter war ein kleines hölzernes Kruzifix.

»Wir trennen uns friedlich«, bestimmte er. »Sie gehen jetzt und kriegen die erste Vorausinformation frei Haus.«

Ich lachte, ich mußte einfach lachen und wunderte mich, daß ich das konnte. »Wer immer Sie sind: Sie sind nichts als ein kleiner, mieser Aufpasser vor Ort. Der Fall wird in Bonn gelöst und niemand wird es für nötig halten, Sie zu informieren. Sie sind eine kleine Nummer an einem kleinen Bundeswehrdepot mit einem kleinen Dreifachmord. Deshalb werde ich nicht gehen.«

Man soll Beamte nicht beleidigen, ganz gleich, ob sie Briefträger oder Geheimdienstleute sind.

Er war schrecklich schnell. Er knickte leicht nach rechts in der Hüfte ein und war mit verblüffender Lautlosigkeit bei mir. Er schlug eine Doublette und landete zweimal voll. Ich wurde nach links vom Bett geschleudert. Ehe ich bewußtlos wurde, hörte ich meine Brille gegen den Heizkörper scheppern und über die Fußbodenbretter gleiten.

Ich lag sehr flach und kriegte keine Luft, als er vollkommen ruhig sagte: »Stehen Sie auf, packen Sie Ihre Sachen und verschwinden Sie.«

Ich konnte nichts sagen, ich konnte nicht aufstehen. Dann war er über mir, griff in meinen Hosenbund und stellte mich so mühelos auf die Beine, als sei ich gewichtslos. Er drehte mich zum Schrank herum und gab mir einen Stoß. »Packen Sie Ihr Zeug ein!«

»Nicht so«, lallte ich, »nicht so.« Ich hielt mich am Schrank fest.

»Sie sind aber sehr renitent«, sagte er affektiert. Er atmete nicht einmal schnell.

Etwas knallte hart in meine linke Nierengegend. Ich drehte mich unkontrolliert, und er stoppte meine Bewegung, indem er mir gegen den Kopf schlug. Links, rechts, links. Ich kniete vor ihm, und er zog mich an den Haaren hoch und schlug zwei Doubletten. Er traf beide Ohren und den Oberkörper, und ich konnte nicht einmal die Arme hochbringen, um mich zu schützen.

Er sagte und atmete jetzt schnell: »In einer Minute sind Sie hier raus. Falls nicht, hole ich die Jungens aus dem Depot. Die sind sowieso sauer.«

Dann hörte ich ihn hinausgehen, sehr leise. Und die Tür war kaum zu hören, als er sie schloß.

Ich versuchte aufzustehen. Das ging nur unendlich langsam, und die Schmerzen drückten mir die Luft ab. Ich erreichte tief gebückt das Waschbecken und zog mich hoch. Ich drehte das kalte Wasser auf. Ich wollte mir Wasser in das Gesicht schaufeln, aber als ich mich vorbeugte, verlor ich das Bewußtsein.

Ich wurde wach, lag auf dem Gesicht und drehte mich langsam auf den Rücken. Es tat alles sehr weh, der Schmerz war nicht zu lokalisieren. Über mir war verschwommen das Waschbecken. Ich wollte irgend etwas sagen, laut Scheiße brüllen, aber ich bekam kein Wort heraus. Ich erinnerte mich an das Scheppern meiner Brille und rutschte irgendwie auf den Knien dorthin, wo sie liegen konnte. Ich ertastete sie und setzte sie auf, sie war heil geblieben.

Den Pullover konnte ich nicht anziehen, weil ich die Arme nicht hochkriegte und weil mein Gesicht höllisch brannte. Überall an mir war Blut. Die Schuhe konnte ich nicht anziehen, weil ich mich dann vorbeugen mußte, und das ging nicht, ich hatte Angst davor.

Also ging ich barfuß, nur mit den Jeans bekleidet. Da war die Treppe. Ich hatte panische Angst, das Bewußtsein zu verlieren. Ich ging die Treppe rückwärts hinunter, weit vorgebeugt, Stufe um Stufe. Dann drehte ich mich um. Ich ging durch eine Tür, auf der ›Zum Hof‹ stand. Es war sehr dunkel, aber es gab eine mattblaue Einfahrt, die auf die Straße mündete. Da stand mein Wagen. Alles war sehr still und friedlich.

Ich sah durch die Kneipenfenster, daß drinnen die Bundeswehrler noch tranken, der Wirt hatte die meisten Lichter gelöscht.

Der Mann, der sich Dr. Messner nannte, stand ganz still neben meinem Wagen und lächelte mich an und sagte nichts.

Ich sagte auch nichts, schloß zittrig den Wagen auf und stieg ein, wobei ich fiebrig dachte: Nicht umfallen, nicht umfallen. Das einzige, was ich hörte, war mein eigenes mühsames Atmen. Einen Augenblick lang dachte ich daran, schnell zu reagieren, ihn zu täuschen, ein schnelles Wendemanöver zu machen, ihn einfach über den Haufen zu fahren. Dann verpuffte die Idee, ich wollte weg, nichts als weg. Ich war zu jedem Manöver unfähig, ich hätte ihn mit dem Auto nicht einmal getroffen.

Ich fuhr sehr langsam, weil mein Blickfeld sich dauernd veränderte. Ich weiß es nicht genau: Ich bildete mir ein, normal zu fahren, aber alles ging unglaublich langsam. Einmal sah ich fasziniert meine Hand auf dem Weg zum Schaltknüppel: Sie kroch, als habe sie Angst, müsse sich anschleichen an das blöde Ding.

Mein Kreislauf spielte verrückt, und ich konnte nicht

ausmachen, was mehr schmerzte, mein Kopf, mein Körper, meine Beine.

Auf einer Anhöhe der Bundesstraße fuhr ich in einer
Kurve schnurstracks in den Graben, unfähig, das Lenkrad zu bewegen, unfähig zu bremsen.

Als ich erwachte, lag mein Kopf auf dem Beifahrersitz,
die Scheinwerfer leuchteten gegen die grasgrüne Wand
des Grabens. Irgendwie konnte ich starten und rückwärts
auf die Straße setzen. Ich brabbelte unaufhörlich, wollte
mir Mut machen. Einmal meinte ich, daß ich haltlos
weinte, das erschreckte mich sehr.

Ich fuhr in mein Dorf und dachte in Höhe des ersten
Hauses, daß ich nun wirklich in Sicherheit sei, denn
wenn ich jetzt bewußtlos würde, käme bestimmt irgend
jemand und würde mir helfen. Aber ich wurde nicht
bewußtlos. Ich fuhr die letzte Steigung hinauf und bog in
den Hof.

Im Wohnzimmer brannte Licht, und ich dachte dankbar: Alfred hat gerochen, daß du nach Hohbach fährst. Er
hat gerochen, daß es Stunk gibt. Jetzt hockt er da und
wartet auf dich. Alfred, Liebling!

Ich sah auf der Uhr am Armaturenbrett, daß es drei
Uhr war. Ich mußte für die acht Kilometer weit mehr als
eine Stunde gebraucht haben. Die Schulter schmerzte wie
verrückt, als ich die Handbremse anzog. Ich schaltete den
Motor nicht aus, drehte auch nicht die Scheinwerfer ab,
ich hatte einfach panische Angst vor jeder Bewegung. Ich
ließ mich seitwärts aus dem Auto gleiten und hatte das
Gefühl, daß ich tief vorgeneigt sogar gehen könnte. Die
Haustür war offen und ich schlurfte durch den Flur. Die
Tür zum Wohnzimmer stand auf, Alfred hatte Feuer im
Kamin angezündet.

Ich hielt mich am Türrahmen fest und versuchte »guten Morgen« zu sagen. Das klappte nicht allzugut. Dann
sah ich Elsa, das heißt, ich sah ihr dunkles Haar über
einer Sessellehne.

»Wie kommst du denn hierher?« fragte ich.

»Ich sagte doch, ich würde kommen«, murmelte sie ein wenig arrogant. Dann stand sie auf und drehte sich zu mir herum.

Dann muß sie all das Blut an mir gesehen haben. Ich sah, wie sie schrie und wie ihre Hände zu ihrem Gesicht flogen, aber ich hörte nichts mehr. Ich stürzte nach vorn.

## ZWEITES KAPITEL

Sie hatten mich ins Schlafzimmer geschleppt. Ich lag auf dem Rücken auf meiner großen Matratze unter einem Laken. Neben mir hatten sie eine Zeitung mit einem Gummiband um den Lampenschirm geschnallt, um das Licht zu dämpfen. Vor das Fenster hatten sie ein weißes Tuch gespannt. Durch das Tuch schimmerte Licht, es war Tag. An dem kleinen Rohrtischchen saß Elsa und sah hübsch und besorgt aus. Ihr gegenüber saß Dr. Naumann. Ich kannte ihn, ich war vor einem Jahr in panischer Angst zu ihm in die Praxis gerannt, weil ich einen Herzinfarkt befürchtete. Er war seit fünf Jahren in der Gegend, etwa vierzig Jahre alt, mit sanft gewellten braunen Haaren über einem schmalen Gelehrtengesicht. Ich wußte nicht viel von ihm, außer daß seine Frau eine Frauengruppe für Bäuerinnen aufgemacht hatte. Das sprach eindeutig für ihn.

Ich konnte nur schwer sprechen, weil er auf beide Mundwinkel Pflaster geklebt hatte. »Wieviel Uhr ist es?«

»Sechs Uhr morgens«, sagte Elsa. »Du bist umgekippt. Dr. Naumann hat Notdienst, er ist sofort gekommen mit jeder Menge Spritzen und Pflaster und Salben. Du siehst aus wie eine hundert Jahre alte geflickte Pferdedecke.« Dann schluchzte sie und sagte wütend: »Verdammt!«

»Ich habe Kopfschmerzen.« Der Arzt nickte. »Das ist normal. Nach den Verletzungen und Prellungen zu urteilen, müssen Sie wie wahnsinnig Kopfschmerzen haben. Ihr Vermieter, der Alfred, ist losgefahren und holt

Sachen aus der Apotheke. Sie waren schlimm dran und sind noch immer schlimm dran. Schädeltrauma und so, und ein schwerer Schock. Hält noch an.«

»Kann ich einen Kaffee trinken?« nuschelte ich.

»Kann nicht schaden bei dem Blutverlust. Aber einen sehr, sehr leichten. Ich werde Sie ins Krankenhaus bringen müssen. Sicherheitshalber.«

»Kommt nicht in Frage.«

»Doch, doch«, sagte Elsa schnippisch und ging hinaus, um den Kaffee zu machen.

»Kommt nicht in Frage«, wiederholte ich nuschelnd. »Hier drin stinkt es auch schon nach Klinik, und das kann ich nicht ausstehen.«

»Ich rauche Ihnen eine Pfeife vor, dann geht das weg«, sagte er. »Ich frage mich nur, wie Sie es fertigebracht haben, noch Auto zu fahren.« Er holte eine Pfeife aus der Tasche und stopfte sie.

»Savinelli«, sagte ich, »schönes Modell.« Er hob grinsend die Pfeife hoch. »Von meiner Frau zum letzten Hochzeitstag«, sagte er. »Ich habe mir Ihren Wagen angeguckt. Sie sind zwar mit der Schnauze irgendwo ins Gras gefahren, aber einen schweren Unfall hatten Sie nicht ...«

»Rauchen Sie da Plumcake?« Er nickte. »Lenken Sie nicht ab. Was ist passiert?«

»Ich weiß es nicht genau. Geben Sie mir noch ein paar Minuten. Wieso ist Alfred aufgetaucht?«

Er lächelte. »Na ja, Ihre Bekannte ist mitten in der Nacht gekommen, und Sie waren weg. Also hat sie Nachbarn rausgeklingelt und erfahren, daß Alfred Ihr Vermieter ist. Sie ist also zu Alfred und hat sich den Schlüssel geben lassen. Gegen drei Uhr hat eine Kuh gekalbt, und Alfred mußte helfen. Da hat er gesehen, daß Sie in Schlangenlinien auf den Hof fuhren, und ist sofort hierher gerannt. Sie waren bewußtlos. Er hat Sie hier auf die Matratze geschleppt, dann hat er mich geholt. Ihre Kollegin war erst hysterisch, aber das legte sich. Was ist passiert? Erinnern Sie sich wieder? Sie sollten sich schnell erinnern, sonst muß ich Sie sofort ins Krankenhaus bringen. Mit einem Erinnerungsschock kann man nicht herumalbern.«

Elsa kam mit Kaffee herein.

»Er kriegt eine halbe Tasse mit sehr viel Milch. Alle fünf Minuten ein Schluck, nicht mehr. Sie können innere Verletzungen haben.«

Elsa goß ein, fügte Milch hinzu und sagte aggressiv: »Du mit deinen Scheißmännerspielen. Es war doch ein Männerspiel, oder?«

»Wenn das ein Männerspiel war, gehe ich nach Casablanca und laß mir die Eier entfernen.«

»Wie du redest.«

»Ich kann nicht anders. Kann man denn diese blöden Pflaster am Mund nicht wegmachen?«

»Nein. Ich habe Sie hinter dem linken Ohr nähen müssen«, sagte Naumann. »Böse Platzwunde. Wollen Sie wissen, wieviel Stellen ich verpflastern mußte? Sechzehn. Wenn Sie mich fragen, sind Sie unter die Räuber gefallen. Sie haben böse Schläge bekommen, mindestens zehn bis zwölf massive Körper- und Kopftreffer. Ein paar davon gefallen mir nicht.«

Elsa gab mir zu trinken. Der erste Schluck tat nur weh, ich schmeckte nichts.

»Es war ein Mann«, sagte ich. »Ein schneller, schmieriger Profi.«

»Ein Mann nur? Das glaube ich Ihnen nicht.«

»Ein Mann.«

»Niemals«, sagte er. »Wenn Sie die Wahrheit sagen, dann war das vorsätzliche Körperverletzung.«

»Das ist dem Mann Wurscht«, sagte ich.

Naumann wandte sich an Elsa und sagte lächelnd: »Wie Sie merken, will er nichts sagen.«

»Er wird schon reden«, sagte Elsa. »Er ist ja auf uns angewiesen, wir können ihn erpressen, wir stellen einfach jede Hilfeleistung ein.«

»Ihr könnt mich mal.«

»Sie sollten mir etwas sagen.« Naumann war nachdenklich und amüsiert. »Es ist so: Wenn ich als Arzt den Verdacht habe, daß eine kriminelle Handlung vorliegt, muß ich etwas unternehmen.«

»Und die Schweigepflicht?«

»Das muß ich abwägen«, sagte er. »Nehmen wir an, Sie sagen die Wahrheit. Wie sieht der Gegner aus?«

»Gesund und munter, keine Schramme.«

»Dann war es wirklich ein Profi, und Sie haben in Hohbach herumgestöbert.« Er blies einen dünnen Faden Tabakrauch gegen das Tuch am Fenster und sah mich nicht an. »Also war es wohl dieser Studienrat Doktor Messner.«

Ich sagte nichts und wollte den Kopf zur Seite drehen. Das ging nicht, das tat zu weh.

»War es dieser Messner?« fragte Elsa. Sie zündete sich eine Zigarette an. »Antworte doch, Baumeister. Ich kriege es sowieso raus.«

Irgendwo an Naumann piepste es schrill und heftig. »Das Funkgerät im Wagen«, sagte er und ging rasch hinaus.

»Der Chef hat dich auf eine schlimme Geschichte geschickt, nicht wahr?«

»Ja, aber er hat es nicht wissen können. Wie fühlst du dich in der Eifel?«

»Ganz gut, aber lenk nicht ab. Was ist das für eine Geschichte? Oder ist es eine Männergeschichte, und ich als Frau habe nichts darin zu suchen? Ihr Männer seid schon erschreckend.«

»Du bist ein Suppenhuhn«, sagte ich. »Die Tatsache, daß du hier bist, reicht völlig aus, um dich in die Geschichte zu bringen. Sie werden gerade eine Akte über dich anlegen.«

»Wer, sie?«

»Ich erzähle es dir später.«

Sie murmelte: »Ich erinnere mich an einen Vers.«

»Wie geht der?«

»Du hast eben so dahin gesagt, ich sei ein Suppenhuhn. Der Vers geht so: Ein Suppenhuhn, ein Suppenhuhn, das soll man in die Suppe tun.«

»Es tut mir leid.«

Naumann kam zurück und sagte: »Da kommt ein Baby. Hausgeburten kommen wieder in Mode. Jetzt passen Sie auf: Ich habe genügend Chemie in Sie reingepumpt, Sie werden schlafen. Ich komme wieder.« Er wandte sich an Elsa. »Wenn irgend etwas komisch ist, rufen Sie die Praxis an, meine Frau ist am Funkgerät und kann mich erreichen.«

Alfred kam die Treppe hinauf, stand in der Tür und hatte eine Plastiktasche voll Apothekenkram dabei. Er war sehr unsicher: »Ich hab's dir gesagt, Junge. Ich habe gesagt, du landest im Krankenhaus. Die Dame da hat gesagt, sie wäre deine Freundin. Ich habe gedacht, ich glaube es.«

»Raus hier«, sagte der Arzt. »Er soll schlafen. Falls er verrückt spielt, binden Sie ihn fest.«

»Moment, Moment«, sagte Alfred, und da war nichts mehr vom Clown. »Kann ich was für dich tun?«

»Nur eine Frage«, sagte ich. »Hast du heute nacht irgendwen gesehen oder was gehört?«

»Da war ein Jeep im Dorf. Zweimal. Ich habe dir doch gesagt, daß die alles wasserdicht machen.«

»Raus jetzt hier«, sagte Naumann energisch. Sie schlossen die Tür hinter sich, und sie mußten mich nicht festbinden, ich schlief sofort ein.

Später konnte ich die Augen nicht öffnen und jammerte. »Deine Augen schleimen sehr stark«, murmelte Elsa und wischte sie mit einem Lappen aus. Das beruhigte mich, und ich fiel in einen Halbschlaf.

Dann sah ich Messner auf mich zukommen und sehr schnell und hart zuschlagen, und ich hatte nicht einmal die Chance, mein Gesicht zu schützen. Da wurde ich endgültig wach.

Nach dem Schatten, den der Fensterrahmen auf den Vorhang warf, war es Mittag. Elsa sagte fürsorglich: »Es ist ein Uhr, du hast prima geschlafen. Nur zuletzt hast du einmal geschrien. Hast du noch Kopfweh?«

»Es gibt nichts, was mir nicht weh tut, aber es geht. War irgend etwas Besonderes?«

»Ich dachte immer, auf dem Land hätte man seine Ruhe. Kohler hat angerufen, aber er war nur neugierig, und ich habe ihn abfahren lassen. Dann hat die Genossenschaftsbank hier angeläutet. Du hast vergessen, die Briketts zu bezahlen. Dann rief ein Schreibmaschinengeschäft aus Gerolstein an, daß du deine Schreibmaschine abholen kannst. Die Reparatur kostet dreihundert Mark. Irgendein Bundestagsabgeordneter der Grünen rief an. Er tat sehr geheimnisvoll und wollte mir nichts sagen, er ruft noch mal an. Sonst war eigentlich nix. Doktor Naumann kommt gleich. Ich soll dir von Alfred sagen, daß du Brennesseltee trinken sollst. Das sei gut, sagt er. Ich finde Alfred gut.«

»Er ist auch gut. Im Garten hinten an der Mauer stehen Brennesseln. Ich wollte sie stehenlassen, damit wir viel Schmetterlinge haben.«

»Du redest wie ein Körnerfresser.«

»Ich kann Körnerfresser nicht leiden, aber ich mag Schmetterlinge.«

»Mögen und nicht mögen: Da liegt deine gottverdammte Katze und sieht mich so an, als hätte ich vor, dich zu vergiften. Sie hat mich gekratzt, als ich dein Bett gemacht habe.«

»Sie liebt mich.«

»Von einer Katze geliebt zu werden, ist dir wahrscheinlich scheußlich angemessen. Es ist so unverbindlich.«

»Nicht so was, nicht so was auf nüchternen Magen. Was darf ich essen?«

»Fleischbrühe. Steht auf dem Herd.«

»Na gut. Und ein Stück Brot.«

»Brot darfst du nicht.« Unten auf dem Hof fuhr jemand vor, Elsa nahm den Vorhang zur Seite. »Es ist Naumann. Und ein Krankenwagen.«

Ich versuchte, mich aufzurichten, aber es ging nicht. »Ohne meine Einwilligung läuft da nichts.«

»Stell dich nicht an. Er ist ein guter Mann, er sorgt sich um dich.«

»Ach, hör auf. Sag ihm, er soll samt seinem Krankenwagen abhauen.«

Der Arzt kam allein herein. »Ich werde Sie fürstlich belohnen, wenn Sie sich einen Gefallen tun: Lassen Sie sich schnell zur Klinik in Gerolstein fahren. Nur röntgen. Ich betone: Es ist kein Trick dabei, nur röntgen.«

»Was ist die Belohnung?«

»Ich komme gegen Abend und bringe sie Ihnen.« Er war ganz ernst und in Gedanken versunken. Die beiden jungen Männer mit der Bahre versuchten mich zu schonen, aber auf der steilen, engen Treppe rutschte ich ihnen ab, schlug gegen die Schulter und wurde ohnmächtig. Im Krankenhaus behauptete der eine von ihnen empört, meine Katze hätte ihm die Pfote in die Wade geschlagen. Aber ich glaubte ihm nicht.

Es ist erstaunlich, in welche Positionen Röntgenologen den menschlichen Körper bringen können. Sie bogen mich, sie winkelten mich, sie legten mich in Falten. Wenn ich vor Schmerzen schrie, sagten sie zufrieden, das sei prima so, denn offensichtlich funktioniere ich noch richtig. Sie kamen nach langer Konferenz überein, daß ich innerlich intakt sei, nickten ernst, wünschten mir gute Besserung und übergaben mich den beiden jungen Männern.

Ich weigerte mich, erneut die Treppe hinaufgeschleppt zu werden, sie verfrachteten mich auf das Sofa, und ich hatte ein verdammt gutes Gefühl, neben dem Telefon zu liegen.

Elsa setzte sich zu mir und legte mir ein feuchtes Tuch auf die Stirn. »Sag mir die Geschichte«, murmelte sie. »Es ist schlimm, dich anschauen zu müssen und keine Ahnung zu haben, was gespielt wird.«

Ich erzählte ihr alles, aber es machte keinen sonderlichen Eindruck auf sie. »Sicher«, sagte sie nur, »das ist eine Geschichte, die paßt. Die paßt in dieses Land. Und was willst du jetzt tun?«

»Ich weiß es nicht, zunächst kann ich gar nichts tun. Die am Depot haben Angst, das ist klar. Sie haben die Hosen voll. Sie haben Angst, daß wir etwas erfahren, und alles wissen sie selbst nicht, denn sonst wären sie nicht so aggressiv. Egal, wo ich anklopfe, egal, wo ich anfange, ich werde wahrscheinlich auf die eine oder andere Art immer verprügelt werden. Oder sie stecken mich einfach in den Knast. Das können sie mit Staatssicherheit begründen, und niemand wird ihnen widersprechen. Du solltest abhauen.«

»Kommt nicht in Frage. Alfred hat keine Zeit, auf dich aufzupassen. Naumann hat gesagt, es wird drei bis vier Tage dauern, ehe du überhaupt kriechen kannst.« Sie kramte in der Apotheken-Plastiktüte. »Du sollst in diese Becher pinkeln. Und groß sollst du in diese Pfanne machen. Du darfst nicht aufstehen. Den Urin muß ich in Naumanns Praxis bringen.«

»Ich werde jede Verdauung verweigern.«

Sie lachte und sah richtig glücklich aus. »Ich hatte vor ein paar Tagen einen Flug nach Griechenland gebucht, weil ich dachte, du wirst dich schofel anstellen. Aber jetzt habe ich storniert, weil du dich nicht wehren kannst.«

Ich mußte grinsen, und es tat weh. »Ich werde dich nicht heiraten.«

»Oh, das will ich nicht. Glück ist begrenzt«, sagte sie leicht. »Heiraten ist mir ein paar Nummern zu groß. Versorgen kann ich mich selbst.«

Mir fiel plötzlich auf, daß ich recht wenig von ihr wußte. Was ich wußte, hatte ich in der Redaktion erfahren, nebenbei und ungefragt. Es gab einige Kollegen, die hinter ihr her waren wie der Teufel hinter der armen

Seele. Sie war eine leise, sanfte Person, rund einhundertsechzig Zentimeter groß, sehr schlank, mit einem ovalen,
fraulichen Gesicht, halblangen Haaren, in denen unge-
färbt silberne Strähnen schimmerten.

Nur selten wurde sie laut, und selbst Beschimpfungen
flüsterte sie sicherheitshalber, was aber die Beschimp-
fung nur schlimmer und eindringlicher machte. Angeblich war sie einmal verheiratet gewesen, angeblich hatte
sie keinen Freund, angeblich lebte sie ganz allein, angeblich war sie Mitte Dreißig, angeblich mochte sie Männer
nicht sonderlich, nahm sie hin, hatte angeblich auch
nichts mit Frauen, angeblich, angeblich, angeblich. Sie
hatte ein paar hervorragende subtile Reportagen gemacht, und ihre Schreibe war sehr suchend, sanft und
niemals schrill. Wir hatten miteinander geschlafen wie
zwei Inseln, die zusammengetrieben werden, um sich
dann wieder voneinander zu lösen, und ich erinnerte
mich deutlich daran, daß sie anschließend die ganze
Nacht Monteverdi gehört hatte, sanft hin- und herschau-
kelnd und ganz von mir getrennt. Sie hatte, die Knie
zwischen die Arme hochgezogen, auf einem großen
Plüschkissen gehockt wie ein Kind, das sich selbst Märchen erzählt. Als ich ging, hatte sie gesagt: »Nicht, daß
du dir etwas ausrechnest …« Nun war sie da.

Alfred tuckerte mit dem Fendt auf den Hof, kam hinein
und rief: »Ich fahre rüber nach Adenau. Braucht ihr was?«

»Ja, einen leichten Tabak. Pipemakers heißt der. Und
Pfeifenreiniger.«

Er tauchte in der Tür auf. »Du bist nicht kaputtzukrie-
gen, was? Hör mal, da ist was. Ich hab dir doch von dem
alten Kumpel in Hohbach erzählt. Der rief an. Da sind
Leute von der Bundesanwaltschaft gekommen, irgendwelche Experten. Sie vergattern jeden, und jeder muß
unterschreiben, daß er nichts sagt. Die Soldaten und bestimmte Leute aus dem Dorf. Nachrichtensperre.«

»Wenn jemand reden will, wird er reden. Warten wir
es ab. Noch eine Leiche?«

Er grinste nicht, er sagte zögerlich: »Bis jetzt nicht« und ging wieder hinaus.

Elsa lief hinter ihm her, und ich hörte sie munter sagen: »Könnten Sie mir Steaks mitbringen und Tartar? Er muß kräftig essen. Und können wir uns nicht duzen? Das ist doch bequemer.«

Ich schlief ein, und als ich aufwachte, war Naumann da, rauchte eine Pfeife und sah aus dem Fenster in den abendlichen Garten. Im Westen war der Himmel feuerrot. »Das mit der Mauer machen Sie gut«, sagte er. »Haben Sie daran gedacht, oben drauf Farn zu setzen und Zittergras?«

»Schon geplant. Was ist mit meiner Belohnung?«

Er sah mich nicht an, starrte aus dem Fenster, paffte vor sich hin. »Ich bin unheimlich sauer«, murmelte er. »Messner ist tatsächlich ein Profi im Prügeln. Aber: Hätte er sich bei einigen Schlägen um ein paar Zentimeter vertan, wären Sie jetzt tot. Messner kümmert sich in einer Menge Depots hier in der Eifel um die körperliche Ertüchtigung der Leute, Messner ist überall, macht überall seine dreckigen Witze nach dem Motto: Eine Frau kommt zum Arzt ... Messner taucht bei jedem Unfall der Bundeswehr auf, Messner ist bei jeder Prügelei. Haben Sie eine Ahnung, wer er wirklich ist?«

»Ich weiß es nicht. Irgendein Experte vom Geheimdienst vielleicht. Vielleicht MAD. Die Kripo ist nicht an dem Fall dran, die ist rausgeschmissen worden.«

»Ich weiß«, sagte er. »Ich habe einen Bekannten in der Mordkommission in Trier. Der rief mich an, die sind alle stinksauer.«

»So ist es richtig«, sagte ich. »Ich sammele stinksaure Menschen in der Eifel. Wieso haben Sie so schnell auf Hohbach getippt?«

»Weil die mich gerufen hatten. Die haben im Depot keinen Arzt, nur Sanitäter. Ich war bei den beiden ersten Leichen. Und zu der Frau, die später gefunden wurde, haben sie mich auch geholt. Ich bin nämlich der zuständige amtliche Leichenbeschauer.« Er kratzte sich am Ohr. »Ich will ehrlich sein: Ich wurde nicht angerufen, weil ich als amtlicher Leichenbeschauer zuständig bin, sondern deshalb, weil irgendein Soldat, wahrscheinlich aus Krimis, gewußt hat, daß bei Mord ein Leichenbeschauer hinzugezogen werden muß. Als Messner mich sah, wurde er wütend und schrie mich an, was zum Teufel ich denn wolle. Mit anderen Worten: Die Geheimdienstleute wollten keine Zivilisten dabeihaben. Aber ich war da, und sie mußten mich akzeptieren. Dieser Messner hat mich einen Vordruck unterschreiben lassen. Da steht drin, daß ich niemandem Auskunft gebe, keinem Angehörigen, keinem Pressemenschen, überhaupt keinem. Nicht einmal meinem Praxispersonal.«

»Sie kennen aber die Namen der Opfer. Und Sie haben die untersucht, genau angeguckt.«

»Es war eine Schweinerei.« Er nickte heftig. »Solch ein Tod macht mich hilflos. Und Typen wie Messner machen mich stinksauer.« Er stand auf und legte ein Holzscheit auf das Feuer. »Ich weiß nichts von dem Hintergrund der Geschichte, aber ich weiß, daß sie Leute fast zu Tode prügeln, wenn sie meinen, daß diese Leute sich einmischen. Und da hört mein Verständnis auf. Werden Sie in die Geschichte einsteigen?«

»Ich bin schon drin«, sagte ich.

»Das würde ich mir aber genau überlegen«, gab er zu bedenken. »Sie müssen wissen, daß ich ein geschulter Totenbeschauer bin, eine seltene Spezies. Diese Morde verraten eine unglaubliche Brutalität. Und Sie müssen sich darüber im klaren sein, daß Messner weiterprügeln wird. Messner will nicht, daß man sich einmischt. Und Messner ist mächtig.« Er seufzte. »Es ist nämlich so: Ich habe die Toten fotografiert. Mit Polaroid.«

Da war es ganz still im Haus, nur ein paar Fliegen summten, und Krümel auf meinem Bauch seufzte lang und wohlig und streckte die Pfoten nach vorn.

Der Arzt fuhr fort: »Es war die Nacht von Sonntag auf

Montag in der Woche vor Pfingsten. Die Tatzeit muß nach meinen Erkenntnissen ziemlich genau um Mitternacht liegen, weil …«

»Nicht so schnell«, sagte ich hastig. »Warum um Mitternacht?«

»Das hat etwas mit dem Zustand des Blutes zu tun, und da gab es viel Blut, obwohl es in Strömen gegossen hatte. Als ich dort war und meine Untersuchungen aufnahm, war es etwa acht Uhr. Trotzdem konnte ich bei beiden Leichen im Jeep massive Blutklumpen finden. Und der Zustand läßt ziemlich präzise Schlüsse zu. Es müssen etwa acht bis neun Stunden seit der Tat vergangen sein, also war es Mitternacht oder 23 Uhr. Wir haben …«

»Verdammt, nicht so schnell. Elsa! Bitte, Elsa!«

Sie kam herein, und ich sagte: »Ich will, daß du das alles genau mitkriegst. Bitte, bleib hier.«

Sie setzte sich und fragte: »Mitschreiben?«

»Nein. Auswendig lernen. Doktor, hat es noch geregnet, als Sie am Tatort ankamen?«

»Als ich am Tatort war, hat es nicht geregnet. Ich habe übrigens mit dem Wetteramt in Trier sehr genau abklären können, wann der Regen einsetzte und wann er aufhörte. Es begann am Sonntagabend um 20 Uhr zu regnen und hörte etwa am Montagmorgen gegen fünf Uhr auf. Dauerregen.«

»Wie sah denn dieser Tatort aus?« fragte Elsa. Sie sah Naumann nicht an, sie starrte auf den Fußboden. Das tat sie immer, wenn sie sich konzentrierte, und ich konnte sicher sein, daß sie mühelos fast Wort für Wort einer langen Erzählung noch nach Tagen wiederholen konnte.

»Also: Aus dem Depot heraus führt eine schmale Asphaltstraße zur Bundesstraße. Ungefähr zweitausend Meter lang, würde ich schätzen. Sie steigt langsam an. ~ Etwa dreihundert Meter vom Tor des Depots entfernt führt nach links ein Waldweg in ein Gehölz. Buchen, sehr hohe Stämme rechts, Ginster, Birken und Erlen links.

Dieser Weg ist der Tatort. Und zwar ziemlich genau hundert Meter von der Straße entfernt. Der Jeep stand offen auf dem Weg ...«

»Offen?« fragte ich.

»Ja, das ist verrückt, ich weiß. Der Jeep war offen, er war bei dem Regen eine Art Badewanne. Der Mann saß links am Steuer, die Frau neben ihm. Beide hatten keine Köpfe mehr, oder nur noch sehr wenig davon ...«

»Sind die in diesem Jeep erschossen worden?« fragte Elsa.

»Das kann ich nicht beschwören, aber ich würde sagen, daß die Waffenlage, wie Kriminalisten das zuweilen nennen, den Todesschuß im Jeep ausschließt. Sehen Sie: Eine Schrotflinte ist relativ lang, und die Hintersitze eines Jeeps sind schmal wie ein Brett. Außerdem habe ich neben dem Wagen wohl die Stelle gefunden, wo die beiden erschossen wurden: von hinten. Sie sind erst danach in den Wagen gesetzt worden. Als ich ankam, waren etwa achtzig Menschen dort. Es waren drei Hubschrauber des Heeres aus Bonn gekommen. Alles Leute in Zivil. Vom MAD, vom Verfassungsschutz und vom BND. Zu diesem Zeitpunkt war der Tatort, also der Jeep, nicht einmal abgesperrt. Die Soldaten liefen herum wie aufgescheuchte Hühner, sie trampelten buchstäblich herum. Und einige von ihnen fotografierten wie Touristen. Niemand hat darauf geachtet, daß ich auch fotografierte. Außerdem hat jeder mich für einen Geheimdienstler gehalten, denn ich fotografierte und trug bestimmte Spuren und Körperzustände der Ermordeten in eine Liste ein. Das sieht amtlich aus. Ich sage Ihnen, Baumeister: Wenn jemand bei der Bundeswehr erfährt, daß Sie die Fotos und die Personalien und die Todesursache und die wahrscheinliche Tatwaffe haben, dann werden Sie nicht verprügelt, dann schickt Sie jeder Bundesermittlungsrichter ohne Übergang in den Bau. Und mich mit Ihnen.«

»Warum geben Sie das alles raus?«

»Weil ich diese Methoden hasse, weil mir das nach Faschismus stinkt, weil ...« Er wedelte ein wenig hilflos mit den Armen. »Ich habe nachgedacht. Ich habe ein paar Ihrer Geschichten gelesen. Sie fangen doch jetzt erst an, ich kann Sie nicht aufhalten. Und Sie würden auch erfahren, daß ich die Totenscheine ausgestellt habe, oder?«

»Ja. Aber Sie riskieren Ihre Existenz.«

»Ich weiß das«, sagte er. »Ich habe darüber nachgedacht, was geschehen wäre, wenn Messner Sie totgeschlagen hätte ... Nichts wäre passiert. Der Leutnant ist ja auch als bedauerliches Verkehrsopfer beerdigt worden.«

»Und die Frau? Ich meine die Frau Nummer eins.«

»Die haben sie noch in der Anatomie in Bonn. Die hat keine Verwandten, keinen Hahn, der nach ihr kräht. Wird behauptet.«

»Und die andere Frau, die später entdeckt wurde?«

»Sie hatte Papiere bei sich. Ist aus Köln. Keine Verwandten. Die Leiche ist auch noch in Bonn.«

»Diese zweite Frau, die dritte Leiche, die Tage später entdeckt wurde – ist die zusammen mit den beiden Leuten im Jeep getötet worden?« fragte Elsa.

»Mit absoluter Sicherheit ja«, sagte er.

»Wird denn nicht gemunkelt, wer sie war?« fragte ich.

»Natürlich«, murmelte er. »Es heißt, sie ist die Freundin der anderen getöteten Frau gewesen.«

Dann war es sehr still.

Elsa zündete sich eine Zigarette an. »Baumeister hat von diesem DDR-Lastwagen gesprochen, dessen Fahrer zuerst am Mittwoch in Hohbach übernachtete, dann mitsamt dem Laster verschwand, dann am Samstag wieder auftauchte, bis Sonntagabend blieb. Dann verschwindet er, und drei Menschen werden fast zeitgleich ein paar hundert Meter entfernt erschossen. Was wissen Sie darüber?«

Er zündete seine Pfeife an, eine *Spitfire* von Lorenzo. »Es ist sicher, daß Messner und all die anderen Männer von den Geheimdiensten die Affäre als Spionagegeschichte betrachten. Irgend etwas ist da passiert, irgendwie spielt der DDR-Laster mit, aber es gibt ja keine Zeugen, und ich weiß nur, was alle munkeln. Krieg der Agenten, wenn Sie wissen, was ich so meine, und wenn Sie …«

»Sie haben aber doch gesagt, daß die offizielle Version so ist, daß dieser Lorenz getötet wurde … bei einem Unfall«, sagte sie hell. »Das paßt doch alles nicht.«

»Doch, doch«, entgegnete er, »das paßt durchaus. Die beiden getöteten Frauen haben keine Anverwandten, also braucht niemand informiert zu werden. Nur der Bundeswehrmann hat welche. Um ungestört die Spionageaffäre aufklären zu können, macht man offiziell einen Unfall draus.«

»Ich mache erst mal einen Kaffee«, sagte Elsa sehr blaß und ging hinaus.

»Ich will alles wissen«, sagte ich. »Aber mir muß etwas einfallen, um Sie abzusichern. Sie müssen die Fotos behalten, Sie müssen jederzeit beweisen können, daß Sie die Fotos nach wie vor in Besitz haben und daß niemand sie hatte … Ich habe eine Nikon hier … Elsa! Komm mal rein. Da hinten im Regal liegt die Nikon. Mach sie auf und nimm den Film raus. Zieh einen neuen Film ein. Hochempfindlich, 36 DIN. Wo haben Sie das Zeug, Doktor? Ach, gut, in einem Umschlag. Nehmen sie jetzt Ihre Tasche, und lassen Sie dabei Ihren Umschlag fallen. Jetzt gehen Sie raus und fahren vom Hof. Unten in der Kneipe bei Manni trinken Sie etwas. Dann merken Sie, daß - Sie etwas verloren haben. Und das müssen Sie laut und deutlich in der Kneipe sagen. Dann kommen Sie hierher zurück. Das Ganze muß ein richtiger, ordnungsgemäßer Vorgang mit Zeugen sein. Alles klar? Gehen Sie, Doktor.«

Er ging, der Umschlag lag auf dem Boden.

»Elsa, hast du den Film drin? Gut. Nimm jetzt diesen Umschlag hier, mach ihn auf. und hol alles raus, was drin ist. Mach am Schreibtisch sämtliche Lampen an, das sind rund vierhundert Watt, das muß reichen. Leg die Bilder nebeneinander hin.«

Draußen startete der Arzt seinen Wagen und fuhr weg.

»Jetzt gehst du mit den ersten Aufnahmen total auf das ganze Sammelsurium.«

»Da ist auch ein Zettel mit Schreibmaschinenschrift«, sagte Elsa. »Und die Polaroids glänzen so, die reflektieren das Licht, das geht so nicht, oh, Gott ...« Sie neigte sich zur Seite, war schneeweiß und übergab sich.

»Verdammt noch mal«, sagte ich, »das ist schrecklich, ich weiß. Nimm das ganze Zeug, und trag es her zum Sofa. Alles, mach schnell. Und bring die Tischlampe mit, und dann gehst du raus.«

Sie keuchte und murmelte: »Tut mir leid, Baumeister, tut mir so leid.« Sie brachte die Polaroids und den Zettel und zitterte.

»Leg alles nebeneinander auf den Boden, und gib mir die Kamera. Schließ die Lampe an. O.k. Gut so. Und jetzt geh raus.«

»Ich wisch das auf«, murmelte sie zittrig. »O Gott, ich bin nicht hart genug für so was Furchtbares.«

Es dauerte sicherlich eine Minute, bis ich mich auf die Seite in die richtige Position gedreht hatte. Ich fotografierte jedes Polaroid und den Zettel. Alles dreimal, um ganz sicherzugehen. Dann steckte ich das Material zurück in den Umschlag. Als der Arzt hereinkam, gab ich ihm den Umschlag und bedankte mich. »Steht auf dem Zettel alles, was ich wissen muß?«

»Eigentlich ja. Alles, bis auf den Hinweis auf die Tatwaffe. Ich habe keinerlei praktische Erfahrung mit so etwas, aber es war in allen drei Fällen wohl eine Schrotflinte. Gefeuert wurde aus nächster Nähe, deshalb haben die fast keinen Kopf mehr. Ich gehe jetzt. Morgen früh komme ich wieder. Wenn Sie nicht schlafen können, quälen Sie sich nicht, nehmen Sie zwei von den Beruhigungskapseln und zwei Schlafpillen. Seien Sie rücksichtslos, Sie müssen schlafen.«

»Ich danke Ihnen«, sagte ich.

Er hatte nicht nur die Leichen fotografiert, er hatte die ganze Szenerie aufgenommen: den Jeep auf dem Waldweg mit den beiden Toten drin und den ratlosen, verwirrten Soldatengesichtern drum herum. Und die Leiche der Frau im Farnkraut mit Soldaten in Tarnanzügen und ihren hilflosen Kindergesichtern.

»Das sieht wie eine Hinrichtung aus«, sagte er.

»Ja«, sagte ich, »da ist ein Verrückter hingegangen und hat Lieber Gott gespielt. Wie geht es Elsa?«

»Ganz gut. Sie hockt in der Küche und trinkt einen Magentee. Machen Sie es gut.«

Später, als wir die Tagesschau gesehen hatten, murmelte Elsa: »Du mußt schon entschuldigen, aber ich kriege so etwas nicht auf die Reihe. Ich möchte auch nie eine Reporterin werden, die solche Bilder anschauen kann, ohne daß ihr schlecht wird. Du mußt aussteigen aus dieser Sache, du mußt einfach aussteigen.«

»O nein«, sagte ich. »Zuviel Geld.«

»Ich schenk es dir«, sagte sie heftig. »Du kannst meine Sparbücher haben.«

»Das ist es nicht. Es ist diese gottverdammte Selbstherrlichkeit der Krieger und all der Leute, die sich Messner nennen. Viel Brutalität zum Besten des Vaterlandes. Du mußt die Filme entwickeln, Kopien ziehen und die Filme in Sicherheit bringen. Du fährst in meine Wohnung nach Köln, da ist alles vorhanden. Du machst eine Serie vierundzwanzig mal sechsunddreißig schwarzweiß. Den Film steckst du in einen Umschlag und schickst ihn per Einschreiben und Eilboten an den Chef privat. Fahr jetzt.«

»Paß auf dich auf und nimm Tabletten, damit du schläfst.«

»Ich will nicht schlafen, ich will nachdenken.«

»Ich komme schnell zurück.«

»Moment! Wenn jemand dich verfolgt, was ja sein kann, aber vielleicht habe ich schon eine Paranoia, dann fährst du schlichtweg weiter. Einfach bis zu einem Punkt, an dem du wenden kannst. Dann fährst du stur hierher zurück. Falls sie dich anhalten und alles durchsuchen … du mußt den Film gut verstecken. Wenn sie den finden, sind wir erledigt.«

»Ich verstecke ihn da, wo niemand mich durchsuchen wird.«

»Du kennst die modernen Durchsuchungsmethoden nicht. Ein richtig moderner Staat macht vor nichts halt.«

»Egal, ich fahre jetzt. Haben die meine Autonummer schon?«

»Na sicher. Die Jeeps waren hier und haben nachgesehen, ob ich nach Hause gekommen bin. Dein Wagen steht auf dem Hof, die Nummer wird automatisch notiert.«

Sie nickte, ging zum Telefon und rief Alfred an. »Kann ich mal deinen Wagen haben? Nur ein paar Stunden. Oh, danke, du bist ein netter Mensch.«

»Du hast wirklich Ideen«, sagte ich. »Und ich bin ein kleiner Mann in einer großen Welt, und mein Haar wird schnell grau.«

»Das ist sehr gut«, sagte sie hell.

»Das ist von Raymond Chandler.«


# DRITTES KAPITEL

Anfangs schlief ich, oder genauer gesagt, ich döste. Dann wurden die Schmerzen stärker, und ich mußte einige dieser Pillen nehmen, die schlimmer sein sollen als Alkohol, und deren Liste an Nebenwirkungen endlos ist. Ich machte den Fernseher an, aber die Pillen wirkten sehr rasch, und nach kurzer Zeit starrte ich in das platte bunte Bild und sah und hörte nichts.

Mir fiel undeutlich ein, daß der Chef nicht wissen würde, was er mit den Filmen anfangen sollte. Er würde sie in das Labor geben, und mit Sicherheit würden sofort zwanzig oder dreißig Leute über diese grausamen Fotos tuscheln. Ich mußte telefonieren, aber ich riskierte es nicht. Ich machte mir einen Zettel, um das nicht zu vergessen, weil es immer Kleinigkeiten sind, an denen Geschichten scheitern.

Dann geriet ich an Messner, aber dabei kam nichts heraus außer einem wilden, heißen, vollkommen unvernünftigen Zorn. Ich hatte Mühe, ihn in den Hintergrund zu schieben. Ich sprach zu ihm, drohte und fluchte, versprach ihm einen eiskalten Tod. Es war kindisch, aber es war notwendig. Krümel kam herein, sah mich an und maunzte vorwurfsvoll. Ich vermutete, daß Elsa ihr nichts zu fressen gegeben hatte, Elsa hatte keine Katze. »Hau ab, ich bin ein Invalide«, gab ich Anweisung. »Töte uns eine Maus.«

Ich schlief ein und jagte durch den Alptraum, in dem Messner mich mit großen, silbernen Nägeln an eine Holzwand nagelte, wobei das Durchtreiben der Nägel nicht die geringsten Schmerzen verursachte. Dann sagte er zischend irgend etwas, das ich nicht verstand, und schlug zu. Dabei lachte er freundlich. Ich wurde sofort wieder wach und versuchte, mich auf den Fernseher zu konzentrieren. Krümel hockte auf dem Teppich, hielt den Kopf sehr tief und starrte mich aus hellen Augen an. Vielleicht hatte ich wieder geschrien.

Ich nahm zwei Schlafpillen und wurde erst wieder wach, als Elsa hereinkam und brummelte: »Ich möchte nie wieder solche Fotos entwickeln.« Es war vier Uhr morgens, durch das schräg gestellte Fenster kam das sanfte Rauschen eines Sommerregens.

»War irgend etwas Besonderes?«

»Nein. Es ging alles glatt. Auf der Rückfahrt war die Autobahn gesperrt. Da war eine Kontrolle, aber ich wurde nicht angehalten.«

»Was für eine Kontrolle?«

»Na ja, irgendeine Routinekontrolle der Polizei. Das Übliche: Ob Alkohol mitfährt, ob die Scheinwerfer funktionieren und die Bremsleuchten und so etwas, denke ich. Das war auf dem letzten Parkplatz vor dem Ende der Autobahn. Aber ich habe ja Alfreds Wagen.«

»Sie haben dich nicht kontrolliert?«

»Nein. Vor mir haben sie zwei Laster eingewinkt und hinter mir alle PKWs. Alle, nur mich nicht.« Sie starrte mich an. »Oh, meinst du etwa …« Sie biß sich auf den rechten Zeigefinger und war erschrocken.

»Sie machen es immer so. Sie halten alle an, sie lassen nur dich durch. So können keine Verwechslungen entstehen, die Kontrolle wird perfekt, verstehst du?«

»Die sind ziemlich raffiniert, was?«

»Oh, nein, nur gründlich. Wie kommen die Bilder?«

»Grausam gut. Ich habe zwei Sätze gemacht, einen für dich und einen für mich …«

»Du wirst keine Bilder haben.«

»Oh doch, Baumeister. Ich will sie ansehen, wenn es mir gut genug geht, das auszuhalten. Und ich will darüber nachdenken.«

»Es reicht, wenn wir einen Satz hier haben. Wieviel Polaroids hat Naumann eigentlich gemacht?«

»Rund dreißig. Davon sind sechs verwischt. In der Nähe der Frau, die im Farnkraut lag, ist ein Gewehr zu sehen. Ich habe das herausvergrößert, so gut es ging. Schau her.«

Es war deutlich eine zweiläufige Schrotflinte. Ich fragte mich, ob der Arzt sie überhaupt entdeckt hatte. Unterhalb des Schlosses waren Metallziselierungen zu sehen. Es war eine schöne Waffe, wenn eine Waffe schön sein kann. »Den zweiten Satz kannst du in einen Kunstband stecken. In den Ägyptenband.«

Sie zog den Ägyptenband aus dem Regal und legte die Bilder hinein. Sie sagte sehr nachdenklich: »Hilf mir ein bißchen, Baumeister, du hast mehr Erfahrung in diesen schrecklichen Dingen. Diese Geschichte ist so neblig, irgendwie unwirklich. Da werden drei Leute erschossen, und du wirst halbtot geprügelt und offiziell ist das alles nicht passiert. Haben wir denn überhaupt eine Chance?«

»Vielleicht haben wir keine Chance auf eine richtige Lösung, aber wir haben die Chance, zu beschreiben, wie verdeckt diese Brutalität abläuft. Das ist unsere Geschichte. Und wir werden kaum Helfer haben, der Arzt wird eine Ausnahme bleiben. Der Gastwirt in Hohbach mußte dulden, daß ich verprügelt wurde. Duldet er es nicht, genügt ein Wink von Messner, und kein Soldat wird mehr die Kneipe betreten. Wir könnten im Notfall nicht einmal die Polizei rufen.«

»Das ist nicht dein Ernst«, sagte sie empört.

»Doch, doch«, sagte ich. »Kennst du den berühmten Hitchcock-Film ›Notorious‹? Der läuft bei uns im Fernsehen unter dem Titel ›Berüchtigt‹. Cary Grant und Ingrid Bergman, ah, meine geliebte Bergman. Da gibt es ganz zu Anfang eine Szene über die Macht von Geheimdiensten: Die Bergman fährt total betrunken Auto. Cary Grant neben ihr als Geheimagent. Ein Polizist stoppt sie. Normalerweise müßte er sie verhaften, statt dessen zeigt Grant seinen Ausweis, und der Polizist läßt die total besoffene Bergman weiterfahren. Das beschreibt unsere Realität sehr gut, wir können nicht hoffen, daß irgendwer hilft.«

»Wir brauchen aber trotzdem Hilfe, oder? Die Redaktion muß her, oder? Wozu ist die da?« Sie war aufgeregt.

»Du im Bett, ich in solchen Dingen nicht erfahren. Oder willst du aussteigen?«

Sie hockte da, blaß und müde nach all den Aufregungen, und starrte auf den Teppich. Krümel schnürte sich seitlich heran und rieb ihren Kopf an Elsas Beinen. Elsa zuckte hoch und lächelte, und ich sagte: »Du hast jetzt eine neue Freundin. Nein, ich steige nicht aus, ich kann gar nicht aussteigen. Selbst wenn die Geschichte irgend wo bei der Konkurrenz erscheint, werden Messner und seine Kumpane denken, ich stecke dahinter. So ist das bei diesen Leuten. Aber die Redaktion bleibt draußen. Das sind mir zu viele Leute, die dauernd über die eigene Bedeutung nachdenken. Und dann reden sie drüber. Ich stehe bald auf, kein Widerwort. Du mußt den Chef anrufen, oder hast du ihm Instruktionen geschickt?«

»Nur die Filme, ohne Informationen.«

»Dann ruf ihn an.«

»Aber doch nicht jetzt.«

»Jetzt.«

»Es ist mitten in der Nacht. Er wird mich totschlagen und mich entlassen und in mein Zeugnis schreiben, ich hätte seine Kugelschreiber geklaut.«

»Das wird er nicht. Sag ihm nur, er soll den Film von einer Vertrauensperson entwickeln lassen, und er soll daneben stehenbleiben. Los, mach schon.«

»Warum sagst du ihm das nicht selbst? Dich kann er nicht entlassen.«

»Weil ich krank bin. Quatsch, er soll wissen, daß du dabei bist. Dein Urlaub läuft, und die Verwaltung muß den Urlaub streichen.«

»Und wenn sie dich wieder verprügeln?«

»Das war Messners Fehler, ein gewaltiger Fehler. Etwas Dümmeres hätte er nicht machen können. So dumm werden sie nicht mehr sein.«

»Aber sie müssen doch etwas unternehmen«, sagte sie müde.

»Telefonier jetzt«, sagte ich.

Was sie dem Chef berichtete, verstand ich nicht, weil ich überlegte, was Messner und Konsorten jetzt unternehmen könnten. Es war eine sehr nutzlose Überlegung, denn ich wußte nicht genau, wie Messner und Leute wie er denken.

Dann passierte es, es war wohl sehr unvermeidlich. Elsa hockte am Schreibtisch und sagte grinsend: »Der Chef ist sehr aufgeregt, aber ich habe ihm nichts gesagt. Er klang so, als würde er gern herkommen.«

»Nur das nicht«, sagte ich. »Kannst du mal rausgehen?«

»Wieso?« Sie sah mich beunruhigt an.

»Es ist … Oh. Gott. ich muß auf den Topf.«

»Macht doch nix. ich hol die Bettpfanne.«

»O nein, ich gehe ins Bad.«

Sie stand auf und lachte und kicherte und war die Inkarnation aller Schadenfreude seit Christi Geburt. Sie sah mir lachend zu. wie ich versuchte, vom Sofa herunterzukommen, was damit endete. daß ich auf dem Teppich saß, mich scheußlich fühlte, überall Schmerzen hatte und mich nur noch entschließen konnte, alles um mich herum scheißegal zu finden.

Sie lief hinaus, trug die Bettpfanne herein wie ein Oberkellner einen geschmückten, flambierten Kapaun. Sie kicherte und sagte zufrieden: »Muß mein Pämpermännchen auf den Topf? Hat er schöne Verdauung? Das freut die Mami aber. Im Ernst, wenn dein Darm funktioniert, bist du auf dem Weg der Besserung.«

»Gib mir das Ding und geh raus.«

Sie ging hinaus, während ich mich in dieser Kleinkinderübung versuchte und dabei samt Pfanne umkippte. Es war sehr entwürdigend.

Später kam sie in einem sehr eleganten dunkelblauen Morgenmantel herunter, ließ ihn wie ein Küchentuch zu Boden fallen und sagte: »Mach Platz, ich will dich wärmen.«

»Aber es ist doch nicht kalt.«

»Du bist still und gehorchst und bekämpfst deine Furcht. Hast du eine Ahnung, was kommen wird?«

»Nein. Verdammt, meine Hüfte ist nicht Teil des Sofas. Und du bist nackt.«

»Ich wurde so geboren«, sagte sie zufrieden.

Exakt um zehn Uhr schreckten wir hoch, weil einige Tornados und Phantom, F-IS und F-16 der Amerikaner und Deutschen, der Holländer, Engländer und Belgier über uns Krieg spielten. Es waren nicht viele, höchstens dreißig oder vierzig Maschinen. Jeder Pilot hatte offensichtlich den Ehrgeiz, meine Fernsehantenne zu untersuchen. Krümel stieg steil an der Tür hoch, drückte die Klinke im Fallen auf und verschwand panisch.

»Sie versteckt sich unter der Treppe.«

Elsa sagte: »Diese Fliegerei ist wahnsinnig. Krümel hat auf meinem Bauch geschlafen, das war ein gutes Gefühl. Ist das hier immer so? Hast du Schmerzen?«

»Die Sonne scheint, da üben sie besonders gern. Ich habe keine Schmerzen, aber ich bin auch noch nicht wach. Der Minister hat gesagt, er habe die Tiefffliegerei drastisch eingeschränkt, um die Zivilbevölkerung zu schonen. Er hat nicht ganz die Wahrheit gesagt, weil der Spritverbrauch der Jetstaffeln ständig steigt, und weil der Minister allen Freunden aus der NATO erlaubt hat, über der Eifel zu üben. Es ist herrlich und beruhigend, wie niedrig unsere Jungens fliegen können. Neulich soll einer vom Himmel gefallen sein, weil er versucht hat, der Frau seines Geschwaderkommodores Blumen vor die Badewanne zu werfen. Nur die Lerchen schaffen sie nicht, die Lerchen jubilieren weiter.«

»Warten die im Krieg auch immer auf Sonnenschein? Ich mache uns einen Kaffee. Ach du lieber Gott, da kommt der Arzt.« Sie rannte nackt hinaus, die Treppe hoch. Naumann stiefelte herein, grüßte verschlossen, sagte nichts weiter, nahm meinen Puls, horchte mich ab, war schweigsam und abwesend.

»Sind Sie schlecht gelaunt?« fragte ich.

»Etwas. Ich habe meiner Frau alles sagen müssen. Jetzt hat sie Angst, daß ich uns um Kopf und Kragen rede. Wir haben Kinder, ein Haus gekauft, Sparverträge und so weiter. Das wird aber vorbeigehen. Sie machen einen guten Eindruck, Sie sollten aufstehen.«

»Jetzt? Ich kann mich kaum rühren.«

»Sie müssen hoch«, sagte er. Er machte die Tür auf. »Können Sie da oben Wasser in die Wanne laufen lassen? Lauwarm.«

»Mach ich«, schrie Elsa.

»Langsam. Stellen Sie sich mal hin und versuchen Sie, gleichmäßig zu atmen. Nicht so verkrampft. Haben Sie jetzt das Gefühl unbegrenzter Freiheit?« Er grinste. »Sie haben übrigens die Tatwaffe fotografiert«, sagte ich zwischen den Zähnen hindurch. »Eine Schrotflinte. Wußten Sie das?«

»Nein. Das kann doch nicht wahr sein, so etwas kann ich doch nicht übersehen. Auf welchem Foto?«

»Elsa hat die Flinte herausvergrößert. Sie lag neben der Leiche Nummer drei, der zweiten Frau. Rund zwei Meter weg. Übrigens, wurden alle drei erschossen?«

»Ja«, sagte er. »In dieser Beziehung lassen die Untersuchungen keinen Zweifel. Die beiden ersten im Jeep wurden von hinten erschossen. Die zweite Frau, also Leiche Nummer drei, allerdings von vorn. Und auch aus kürzester Distanz. Machen Sie kleine Schritte mit Pausen. Schmerzt es sehr?«

»Es geht schon. Es beißt ungefähr so, als läge ich mit nacktem Arsch in einem Haufen großer roter Waldameisen. Glauben Sie, daß man auf der Waffe Fingerabdrücke festgestellt hat?«

Er schüttelte den Kopf. »Vorsicht, jetzt die erste Stufe. Halten Sie sich an meiner Schulter fest. Das Fett von Fingerabdrücken ist zwar sehr hartnäckig, aber wir hatten zuviel Regen. Der liebe Gott hat die Deutschen bestraft, er hat die erste Hälfte des Sommers versaut. Nein, da werden keine Fingerabdrücke mehr gewesen sein.«

»Und im Jeep?«

»Der Jeep war offen. Er stand voll Wasser. Das hat mich übrigens nachdenklich gemacht. So, jetzt Stufe Nummer zwei.«

»Das sind elf Stufen, das halte ich nicht durch.«

»Wir haben Zeit«, sagte er.

»Aber mir ist schwindlig.«

»Dann setzen Sie sich. Langsam.«

Wir saßen da auf der Treppe in der Kühle des Hauses, und er stopfte sich eine Pfeife. Krümel saß vor uns auf den Fliesen und war mißtrauisch.

»Haben Sie überhaupt eine Erklärung für den offenen Jeep?«

»Doch, habe ich. Aber ich tauge nicht viel als Kriminalist, und als Amateurspion bin ich eine Niete. Geheimdienstleute haben für mich eine pathologische Struktur. Na ja, aber das Fernsehen und die Boulevardblätter leben davon. Nehmen wir einmal an, der Lastwagenfahrer aus Dresden war nicht nur Lastwagenfahrer, sondern ein sehr agiler Spion mit Schrotflinte. Nehmen wir ferner an, er hatte den Auftrag Ostberlins, den Leutnant im Jeep, die Frau daneben und die Frau im Farnkraut zu erschießen. Nehmen wir an, die drei haben für Ostberlin gearbeitet, sind von unseren Geheimdiensten entdeckt worden, wollten aussagen, mußten also aus der Welt geschafft werden. Was liegt also näher, als sie zu erschießen, in den Jeep zu setzen und das Verdeck hochzuschlagen?«

»Aber warum das Ganze?«

»Weil der Täter damit den Tatort einfach verändert, weil er den Regen systematisch nutzt, um alle Spuren zu verwischen, weil nicht rekonstruierbar ist, wie der Tatort zur Tatzeit tatsächlich aussah.«

»Hatte dieser Leutnant eigentlich Dienst im Depot?«

»Nein. Und dieser Punkt ist sehr komisch. Er hat keinen Dienst, müßte eigentlich in seiner Wohnung sein. Sitzt aber mit zerschossenem Schädel in einem Bundeswehrjeep im Wald.«

»Und wie kam er an den Jeep?«

»Das weiß ich nicht«, sagte er, »mir sagt niemand etwas. Die dritte Leiche übrigens, die Frau Nummer zwei, wies leichten Tierfraß auf. Das ist ein Indiz dafür, daß sie nicht transportiert wurde und starb, wo sie lag.«

»Es wird immer unappetitlicher. Könnten Sie mir eine Pfeife stopfen? Mit *Pipemakers*. Alfred hat den besorgt.«

»Tabak für Softies«, sagte er gutmütig, aber er stopfte mir meine geliebte *Royal Rouge* von Stanwell.

»Denken Sie daran, Alfred nicht reinzuziehen?«

»Ich verrate nie einen Informanten«, sagte ich wütend. »Ich möchte jetzt weiterklettern.«

»Tut mir leid«, murmelte er betreten.

Wir brauchten für die Treppe ungefähr zwanzig Minuten, dann noch einmal fünf Minuten, bis ich in der Wanne saß. Anfangs hatte ich starke Schmerzen, aber dann war es gut.

Naumann ging, und Elsa hielt mir ihren Kosmetikspiegel vor das Gesicht. Das war nicht mein Gesicht, das war eine vollkommen grün und blau geschlagene Fläche, durchsetzt mit blutigen Rissen.

»Reg dich nicht auf«, sagte sie schnell. »Ich zieh dir die Pflaster ab, wenn sie aufgeweicht sind.«

»Dieses Schwein«, sagte ich, »dieses unglaubliche Schwein.«

»Ich bin gespannt, was die sich jetzt einfallen lassen«, quirlte sie munter. »Die müssen sich doch irgend etwas ausdenken.«

»Sie müssen gar nicht, aber das wissen sie nicht. Neulich hat es bei Trier zwei tote amerikanische Soldaten und einen schwerverletzten Bundeswehrhauptmann gegeben. Die Leute da waren clever, sie haben sich nichts einfallen lassen, einfach den Mund gehalten. Jetzt mischen sehr viele mit, der MAD, der Verfassungsschutz. Vielleicht werden sie im Übereifer nicht clever sein.«

»Kannst du aufstehen? Ich trockne dich ab.«

Sie verpflasterte mich neu, und ich trat die Expedition zurück in das Wohnzimmer an. Das Fernsehen beglückte sein Publikum mit der Wiederholung einer Sendung. Irgendeine Sauberfrau erklärte einem hocherfreuten Publikum, sie werde in kurzen, ja knappen Lederhosen auftreten, wenn irgend etwas in der Sendung nicht klappe, wie sie sich das vorgestellt habe. Das Publikum gröhlte, als habe sie versprochen, vor den Deutschen zu masturbieren. Als sie schließlich, wie geplant, in kurzen Lederhosen auftrat, schaltete ich ab. Es war so die Art Unterhaltung, die wir zu verdienen scheinen.

»Laß uns Bilanz ziehen«, sagte ich. »Zuerst die Opfer. Da haben wir Lorenz Monning, 26 Jahre alt, Beruf Soldat,

Leutnant der Bundeswehr, verheiratet, zwei Kinder, Heimatdorf Kalkdorf im Münsterland, hier stationiert seit 1986. Dann Susanne Kleiber, 29 Jahre alt, gemeldet am Ort der Tat in Hohbach seit einem Jahr. Geboren in Ostberlin, von Beruf Hausfrau, Serviererin in der Hohbacher Kneipe. Nicht verheiratet, nicht geschieden, Angehörige keine feststellbar. Dann die zweite Frau: Marianne Rebeisen, 25 Jahre alt, zu Hause in Köln in der Bruderstraße 23. Von Beruf Verkäuferin, ledig, nicht geschieden. Angehörige keine feststellbar. Merkwürdig. Die Frage ist, was die drei miteinander verbindet, ob sie überhaupt in Verbindung standen. Man kann annehmen, daß der Leutnant einer der vielen Soldaten war, die von der Susanne Kleiber in der Kneipe in Hohbach bedient wurden. Möglicherweise hat sich die Kleiber durch freischaffendes Bumsen ein Zubrot verdient. Das liegt nahe, aber wir wissen es nicht. Die Soldaten werden es wissen. Da nicht einmal gerüchteweise bekannt ist, wer die Rebeisen war, können wir an sie nur durch den Leutnant oder die Kleiber herankommen. Und an die kommen wir nur durch Soldaten heran. Die Hohbacher werden nicht reden.«

»Einspruch«, sagte sie sanft, und es klang ein bißchen so, als zerbreche Glas. »Es geht um zwei Frauen. Und die erste Frau, Susanne Kleiber, bediente in der Dorfkneipe. Also werden die Dorffrauen etwas wissen. Und sie werden es mir sagen, wenn ich durchblicken lasse, daß die Kleiber kein Engel war.«

»Einverstanden, aber wie willst du an diese Frauen herankommen?«

»Jemanden aufs Korn nehmen und warten, bis er Hohbach verläßt. Werden denn die Soldaten reden?«

»Im Rudel sicher nicht, einzeln vielleicht.«

»Soldaten sind in der Regel pleite«, sagte sie. »vielleicht können wir kaufen, was wir nicht wissen.«

»Auf keinen Fall«, sagte ich heftig. »Brieftaschenjournalismus irritiert mich. Geld macht die besten Geschichten kaputt.«

»Soll ich zuerst nach Köln fahren und herausfinden, wer die Marianne Rebeisen war?«

»Das ist gut. Tu das. Die Recherchen müssen anlaufen, und ich kann noch nicht aufstehen. Und bitte, bring bei den Fragen die Rebeisen nicht mit der Eifel in Verbindung.«

»Bin ich bei BILD?«

»Nimm meinen Wagen, der ist etwas schneller. Keine klugen Ratschläge, aber trotzdem ein Hinweis. Fahr in Köln nicht dorthin, wo die Rebeisen wohnte. Fahr in die Innenstadt, parke in einem Hochhaus und streune herum. Dann springst du in ein Taxi und fährst hin.«

»Das ist gut, das mache ich. Und ich rufe dich alle zwei Stunden an. Sag mal, glaubst du wirklich, daß dieses Telefon abgehört wird?«

»Aber sicher. Die wären verrückt, wenn sie es nicht täten.«

»Die müssen aber doch nach den Vorschriften gehen. Die brauchen doch eine richterliche Genehmigung.«

»Brauchen sie nicht. Es gibt amerikanische Geheimdienste, die sich einen Dreck um unsere Gesetze kümmern. Es ist bewiesen, daß Leute aus der Friedensbewegung laufend abgehört wurden, ohne daß ein deutscher Richter es erlaubt hatte. In Bremen zum Beispiel. Die Amerikaner haben auch personenbezogene Akten angelegt. Die deutschen Dienste bitten die amerikanischen Freunde, doch mal kurz in meine Leitung hereinzuhorchen, mit wem ich telefoniere und was ich so sage. So einfach ist das, technisch kein Problem. Kannst du mir die Pflaster am Mund abnehmen? Das ist ekelhaft.«

Sie nahm mir die Pflaster ab und verschwand trällernd im Badezimmer, um sich für die Fahrt nach Köln zurechtzumachen. Ich glaube, sie war glücklich.

Sie war kaum vom Hof herunter, als Alfred kam und sich auf mein Sofa setzte. Er war rot im Gesicht und verschwitzt und außer Atem. »Wenn das Wetter hält, kriege ich die Silos voll. Hast du ein Bier?«

»Im Eisschrank muß eins sein.«

Er ging in die Küche, und ich hörte ihn herumklappern. »Irgend etwas Neues?«

»Ich könnte dir die Namen der Opfer geben, aber das tue ich nicht. Ich könnte dir auch Fotos von den Toten zeigen und vom Tatort, aber das tue ich auch nicht.«

»Du bist ein Angeber. Alle Pressemenschen sind Angeber.«

»Gieß dir ein und lang mal da in das Bücherregal. Die Fotos sind in dem Bildband über Ägypten.«

Er hockte da im Sessel, trank bedächtig einen Schluck, sah das erste Foto an, dann das zweite, dann, schnell hintereinander, die nächsten fünf. »Das darf nicht wahr sein, Baumeister. Wer hat die gemacht?«

»Ein Soldat. Er hat sie mir verkauft.«

»Es gibt doch überall Schweine«, sagte er heftig. »Aber das kannst du doch nicht drucken, oder?« Er sah weiter die Bilder durch. »Da ist eine Knarre, eine Mauser. Ein uraltes Modell, aber beliebt. Mein Vater hatte auch so eins.«

»Tu die Fotos zurück und vergiß sie«, sagte ich. »Sag mir bitte, was die Leute über diese Spionagegeschichte erzählen.«

»Och«, murmelte er, um klarzumachen, daß er von Spionagegeschichten nichts hielt. »Ab und zu fährt hier ein DDR-Laster durch die Gegend. Ist ja klar, weil die wirtschaftlichen Beziehungen zur DDR enger werden. Glaubst du, daß alle die Brummifahrer aus dem Osten Spione sind?«

»Weiß ich nicht, ist mir auch egal. Todsicher werden sie von Zeit zu Zeit vom Staatssicherheitsdienst ausgequetscht, was sie so sehen und erleben. Und als Kuriere werden sie sicher auch benutzt. Spione sind Idioten, ob sie aus Ost oder West sind.«

»Etwas ist schon komisch an diesem Brummi aus Dresden, der in Hohbach war. Die Straße von Hohbach zum Depot und weiter zur Bundesstraße war ja nur ein

Feldweg. Die wurde vom Verteidigungsministerium extra ausgebaut, ist aber gesperrt für Durchgangsverkehr und Lastwagen. Die fahren die andere Straße aus Hohbach raus zur Bundesstraße. Der LKW aus Dresden ist am Sonntag abend, als die Schweinerei passierte, über die gesperrte Straße zum Depot gefahren.«

»Ist das ganz sicher?«

»Ja. Da sind zwei Leute von der Freiwilligen Feuerwehr Hohbach aus der Kneipe gekommen und sahen, wie er die Straße zum Depot hochzog.«

Er trank sein Bier, und wir sprachen über Belanglosigkeiten, und hinterher war mir ein wenig elend, weil ich ihn belogen hatte. Er war jemand, der Lügen eigentlich nicht verdient, gleichgültig, aus welchem Grund.

In der Tür drehte er sich um. »Hat Naumann gesagt, wann du aufstehen darfst?«

»Ich darf aufstehen, aber ich kann nur kriechen und kann doch so nicht unter Leute.«

Er grinste. »Du siehst wirklich aus wie Dracula. Ich hab da was gehört, weiß aber nicht, ob was dran ist. Dieser Leutnant, der Tote, der soll was gehabt haben mit einer Frau aus einer Boutique in Blankenheim. Ich weiß nicht, wie die heißt, ich weiß nur, die ist groß und blond und war angeblich mal Mannequin. Mit der soll er schon lange was gehabt haben, sagen die Leute.«

»Die Leute sagen viel.«

»Ich sags dir doch nur.« Er war beleidigt.

»Danke, ich werde es nicht vergessen. Weiß deine Mutter eine Heilsalbe für Schwellungen?«

»Die weiß alles und hat alles. Ich bringe es dir. Was hast du dem Soldaten für die Bilder bezahlt?«

»Für welche Bilder?«

»Schon gut.« Er wedelte mit den Armen, stapfte hinaus, warf den Trecker an und tuckerte vom Hof.

Die Schmerzen meldeten sich wieder, aber ich wollte keine Pillen mehr schlucken. Ich schluckte welche, als mir die Tränen in die Augen traten.

Dann läutete das Telefon, und der Chef trompetete mit geradezu widerwärtiger Munterkeit: »Ich bin in Bonn auf dem Flughafen, wie komme ich denn zu Ihnen?«

Es hatte keinen Sinn, sich aufzuregen, es hatte noch viel weniger Sinn, ihm zu sagen, er solle hingehen, wo der Pfeffer wächst. Ich beschrieb ihm den Weg.

Alfred kam erneut und brachte einem Topf mit Salbe, die nach ranziger Butter aussah und auch so roch. Ich solle sie sehr dick auftragen, ließ seine Mutter ausrichten. Anschließend fühlte ich mich wie ein Indianer beim Kriegstanz, genauso wütend.

Als das Telefon klingelte, war ich eingeschlafen, warf den Apparat vom Hocker und angelte verzweifelt nach dem Hörer.

»Ja, bitte?«

»Sie werden es nicht glauben – Messner.«

»Aha.«

»Ich hoffe, es geht Ihnen einigermaßen.«

»Danke, ganz gut.«

»Sie verstehen, daß ich überrascht war, als Sie hier eintrudelten. Ich weiß nicht mehr genau, wie das alles kam und was wir geredet haben und …«

»Wir haben nicht geredet, Sie haben nur geprügelt.«

Er schwieg, er schwieg sehr lange. Wahrscheinlich versuchte er, meinen Worten nachzulauschen und herauszubekommen, was ich dachte. Dann sagte er: »Der Fall ist gelöst. Ich rufe Sie nur an, um Ihnen fairerweise zu sagen, daß nachmittags in Bonn eine Presseverlautbarung herauskommt. Vom Verteidigungsministerium. Ehrlich gestanden, haben wir zunächst gedacht, so etwas wie einen Spionagefall zu haben. Aber das war es nicht. Es war nix als eine miese Eifersuchtstragödie. Hören Sie noch?«

»Ja.«

»Also, ich schicke Ihnen einen Kurier mit der Pressenotiz. Da kommt ein Leutnant Wannenmacher zu Ihnen, jetzt sofort.«

»Haben Sie denn die Waffe und den Täter?«

»Haben wir. Der Täter ist die dritte Leiche. Diese Frau, die später gefunden wurde. Sie hat Selbstmord begangen. Die Waffe ist eine Schrotflinte. Sie gehörte dem toten Leutnant. Peinlich der Fall, aber ganz simpel und zivil.«

»Wie heißen Sie eigentlich wirklich?«

»Wieso?«

»Ich brauche Ihren echten Namen, um Ihnen die Arzt- und Krankenhausrechnungen zuschicken zu können.«

»Dr. Messner heiße ich. Das mit den Rechnungen ist doch wohl nicht Ihr Ernst.«

»Ich werde noch viel ernster, Sie mieses kleines Schwein!« Ich hängte ein und wartete auf den Leutnant namens Wannenmacher. Als er kam, schrie ich: »Hereinspaziert, die Tür ist offen.«

Es gibt Leute, die gibt es nicht. Er war jung und dunkelhaarig, sah blendend und braungebrannt aus, zeigte eine Reihe schneeweißer Zähne, trug seine Ausgehuniform und lächelte strahlend wie ein windschlüpfriger Werbegag für ein Herrenparfüm. Er roch auch so.

Er war sehr zackig, er sagte: »Wenn Sie Herr Baumeister sind, habe ich etwas für Sie. Oh, pardon, hatten Sie einen Unfall?«

»Nein. Das ist nur die Grundlage für mein Abend-Make-up. Geben Sie her!«

»Nein, pardon. Ich brauche erst Ihren Ausweis, damit ich sehen kann, ob Sie wirklich der genannte Herr Baumeister sind.«

»Geben Sie her, Sie Pfeife!« schrie ich. »Das ist doch nicht zu fassen. Da wird man halb totgeschlagen, dann kommt so ein Pimpf daher und fragt ...«

Er warf den großen braunen Umschlag mit einer hastigen Handbewegung auf die Wolldecke, unter der ich lag, schlug die Hacken zusammen und quirlte: »Alles klar! Keine Aufregung! Wiedersehen!«

»Grüßen Sie Herrn Doktor Messner von mir«, schrie ich.

»Messner? Verzeihung, ein Herr dieses Namens ist mir nicht bekannt.« Sein Gesicht geriet ihm außer Kontrolle, und er stürmte davon, als sei die große Mobilmachung ausgerufen.

»Hah!« sagte ich zu Krümel. »Dieses Gesicht werden wir nicht vergessen. Dieses Gesicht gehört Wannenmacher.« Dann riß ich den Umschlag auf.

»TÖTUNG UND SELBSTTÖTUNG. Der Bundesminister für Verteidigung teilt mit, daß es im Gebiet der Eifel zu einem bedauerlichen Vorfall gekommen ist. Offensichtlich unter starkem Alkoholeinfluß hat die 25jährige Verkäuferin Marianne R. aus dem Raum Köln den in der Eifel stationierten Leutnant der Bundeswehr Lorenz M. (26) aus dem Münsterland mit einem Schrotgewehr erschossen. Marianne R. tötete auch Susanne K. (29), die Lorenz M. auf einem morgendlichen Spaziergang begleitete. Wie die zuständige Behörde ermittelte, richtete sich Marianne R. nach der Tat selbst. Sie galt in ihrem Freundeskreis als krankhaft eifersüchtig und war mehrere Male Patientin in psychiatrischen Landeskrankenhäusern. Mit Lorenz M. verliert die Bundeswehr einen sehr couragierten, sehr befähigten jungen Offizier, dem eine aussichtsreiche Karriere sicher war. Der Minister dankt allen Beteiligten für die schnelle und präzise Aufklärung des Vorfalls.«

Später habe ich diesen Tag den Tag der tausend Zungen genannt, obwohl ich keinen Indianer kenne und auch keiner zu Besuch kam.

Ich rief Naumann an und sagte, ich hätte sehr massive Schmerzen. Auf seine Frage, wo, antwortete ich, das sei nicht genau auszumachen: am Kopf, aber streckenweise auch wohl an den Füßen. Das verstand er und murmelte: »Ich muß sowieso in die Gegend, ich komme vorbei. Ist Ihre Freundin im Haus? Sie sollte Ihnen noch einmal lauwarmes Wasser einlassen. Die Muskeln müssen gelockert werden.«

»Sie ist nicht da, und sie ist nicht meine Freundin.«

»Aber sie ist doch sehr nett. Warum werden Sie so wütend?«

Ich antwortete nicht, ich vergewisserte mich meines Körpers, ich fühlte nach, ob alles funktionierte, alles am Platz war. Dann schlug ich die Wolldecke zurück. Die Naht hinter meinem Ohr begann ekelhaft zu pochen, die gesamte Bauchmuskulatur streikte. Aber ich war gelassen. Ich ließ die Beine baumeln und hatte zum ersten Mal in meinem Leben das Gefühl, daß es sehr gut ist, die Beine baumeln lassen zu können.

Die Salbenschicht auf meinem Gesicht war hart geworden. Ich blätterte sie geduldig ab und stand vorsichtig auf. Dann beugte ich sanft die Knie, die Beine trugen mich. Ich teilte Krümel mit, daß der vom Schicksal schwer geprüfte Held wieder zum Leben erwache, und sie strich liebevoll um meine Beine, obwohl ich weiß, daß sie auf nichts anderes aus war als auf einen gefüllten Freßnapf.

Das Hänflingspaar kam zu Besuch. Wie grün-gelbe Striche schoß das Pärchen aus der Hecke auf den mit Wasser gefüllten Aschenbecher zu, den ich auf die Fensterbank gestellt hatte.

»Guten Tag, geliebte Schnabbeldönse!« brüllte ich. Dann ging es glatt, aber zittrig zur Tür.

Als das Telefon schellte, war ich gut drei Meter von dem verdammten Ding entfernt, aber immerhin erreichte ich es. Es war Jan, mein Patenkind, fünf Jahre alt, strohblond, mit einem glucksenden Lachen gesegnet.

»Ich war mit Mami in einem Kaufhaus, Siggi. Da gab es einen ferngelenkten Jeep. Da muß man mit einem Kasten lenken. Der Jeep fährt, wie ich will. Linksrum, rechtsrum und rückwärts. Und abends kann man die Batterie rausnehmen, in einen Stecker stecken, und morgens fährt das Auto wieder.«

»Wie geht es dir denn?«

»Gut. Und der Jeep kann sich selbst an einem Seil über Felsen ziehen, und …«

»Wie geht es denn Mami und Papi?«

»Gut. Und der Jeep kann auch umkippen. Der hat so ein Drahtding obendrauf. Und wenn er umkippt, macht das Drahtding, daß er wieder richtig fährt. Und er kann langsam fahren und …«

»Und dann hat Mami den gekauft.«

»Nein. Sie hat gesagt, der wäre zu teuer.«

»Was kostet der denn?«

»Oh, hundert Mark, oder viele hundert Mark.«

»Dann ziehe ich Krümel etwas Putenragout ab.«

»Häh?«

»Du willst doch den Jeep, oder?«

Dann kam es leise und besorgt und berechnend und abgewogen und scheu: »Ich wünsch mir den so arg.«

In das Badezimmer brauchte ich nur zehn Minuten, nachdem ich Jans zögerlicher Mutter behutsam beigebracht hatte, daß von hunderttausend Träumen doch einer wahr werden muß. Schwieriger war es, ohne Hilfe in die Wanne zu steigen, aber es gelang.

»Hallo?« hörte ich den Arzt unten rufen. Er kam die Treppe hinauf und schimpfte wie ein Rohrspatz. »Wie können Sie so einen Blödsinn ohne Hilfe machen? Ich habe keine Zeit für Helden. Was, glauben Sie, passiert, wenn Ihnen der Kreislauf durchsackt!«

»Ich habe zwei Fragen. Erstens: Stimmt es, daß die dritte Leiche, also die junge Frau aus Köln, betrunken war? Und zweitens: Stimmt es, daß sie sich selbst mit der Schrotflinte erschossen hat?«

»Also darauf wollen die hinaus.«

»Ja. Unten auf dem Sofa liegt eine Verlautbarung des Verteidigungsministers. Grimms Märchen.«

»Ich habe keinen Alkohol entdeckt. Und ich müßte ihn entdeckt haben. Die Frau war stocknüchtern. Auch keine Spur von Tabletten oder ähnlichen Chemikalien. Selbstmord? Ausgeschlossen. Ich habe forensische Medizin gemacht. Da lernt man sehr einfache Dinge. Sie ist zwar aus kürzester Entfernung erschossen worden und von vorn. Aber ich habe keinen Pulverschmauch entdeckt, keine Streuung der Schrotkörner in der Weise, daß sie zum Beispiel das Gewehr mit dem Kolben auf den Boden gestellt, den Lauf gegen das Gesicht gehalten und abgedrückt hätte, was allen Erfahrungen nach bei einer Frau fast undenkbar ist. Der Nachweis der Entfernung vom Täter zum Opfer ist wegen der Partikel beim Verschuß von Schrotmunition sehr leicht zu berechnen. Der Täter stand rund drei Meter bis drei Meter fünfzig entfernt. Soso! Aha! Jetzt muß ich aber. Steigen Sie aus dem Pool.«

»Das kann ich selbst.«

»Das können Sie selbst, aber wenn Sie umfallen, ist niemand da, der Ihnen hilft.«

Er bugsierte mich aus der Wanne und geleitete mich hinunter ins Wohnzimmer. Er las die Mitteilung des Ministeriums und schüttelte den Kopf. »Die sind wirklich frech.«

»Die können es sich erlauben. Hat sich Ihre Frau beruhigt?«

Er lächelte. »Ich habe ihr gesagt, daß Sie absolut verschwiegen sind. Und sie glaubt es jetzt jedenfalls ein bißchen. Ich habe übrigens auch so eine Steinmauer wie Sie. Heute morgen war eine Kröte da.«

»Grüßen Sie sie von mir.«

Als er gegangen war, sang ich das selbstgefertigte Volkslied »Ein Suppenhuhn. ein Suppenhuhn, das soll man in die Suppe tun« nach der Melodie »Der Theodor im Fußballtor«.

Dann rief Elsa an und sprudelte los: »Hallo, mein Lieber. Ich bin fertig mit den Einkäufen. Ich habe eine traumhafte Bluse gekauft und eine schneeweiße Hose. Schneeweiß wie meine Seele. Und eine alte Freundin habe ich getroffen, oder ich habe vielmehr gehört, daß sie ... Na ja, sie war mal eine richtig nette Verkäuferin, aber dann ist sie Nutte geworden. Das liegt schwer auf meiner Seele. Ich mache mich jetzt auf den Heimweg. Weißt du, es ist schlimm, wenn man plötzlich an alten

Freunden zweifelt. Ich glaube, die war nie eine Verkäuferin. Ich glaube, die war immer Nutte.«

»Der werfe den ersten Stein.«

»Du mit deiner Halbbildung.«

Ich schmierte mir wieder ein Viertelpfund von der Bauernsalbe ins Gesicht, weil zu sehen und zu spüren war, daß die Heilkunde von Alfreds Mutter besser funktionierte als die Medizin des Doktor Naumann.

Der Chef rollte auf den Hof, ich hörte ihn lärmen. Er kann nicht, ohne zu lärmen. »Das ist ja am Arsch der Welt, ist das hier.«

## VIERTES KAPITEL

Er war nicht allein, er ist nie allein. Ich sah durch das Fenster, daß ein weibliches Wesen in seinem Kielwasser schwamm.

Elsa würde jetzt wahrscheinlich giftig bemerken, daß ich fünf Mark in die Chauvikasse tun müsse, aber dieser Chef hat nun mal ein Kielwasser, das anders zu formulieren wäre gelogen. Also, das Wesen in seinem Kielwasser wirkte auf den ersten kurzen Blick biblisch, oder was wir – von Hollywood erzogen – so biblisch nennen. Sie trug ein langes Tuch um Kopf und Schultern, wahrscheinlich weil in der Eifel immer ein frisches Lüftchen weht, das die schnieken Friseure hassen, von dem sie sagen, es zerstöre den Typ. Das Tuch war durchsichtig und lindgrün. Unter dem erneuten Stoßseufzer »Das ist ja hier am Arsch der Welt« kam der Chef den Flur entlanggesegelt. Dann brüllte er: »Baumeister? Wirtschaft? Wo ist hier ein menschliches Wesen?« Er füllte den Türrahmen. Der Chef ist groß und massig, sein Haar ist schmutziggrau wie altes Eis, seine Augenfarbe hat noch kein Mensch feststellen können, Sekretärinnen sagen entzückt: »Die changieren!« Er hat aber, dies ist verbürgt, strahlende Augen über einer starken Hakennase. Die wiederum thront über einem starklippigen Mund, den Psychologen verletzlich nennen würden. Mit dem Kinn ist nicht viel los, es ist ein wenig schlaff, hängt bedröppelt herunter, ist der negative Teil, die Verkörperung der Erkenntnis, daß seine Reporter immer ein wenig schlechter sind als er selbst, wäre er je Reporter gewesen.

Er stemmte sich mit beiden Armen in den Türrahmen, als wolle er ihn sprengen. Dann dröhnte er: »Liegt im Bett! Auf der faulen Haut! Antriebslos und phantasiegeschwächt! Wo, mein Gott, sind die alten Zeiten, als die Reporter noch so fickerig waren, daß die Stoffe schneller liefen als ihre Gedanken?«

Das alles sagte er und sah mich an. Dann fiel ihm etwas auf, und er wurde schmal in der Tür und atmete ein wenig laut und hastig. »Mein Gott, Junge, hast du einen Unfall gehabt?« Er glitt neben das Sofa, bekam theatralisch schmale Augen und fragte streng: »War der Arzt schon hier?«

Das mag ich so an ihm, er ist wirklich eine Art Übervater. Wenn es gelingt, seinen voluminösen Baßbariton zu stoppen, ist er so sanft und zart, daß man Angst bekommt.

»Was ist passiert? Hast du einen Arzt?«

»Der Arzt geht aus und ein. Und ich bin verprügelt worden.«

Die biblische Frau mit dem lindgrünen Tuch glitt am Rand meines Blickfeldes vorbei und setzte sich gekonnt in einen Sessel.

»In dieser Sache?«

»In dieser Sache.«

»Du siehst zum Fürchten aus. Hast du Schmerzen? Ist das hinter dem Ohr eine Naht?« Seine Stimme hatte das Dröhnen verloren, er schien auch kleiner geworden zu sein.

Ich erzählte ihm sehr genau, was geschehen war, und reichte ihm die Mitteilung des Ministers. »Die Geschichte ist keine Geschichte, die Geschichte ist zu Ende, wenn Sie dem Minister glauben.«

Er las und sagte: »Hah!« und fing an zu lachen. Er war wieder laut, zuckte unvermittelt zusammen, erinnerte sich. »Das ist übrigens Patricia. Patricia will die Praxis kennenlernen.«

Das war auch nicht neu. Es gab sehr viele junge Damen, denen er unsere Praxis beibringen wollte. Er strafte jedoch alle Schandmäuler Lügen, denn niemals hatte jemand verifizieren können, sie seien seine Freundinnen. Es war wohl so, daß er ihre jugendlich bewundernden Blicke brauchte und sich damit zufriedengab.

»Guten Tag, Patricia«. sagte ich artig.

Sie murmelte irgend etwas und versank wieder in Bedeutungslosigkeit.

»Darf ich mal deinen Garten anschauen?« fragte der Chef.

»Na sicher. Patricia, machen Sie uns einen Kaffee? Und, Chef, achten Sie auf meine Mauer. Aus Bruchsteinen, ohne Mörtel. Eine Zuflucht für Weinbergschnecken, große rote und schwarze Wegschnecken, Kerbtiere, Spinnen. Erdkröten, Frösche. Ich warte auf den ersten Feuersalamander.«

»Ja, ja«, sagte er und verschwand. Er hatte gar nicht zugehört, er hört nie zu. Ich hatte ihm die Bilder gegeben und kurz darauf sah ich ihn in der Sonne im Gras sitzen und kopfschüttelnd die Fotos betrachten. Das Mädchen namens Patricia kam ein paarmal herein und fragte schüchtern nach dem Standort des Kaffees, des Zuckers, der Tassen, der Milch. Dann sah ich sie mit einem kleinen Tablett den Flur entlanggehen, wie sie durch das Gras lief, das Tablett neben den Chef stellte, rührend wortlos. Er hockte da und schien nicht von dieser Welt.

Patricia brachte auch mir einen Kaffee. Sie hatte das lindgrüne Madonnentuch irgendwo deponiert und sah nicht mehr so biblisch aus.

»Hatten Sie Angst, als dieser Messner Sie schlug?«

»O ja, ich hatte die Hosen voll.«

»Und Sie werden es ihm heimzahlen?«

»Rache? Ich träume davon.«

»Wenn Sie ihn beschreiben und nennen, schaffen Sie sich einen Feind fürs Leben, nicht wahr?«

»Das hoffe ich«, sagte ich. »Wann machen Sie die erste Reportage?«

Sie lächelte und schürzte ein wenig den Mund. »Wenn er mich läßt, morgen«, sagte sie. »Aber er wird mich nicht lassen. Er wird mich in irgendeine dieser trostlosen Abteilungen stecken für Spesenabrechnungen oder Druckkosten, oder so.«

»Wenn Sie eine Reportage machen wollen, darf niemand Sie aufhalten«, sagte ich. Das klang widerlich begütigend, väterlich, wohlwollend.

»Glauben Sie das wirklich?« fragte sie.

»Na sicher«, sagte ich. »Sie nehmen sich ein Thema, sagen niemandem etwas und machen es.«

Sie schien nie daran gedacht zu haben, sie lächelte und ging hinaus. Wenig später sah ich sie unter einem blühenden Holunder hocken, zehn Meter ab von ihrem Herrn und Meister. Der Chef sah sie nicht einmal.

Alfred kam auf den Hof, ließ den Trecker laufen, kam in die Tür. »Ist was?«

»Nichts. Es ist nur der Chefredakteur.«

»Ich dachte, ich guck mal.«

»Du bist mein Schutzheiliger.«

Es wurde Abend, weitab im Süden über dem Moseltal türmten sich Quellwolken hoch und bildeten bizarre schneeweiße Ränder und fast schwarze Flächen aus. John Dos Passos hat das einmal »die weiße Wolkenkappe über dem Gewitter« genannt. Irgendwo westlich tobten bereits Gewitter, das Dorf war sehr still, der Chef hockte noch immer im Gras.

Das Telefon läutete, es war Elsa. »Ich bin in einer Zelle. Ich bin am Hof vorbeigefahren. Als ich das fremde Auto sah, bin ich einfach weitergefahren. Du brauchst nur mit Ja und Nein zu antworten.«

»Komm her. Es ist der Chef.«

»Na gut, ich dachte nur.«

»Du hast richtig gedacht. Du machst überhaupt alles richtig.«

»Das ist ja ein Kompliment, Baumeister.«

»Ja, ja. Komm endlich her.«

Ich hatte das Gefühl, daß die Welt trotz dreier versteckter, verlogener Leichen sehr still war, sehr zufrieden und desinteressiert. Vielleicht war ich nur ungeduldig, vielleicht stimmte beides.

Ich hörte, wie Elsa auf den Hof rollte und gleich in den Garten ging. Wenn ich meinen Hals reckte, konnte ich sehen, wie sie beim Chef im Gras hockte und ernst auf ihn einredete. Dann standen beide auf, er legte den Arm um ihre Schulter und sprach mit ihr. Sie wanderten vor meinem Fenster hin und her. Sie sahen aus wie Psychiater, die sich über den Fall Baumeister unterhalten. Und Patricia hockte noch immer unter dem blühenden Holunder. Endlich kamen sie herein. Der Chef sagte munter: »Ich habe die Kleine losgeschickt. Sie soll in einem Gasthaus was Anständiges zu futtern holen. Tja, mein Lieber, ich denke, wir machen hier so etwas wie eine Kommandozentrale und ziehen die Geschichte durch. Schnell und hart.«

»O Scheiße«, sagte ich, weil mir nichts anderes einfiel, und weil ich genau das erwartet hatte.

»Keine Widerrede«, sagte er schnell. »Es bleibt deine Geschichte, und du sollst sie auch schreiben. Aber wir machen es schnell und hart. Wenn wir nämlich langsam und betulich vorgehen, kommt irgendein Heini vom Verteidigungsministerium, alarmiert die Geheimdienste, und die lassen uns dann richterlich verbieten zu recherchieren. Sehen Sie das auch so?«

»Das sehe ich auch so. Aber das ist nicht entscheidend. Die können uns das noch verbieten, wenn wir schon im Druck sind. Und sie werden es erfahren, und sie werden es tun.«

»Aber die haben doch keine Ahnung, wieviel wir wissen. Also: sechs oder acht Rechercheure ran, die besten Jungens, die ich habe. Jeder auf eine Spur. Und du sitzt hier wie die Spinne im Netz und nimmst alles entgegen.«

»Und wann wollen Sie fertig sein?«

»In einer Woche.«

Ich sah Elsa an, die ernst und ein wenig bedrückt auf einem Stuhl hockte. Aber sie gab mir kein Zeichen, sagte nichts, schüttelte nicht den Kopf, nickte nicht, sah nicht ergeben zur Decke, nichts.

»Das geht nicht«, sagte ich. »Das ist mir ein paar Nummern zu groß und ein paar Nummern zu schnell. Was ist, wenn wir auf Barrieren stoßen? Auf Informanten, die nicht erzählen wollen, weil sie irgendwie verstrickt sind?«

»Die kaufen wir«, entschied er lapidar. »Geld spielt keine Rolle. Das ist ein dickes Ding, das will ich im Blatt haben.«

»Dann machen Sie es ohne mich«, sagte ich. »Das ist mein letztes Wort. Ich will nichts schreiben, was andere recherchieren. Ich kann das auch nicht. Ich kann nur schreiben, was ich selbst erfahren habe. Und ich will keinen Menschen kaufen.« Ich grinste. »Ich weiß schon: Ihr wollt es schnell und hart machen, um zu verhindern, daß ich erneut verprügelt werde. Richtige Heilige seid Ihr. Sie haben mir die Geschichte gegeben, ich gebe sie also zurück. Die Bilder teilen wir. Ich mache die Sache auf meine Weise oder gar nicht. Mit anderen Worten: Ich mache sie leise, oder es ist nicht meine Geschichte.« Ich glaubte, in den Augen von Elsa ein Lachen zu sehen.

Patricia hatte sich an meinen Schreibtisch gehockt und starrte sicherheitshalber ins Nichts. Der Chef schwieg, es war sehr still. Krümel ahnte etwas und schnürte schmal und nervös hinaus.

»Sie sollten das Geld bedenken«, sagte er schließlich. »Ich zahle Ihnen achttausend für jeden Monat, die ersten achttausend sind unterwegs. Aber es geht weiter: Wir werden in dieser Sache Rechte und Nachrichten verkaufen. Und vielleicht wird es eine Fernsehproduktion. Ich gebe Ihnen fünfzig Prozent der Rechte. Wir machen es schnell und hart mit vereinten Kräften.«

»Sie zahlen mir die ersten achttausend. Sie zahlen die Kosten für den Arzt und das Krankenhaus, und ich bin mit der Hälfte der Bilder draußen. Schluß.«

»Aber allein die ersten Nebenrechte werden zwanzigtausend bringen.«

»Es ist nicht das Geld«, sagte ich. »Geld ist es nicht. Es ist eine brutale, verdeckte Geschichte, die Geduld verlangt.«

»Kann ich denn Ihr Haus als Kommandozentrale benutzen?«

»Nein.«

»Seit wann sind Sie kleinkariert und engstirnig?«

Ich war zornig, wütend und enttäuscht, und ich mochte seine Art Journalismus nicht. Ich schrie ihn an: »Verdammt noch mal, dies ist eine brutale Geschichte, und die Gegenseite ist Vater Staat. Und wenn die Gegenseite merkt, daß Sie schnell und hart mit Ihren blöden Rechercheuren einsteigen, wird Vater Staat dieses Haus stürmen und jeden Stein umdrehen. Von diesem Haus wird nichts mehr bleiben, und sie werden auch meinen Garten zertrampeln. Ich habe an dem Garten vier Jahre gefummelt. Da steckt Zen-Buddhismus drin und Taoismus, und es ist mir scheißegal, ob Sie mir glauben oder nicht. Dies ist mein Zuhause und Sie kriegen es nicht für Ihre schnelle, harte Geschichte. Die Gegenseite wird merken, daß Sie loslegen, und sie wird alles wasserdicht machen, alles. Und ich traue Ihren Rechercheuren nicht. Die werden viele Dinge übersehen, weil der Chef einen schnellen Erfolg will. Der Chef braucht eine höhere Auflage, der Chef will in den Nachrichten von ZDF und ARD erwähnt werden. Nehmen Sie Ihre Geschichte und hauen Sie ab.«

Er war blaß, und ich war nahe dran, irgendeine Entschuldigung zu murmeln, daß ich ihn begreifen könne, daß er aber auch mich begreifen müsse und dergleichen mehr. »Geht nicht so miteinander um«, murmelte Elsa. »Du mußt zugeben, Baumeister, daß man ein paar Informanten auch kaufen kann.«

»Natürlich kannst du Informanten kaufen. Jeder Tausendmarkschein wird aus einem Furz einen Taifun machen. Ich habe hier jeden Stein ausgesucht, nach Farbe und Fossilien ...«

»Ich weiß doch, daß du das hier liebst«, sagte sie. »Aber geht denn nicht ein Kompromiß?«

Der Chef nahm das rechte Knie hoch, stützte die Arme drauf und legte sein Gesicht in die Hände. »Du hast ja recht, wir brauchen eine gute Geschichte, wir brauchen hundert gute Geschichten, wir brauchen Auflage. Und ich brauche sie schnell, weil mein Aufsichtsrat ... ach, Baumeister, scheiß drauf, du verstehst nix von meinen Sorgen.«

»Wie kann er das, wenn er sie nicht kennt?« fragte Elsa empört. »Außerdem hat er ständig Schmerzen und sagt nichts, der Indianer.«

»Raus hier«, sagte ich. »Ich habe die Schnauze voll von harten schnellen Geschichten, die sich hinterher so lesen, als spielten nur Roboter mit.«

Der Chef stand auf. »Nein, Baumeister, ich flehe dich nicht an, ich schmeiße dich aus der Geschichte raus und mache sie selbst. Wir sind geschiedene Leute. Ich habe es nicht nötig ... ach, verdammt noch mal, du könntest dir eine goldene Nase verdienen.«

»Mit einer goldenen Nase kann ich nicht mehr riechen«, sagte ich giftig. »Und nun nehmen Sie Ihren Troß und verschwinden Sie.«

»Sie sind ein Sturkopf mit heiligen Regeln über edlen Journalismus. Wir sind zivilisierte Leute ... Lassen Sie mich es anders sagen: Es wird einen Mann oder eine Frau geben, die genau wissen, was geschah, und die den gesamten Hintergrund kennen. Und die kaufen wir. Notfalls gegen ein Einfamilienhaus ...«

»Ja, leider. Haut ab.« Elsa beugte sich vor. »Dir geht es doch schlecht, Baumeister, du wirst …«

Das Läuten des Telefons unterbrach unser Bauerntheater. »Herr Baumeister«, sagte Alfreds Mutter, »ich hätte da eine Bitte. Der Steuersachverständige ist gekommen, und Alfred wußte das, aber Alfred ist nicht da. Ich weiß auch nicht, was der sich so denkt. Oben hinter dem Sportplatz will er Heu machen, und da kann ich ihn ja nicht erreichen. Nicht, daß ich was von Ihnen will, aber Alfred muß ja herkommen, es geht ja um die Jahressteuer. Und Alfred vergißt doch so was nie, und ich weiß nicht … Ob vielleicht Ihre Bekannte mal zum Sportplatz rauffahren kann, und ob sie Alfred das sagt, weil ich ja weiß, daß Sie flachliegen. Wie geht es Ihnen denn?«

»Mir geht es gut, Mutter Melzer. Sie machen sich Sorgen, nicht wahr?«

»Na ja, ein bißchen.«

»Ich erledige das schon«, sagte ich und legte auf.

»Ist was mit Alfred?« fragte Elsa.

»Nein, nein«, sagte ich schnell. »Ich möchte mal in den Garten. Holst du mir Jeans und ein Hemd?«

Sie sah mich mißtrauisch an und rührte sich nicht.

»Ich soll trainieren, mich zu bewegen, hat der Arzt gesagt.« Ich schlug die Wolldecke zurück und lag da nackt und zugepflastert.

»O weia«, sagte der Chef genüßlich, »das müssen wir fotografieren.«

»Aber nur gegen Honorar«, sagte ich. »Ich bin jetzt ein Spitzenmodell.« Es ging einigermaßen, ich stand, die ersten Schritte liefen flott.

»Ich hol dir die Sachen«, sagte Elsa hastig.

Patricia stand mit einem Paket in Alufolie in der Tür und murmelte zaghaft: »Sie hatten nix Vernünftiges außer Wildschweinbraten mit Bratkartoffeln und Rote Beete.«

»Dann eßt mal schön«, sagte ich. Ich war so wütend, daß ich schmerzlos über die beiden ersten Treppenstufen kam.

74

Elsa sagte scharf hinter mir: »Es ist nicht notwendig, die Menschheit zu verfluchen, nur weil der Chef eine andere Meinung hat. Ich hole dir die Sachen, und hör auf, den Helden zu spielen. Da ist doch was mit Alfred, oder?«

»Da ist nichts, ich brauche nur frische Luft. Und der Chef ist nicht mein Chef.« Ich hockte mich auf die Treppe und ließ sie vorbei.

Patricia ging in die Küche, blieb vor mir stehen und sagte: »Ich weiß nicht, ich mag diese alten, verwundeten faltigen Krieger.«

»Er ist kein Krieger, er ist nur ein irregeleiteter Macho«, sagte Elsa über mir auf der Treppe. Sie war sehr wütend. Dann wurde sie unvermittelt ein wenig sanfter.

»Hör mal, du Sturkopf. Laß dir wenigstens kurz erklären, was mit dieser zweiten Toten ist, dieser Marianne Rebeisen. Ich sagte dir am Telefon, sie sei eine Nutte. Sie war Vollprofi. Die Bruderstraße Nummer 23 in Köln, in der sie gemeldet ist, ist ein Puff. Sie arbeitete in einem Zimmer im ersten Stock und hat oben unter dem Dach eine kleine Wohnung. Die Puffmutter ist ein Mann. Ich habe ihm gesagt, die Rebeisen sei eine alte Freundin von mir. Er wußte wenig von ihr, erzählte aber, daß Männer da waren, die alles über sie wissen wollten. Sie schaffte gut an, sagte er, eine Spitzenkraft, sagt er, mit sehr viel Stammkundschaft. Ihre privaten Freunde sind Zuhälter und andere Nutten, die meisten kennt er. Er behauptete, daß sie mit ihrem Zuhälter nichts hatte, daß er nicht weiß, wie ihr Freund heißt. Er vermißt sie, hat aber keine Ahnung, wo sie ist. Kannst du dir vorstellen, wie eine Profinutte nachts zu dem Depot in Hohbach kommt und dort mir nichts, dir nichts erschossen wird, achtzig Kilometer vom Puff entfernt?«

»Das ist der Punkt«, sagte ich. »Wir müssen herausfinden, wie sie nach Hohbach kam. Da gibt es keinen Bus und keine Eisenbahn. Wie ist die Nutte Rebeisen in den Wald gekommen? Mir fällt ein, daß der Doktor erwähnte, die Rebeisen sei die Freundin der Kleiber gewesen, also ist es vielleicht normal, daß sie in Hohbach war. Vielleicht wurde sie zufällig umgebracht, weil sei zufällig beim großen Schlamassel anwesend war. Und jetzt laß mir meine frische Luft.«

Ich zog mühsam die Jeans an und ein Hemd, dann noch Sandalen. Ich kroch langsam durch den Flur vor die Tür und sagte: »Nun eßt mal schön, ich komme gleich.« Elsa war zu wütend, um hinter mir herzukommen. Sie hatte den Schlüssel stecken lassen. Ich ließ den Wagen an und gab Gas. Es war ein gutes Gefühl, nicht mehr hilflos auf einem Sofa zu liegen, und die Schmerzen hielten sich in Grenzen.

Ich fuhr in das Unterdorf hinunter, am Dorfbrunnen vorbei, auf eine alte, schmale Landstraße. Nach sechshundert Metern bog ich in einen Feldweg ab, fuhr am Dorfrand vorbei zurück und bog dann auf die schmale Betonpiste ein, die zum Sportplatz hochführte. Überall waren die Bauern im Heu und grüßten freundlich, wie sie es immer tun.

Auf den ersten Blick war mit Alfred alles in Ordnung. Sein Trecker stand vor dem Heubinder am Waldrand und lief. Lerchen waren über mir.

Alfred reparierte irgend etwas am Hinterrad des Trekkers, er schien gebückt an der Achse zu fummeln. Ich konnte nicht näher heran als etwa achtzig Meter.

»Hallo, Landmann!« schrie ich.

Aber dann begriff ich, daß er sich gar nicht bewegte. Er rührte sich einfach nicht.

Ich gab Gas und wurde fast ohnmächtig, als der Wagen auf einer Graswelle hochsprang und zurückfiel, aber ich schaffte es bis zum ihm.

Er konnte nicht fallen, weil er den rechten Arm bis zur Achsel über die Antriebswelle des Heubinders gelegt hatte. Er kniete auf dem linken Knie, das rechte Bein lag bizarr ausgestreckt. Er mußte so ausharren – selbst wenn er tot war.

Da war Blut an seinem Kopf und sehr viel Blut auf seinem hellgraukarierten Hemd.

Er bewegte den Kopf träge zur Seite und lallte etwas. Er hob die Lider mit unendlicher Mühe, aber es wurde kein Blick daraus.

»Alter Mann, hilf uns jetzt«, sagte ich laut. Ich drehte den Treckermotor ab und kniete mich dann vor Alfred. »Was ist denn, verdammt noch mal? Hast du mal wieder im Fahren die Kerzen ausgewechselt?«

Er grinste, es war nicht zu fassen, er versuchte zu grinsen. Aber es blieb ein Versuch, und wahrscheinlich wurde er vor lauter Erleichterung ohnmächtig. Er hatte das Gesicht voller Platzwunden.

Ich machte meine rechte Wagentür auf, schob den Sitz ganz nach vorn und legte ihn flach.

»Komm jetzt«, sagte ich matt. »Ich bin selbst kein Herkules in diesem Moment. Wir müssen dich irgendwie in die Karre kriegen. Los, komm schon.« Aber er kam nicht, er war ohne Bewußtsein.

Ich griff ihn unter den Achseln und hob ihn von der Antriebswelle herunter. Dann konnte ich ihn nicht mehr halten, weil meine Bauchmuskeln nicht mitspielten, und er fiel flach auf den Rücken. Er lallte etwas, aber er war nicht zu verstehen.

»Du mußt das jetzt aushalten«, keuchte ich. »Wir haben hier schließlich kein Telefon.«

Er versuchte wieder zu grinsen und sah einen Augenblick lang tatsächlich so aus, als sei er nur total betrunken. Ich zog ihn langsam Zentimeter um Zentimeter an den Wagen heran. Dann hob ich ihn an den Schultern hoch, so daß sein Kopf in den Wagen pendelte. Es war mühsam, und ich redete ununterbrochen auf ihn ein. Ich weiß nicht mehr, was ich sagte und dachte. Endlich lag er mit dem Kopf auf der Sitzfläche und dem Hintern vor dem Sitz.

»Scheiß drauf, Liebling«, sagte ich, »es geht nicht besser, dein Arsch ist mir zu schwer.«

Ich fuhr von der Wiese herunter und nahm dann den Weg vom Sportplatz hinunter in das Dorf. Es war etwas weiter, aber der Weg war asphaltiert. Ich mußte am Hof vorbei, weil es eine andere Möglichkeit nicht gibt, und sah sie erregt gestikulierend und wild winkend vor der Tür stehen: Elsa, den Chef und die biblische Patricia. Am Dorfausgang gab ich Vollgas in Richtung Gerolstein. Ich sah, wie Alfreds Hand sich in die Polsterung krallte, und schrie: »Bleib ruhig, Junge, gleich sind wir da.« Ich hatte rund sechzehn Kilometer vor mir, und die Straße schien ein Treffpunkt aller Eifelbauern zu sein, die gemütlich mit ihren Treckern des Weges zogen, zufrieden mit des Tages Arbeit.

Ich fluchte lang und anhaltend und versuchte, so zu fahren, daß ich scharfes Bremsen vermeiden konnte. Aber die schnellen Laster mit dem Gerolsteiner Sprudel, die mir in Richtung Ruhrgebiet entgegenzogen, schienen sich einen Sport daraus zu machen, mich zu behindern. Ich schaltete alle Lichter an, die Notbefeuerung eingeschlossen, und ging nicht mehr von der Hupe. Ich spürte, wie Alfred sich neben mir bewegte, und dann hörte ich ihn unflätig fluchen, und immerhin verstand ich ihn jetzt. »Sei ganz ruhig«, brüllte ich. »Wir sind gleich in Gerolstein. Wer war es?«

»Bbbunnnesweeer«, lallte er. »Sssiemlich viele, vier, sechs, weisss nich.« Sein Kopf klappte zur Seite ab.

»Einfach so? Oder haben die was gesagt?«

»Biller«, lallte er, und ich wußte nicht, was er meinte.

»Noch mal.«

»Bbbilllerbbbillller.«

»Die Bilder. Du meinst die Fotos.«

Er nickte.

»Laß es gut sein, macht nix. Wir müssen erst mal wissen, was mit dir ist.«

Ich kam jetzt in das Industriegebiet, in dem der Verkehr erheblich dichter war. Ich mußte mit der Geschwindigkeit heruntergehen. Ich fuhr eine lange Einbahnstraße

78

in die verkehrte Richtung, um abzukürzen. Ich weiß nicht, wie lange ich brauchte, ich weiß nur, daß ich an der Notaufnahme des Krankenhauses zu spät auf die Bremse ging und voll in das hohe geschlossene Rolltor krachte. Rechts von mir waren schemenhafte Bewegungen, und ein Mann schrie dauernd: »Der ist doch besoffen, der ist doch besoffen …«

Links von mir war ein Gesicht, das ich kannte. Es war der Arzt, der mich geröntgt hatte.

»Sieh mal an«, sagte er munter und gut gelaunt, »wen haben wir denn da schon wieder?«

»Der da braucht Sie«, sagte ich, »ich bin o.k.«

»Schafft den Beifahrer raus und in die Ambulanz!« schrie er. Dann bückte er sich erneut zu mir. »Kommen Sie mal mit«, sagte er. »Sie sind so blaß um die Nase. Ist das jetzt eine Fortsetzung?«

Neben mir nahmen sie Alfred behutsam heraus, legten ihn auf eine Bahre und trugen ihn im Laufschritt davon.

»Was ist mit ihm? Unfall?«

»Verprügelt«, sagte ich. »Wie ich.«

»Steigen Sie mal aus«, sagte er und grinste.

»Ich bleib sitzen, mir geht es gut.«

»Das denke ich mir. Sie sehen ja auch blendend aus.«

»Ich bin vollkommen in Ordnung.«

»Na gut«, sagte er gemütlich und riß die Tür ohne Vorwarnung auf.

Ich verlor den Halt und kippte aus dem Wagen. Ich hörte noch, wie er befriedigt »Siehste!« schnaufte.

Als ich erwachte, lag ich auf einer harten, dunkelgrünen Liege in einem Raum, der vollkommen gefliest war. Jemand dicht über meinem Kopf sagte mit Genuß: »Der Mann hat tatsächlich nichts. Ist bloß vollkommen überarbeitet, total verprügelt und ansonsten total im Eimer.«

»Was ist mit Alfred?«

»Wer ist denn Alfred?«

Mein Blickfeld wurde klarer, es war ein Arzt. »Was ist mit dem Mann, den ich hergebracht habe?«

»Na ja, wie das so ist bei Prügeleien ohne Handschuhe. In welcher Kneipe war das denn?«

»Das sage ich nicht.«

»Schade«, grinste er. »Fühlen Sie sich o.k.?«

Ich kam hoch und setzte mich hin. »Es geht schon. Was ist mit dem Mann?«

»Eigentlich nichts weiter. Schwere Gehirnerschütterung, zwei bis drei Dutzend Platzwunden. Habt ihr einen Profi in eurer Gegend?«

»Ja. Wie komme ich zu Alfred?«

»Geht nicht. Wird unter Narkose versorgt.«

»Dann warte ich eben.«

»Helden wie in einem Wildwestfilm«, schnaufte er und schüttelte den Kopf. »Bleiben Sie man noch eine Weile liegen. Es ist doch noch gar nicht so lange her, daß ich Sie verbunden habe, oder?«

»Und es geht ihm gut? Nicht gefährlich?«

»Im Prinzip alles in Ordnung«, sagte er und ging hinaus. Dann kam eine unförmig dicke Frau in einem pinkfarbenen Pullover, grauen Rock und diesen entsetzlichen weißen Krankenhaus-Gesundheitsschluffen. Sie sah mich nicht an, hockte sich mit einem Formular auf einen Stuhl und fragte: »Name? Vorname? Kasse? Betriebsunfall?«

»Moment mal«, stotterte ich.

»Sie liegen aber doch bei uns.«

»Nicht freiwillig«, sagte ich.

Sie lächelte böse und murmelte: »Wer liegt hier schon freiwillig? Also gehen Sie wieder? Ich muß den Arzt fragen. Na ja, fangen wir mal an. Behandelnder Arzt?«

»Ihr seid hier schlimmer als das Finanzamt«, sagte ich. »Ich verschwinde.« Ich ließ mich vorsichtig von der Liege herunter und ging hinaus.

Draußen war ein Krankenhausflur, niemand war zu sehen. Ich wanderte eine Weile und richtete mich nach einem grünen Pfeil. Ich erreichte so etwas wie eine trostlose Halle mit Gummibäumen, die so aussahen, als hätten sie die Intensivstation nötig. Da waren sie einträchtig versammelt: Elsa, der Chef, die biblische Patricia und Dr. Naumann.

»Ich habe Dr. Naumann verständigt«, sagte Elsa süß-sauer. »Wir dachten, du seist ausgeflippt und wolltest ein Autorennen veranstalten.«

»Ist Alfred irgendwo?«

Naumann sagte: »Ja, aber der schläft noch. Ich bringe ihn nach Hause, wenn er entlassen wird.« Er sah so aus, als sei er entnervt. »Sie sollten sich heimfahren lassen.« Er zog mich beiseite. »Was war denn eigentlich?«

»Bundeswehr.«

»Aber Soldaten prügeln doch nicht.« Er hatte ein graues Gesicht. »Diese Brutalität macht mich ganz krank, die müssen eine Menge zu verbergen haben. Sind die aufgehetzt worden?«

»Sicher. Aber das wird nicht zu beweisen sein. Wer melkt Alfreds Kühe?«

»Ich kümmere mich darum, ich finde jemanden im Dorf. Sie sollten jetzt wirklich nach Hause fahren. Was ist da bloß gelaufen? Gehen Sie heim und schlafen Sie.« Er ging davon und verschwand hinter einer Tür.

Elsa fragte: »Fahren wir jetzt?«

»Ja«, sagte ich.

Der Chef stand da und hielt sein Kinn fest. »Machen Sie die Geschichte, wie Sie wollen«, sagte er matt. »Wenn Sie Geld brauchen, ist das kein Problem. Unterrichten Sie mich privat und passen Sie auf sich auf.«

»Danke«, sagte ich.

Er ging davon auf den Ausgang zu, die biblische Patricia im Schlepptau.

»Er hatte richtig Angst«, sagte Elsa leise.

»Ich auch«, sagte ich. »Und du auch. Laß uns fahren.«

# FÜNFTES KAPITEL

Es herrschte ein verbissenes Schweigen. Schließlich fuhr sie in einen Waldweg, stoppte, sah auf ihrer Seite aus dem Fenster und sagte: »Ich steige aus der Geschichte aus, Baumeister. Ich ertrage diese sinnlose, fürchterliche Gewalt nicht. Das erinnert mich an das furchtbare Geschwätz meines Vaters über die wunderbare Kameradschaft an der Ostfront. Und außerdem bescheißt du mich, und das macht mir am meisten zu schaffen.«

»Ich bin abgehauen, um Alfred zu helfen.«

»Ja. Und das wird sich wiederholen. Du wirst zwar anschließend immer so gnädig sein, mich darüber zu informieren, was vorgefallen ist, aber zuerst wirst du mich über's Ohr hauen. Du wirst sagen, du gehst an die frische Luft, und du wirst verschwinden und verprügelt werden oder jemanden verprügeln. Das ist nichts für mich.«

Sie stieg aus, ging ein paar Schritte, reckte sich, pflückte einen langen Grashalm und weinte ganz still wie ein kleiner Clown, dem die Pointe vermiest wurde.

»Ich möchte von hier aus zu Fuß gehen«, sagte sie endlich. »Ich möchte allein sein.«

Ich fühlte mich elend, rutschte hinter das Steuer und fuhr langsam nach Hause.

Ich erledigte Post, rief ein paar Leute an, die um Rückruf gebeten hatten, aber ich war unkonzentriert und muffig und war auch nicht an ihnen interessiert. Als Elsa kam, trödelte sie wortlos hinauf in das Zimmer, das ich für Gäste bereithalte, und packte ihre Koffer. Es war schmerzlich, es war so, als lebten wir in zwei Welten. Ich hörte, wie sie langsam und wohl antriebslos umherging. Dann kam sie herunter, stand mit ihren Siebensachen in der Tür und sagte lapidar: »Ich haue jetzt ab.«

»Es tut mir leid«, sagte ich. »Ich bin ein schlimmer Eigenbrötler.«

»Ich habe dich nur besucht, ich bin nur in die Geschichte reingeschliddert, ich habe nichts gewollt. Ich
wollte nur etwas für mich herausfinden.«

Auf dem Dach sang die Amsel. Sie hockt an jedem
Sommerabend seit drei Jahren auf dem verrosteten An-
tennenmast und erzählt dem Dorf, wie schön der Tag
war.

»Du kannst doch bleiben«, sagte ich. »Es wird nicht
wieder passieren.«

Sie stellte die Reisetasche neben sich. »Sieh mal, Baumeister, ich mag dich einfach. Ich bin doch hierhergekommen, um dir das zu sagen. Und dann ist da diese
eklige Bundeswehrsache, und du benutzt die erste Gele-
genheit, mich übers Ohr zu hauen. Ohne Grund, Baumeister, ohne Grund. Na klar, ich bin nur eine Frau und habe
nicht soviel Erfahrung in diesen Sachen. Und eine Frau
haut man bedenkenloser übers Ohr, so ganz nebenbei.«
Sie nahm die Reisetasche hoch und ging hinaus. Ich hörte, wie sie alles in ihr Auto kramte und dann vom Hof
fuhr.

Ich hatte plötzlich die unangenehme Vorstellung,
Messner würde kommen und mich verprügeln. Ich war
vollkommen hilflos, ich würde nicht einmal schnell genug die Arme hochkriegen. Ich rappelte mich also auf
und krauchte behutsam in den ersten Stock ins Badezimmer und ließ mir Wasser einlaufen. Ich hatte Schwierigkeiten, die Pflaster abzulösen und durch neue zu er-
setzen. Als ich wieder auf dem Sofa anlangte, war ich
erschöpft. Ich hatte mich so gefreut auf ein paar einsame
Sommerwochen voller Arbeit, und nun war dies geschehen.

Krümel sprang zu mir hoch und legte sich auf meinem
Bauch zurecht. »Das ist alles nicht schön«, sagte ich, »das
geht uns alles gegen den Strich. Jeder anständige Deutsche hat ein Recht auf Urlaub.« Ich stopfte mir die *Valsesia* von Lorenzo, schmauchte vor mich hin und beobachtete das letzte Licht des Abends. Mir war elend, und ich

dachte nicht an diesen verzwickten Fall, sondern nur an Elsa, die ich verscheucht hatte. Es war merkwürdig und bedrohlich: Sie kam mir älter, klüger, alles in allem viel erwachsener vor, als ich jemals sein konnte. In diesen Sekunden wäre ich fähig gewesen, ihr das zu sagen, und auch, wie leid es mir tat. Aber sie war nicht da, fuhr sicherlich wütend und verkrampft nach Norden und fluchte auf den Baumeister.

Ich brauchte zehn Minuten, um mir das Radio an das Sofa zu schaffen. Ich schob *Warm Valley* mit dem Art-Farmer-Quartett ein. Das Flügelhorn besänftigte mich, und der wirklich kolossale Bassist Ray Drummond löste den kalten Ball in meinem Bauch auf. Krümel kam und versuchte, meine Nase zu lecken, aber da war ein Pflaster, und sie zuckte zurück. »Wir armen, alten Krieger«, seufzte ich. Dann gönnte ich mir noch eine Aufnahme von 1927: Duke Ellington im Cotton Club mit ›Misty Morning‹. Es gibt Dinge, bei denen Aspirin nicht hilft …

Es gab eine Frage, die ich dem toten Leutnant Lorenz Monning gern gestellt hätte: Wieso haben Sie dienstfrei und werden an Ihrer Arbeitsstelle bei strömendem Regen neben einem Jeep erschossen? Wie sind Sie dahin gekommen, und wie kamen Sie an den Jeep?

Es machte keinen Sinn, Theorien darüber zu erstellen. Es gab tausend Möglichkeiten, und sie alle würden letztlich der Wirklichkeit nicht gerecht werden. Und wir wußten nicht einmal, wo dieser Lorenz gewohnt hatte. Wir kannten nicht einmal sein Gesicht.

Ich hörte mich selbst seufzen.

Die biblische Patricia hatte die ungeheuren Mengen Abendessen in den Eisschrank gestellt. Ich machte mir etwas davon warm, als Dr. Naumann hereinkam, auf einen Stuhl plumpste, scharf ausatmete und erklärte: »Ich möchte Ihren Beruf nicht haben. Das ist ja ekelhaft.«

»Das habe ich mir nicht ausgesucht«, sagte ich. »Die meisten Geschichten verlaufen sehr friedlich. Wie geht es Alfred?«

»Ich habe ihn nach Hause fahren können. Es geht ihm, wie es Ihnen ging. Er flucht und ist sauer auf Sie, weil Sie ihm gesagt haben, Sie hätten die Fotos von einem Bundeswehrsoldaten gekauft.«

»Das war sehr richtig, und ich habe das sehr überlegt getan. Auf diese Weise schütze ich Informanten.«

»Das dachte ich mir. Ich habe ihm gesagt, daß ich die Fotos gemacht habe. Er ist einfach sauer, weil er glaubt, daß Sie ihm nicht vertrauen. Er wollte also gerade nach Hause fahren, als sechs Bundeswehrsoldaten aus dem Wald kamen. Anfangs waren sie noch friedlich und stichelten nur. Sie sagten, Sie und Alfred seien ja dicke Freunde, und sicher hätte Alfred Ihnen alles gesagt, was er von den Vorfällen am Depot wüßte. Und außerdem sei es ja schon soweit, daß Alfred Ihrer Freundin sein Auto pumpe, damit die recherchieren kann. Alfred hat geantwortet, daß er Ihnen nichts gesagt hätte, was Sie nicht schon wußten. Er glaubt, daß mindestens drei der Soldaten ziemlich betrunken waren. Ein Wort gab das andere, und plötzlich gab es Stunk, weil die Soldaten ihm vorwarfen, er habe die Bundeswehr verraten, obwohl er doch selbst einmal bei der Bundeswehr gewesen sei. Alfred verlor die Nerven und schrie, ein verdammter Kamerad von ihnen habe Bilder von den Tatorten an Sie verkauft, und die Bundeswehr solle gefälligst vor der eigenen Tür kehren. Dann haben sie ihn verprügelt und ihm gesagt, er solle in Zukunft den Mund halten. Er ist so wütend, daß er sich am liebsten auf den Trecker setzen würde, um das Depot plattzuwalzen.«

»Ich werde ihm das mit den Fotos erklären, ich hoffe, daß er mich versteht. Wollen Sie Wildschwein?«

»Ein wenig. Wäre es nicht besser, ganz aus der Geschichte auszusteigen? Ich meine, Recherchen sind bei dieser gewalttätigen Horde doch Selbstmord. Wo ist denn eigentlich Ihre Bekannte?«

»Abgefahren. Sie hat die Gewalt nicht ausgehalten, und sie war sauer auf mich.«

»Komisch, das habe ich erwartet.« Er lächelte etwas bitter. »Hier, ich habe Ihnen Vitamine mitgebracht. Futtern Sie davon, bis es Ihnen zu den Ohren heraushängt. Was werden Sie jetzt unternehmen?«

»Das weiß ich nicht. Erfahrungsgemäß ist man nach einer gewissen Zeit so sehr Bestandteil einer Geschichte, daß man von anderen Beteiligten eingeweiht wird. Aussteigen kann ich nicht und will ich nicht, nachdem ich von Ihnen weiß, daß die zweite Frau keine Selbstmörderin war, nicht getrunken hatte und sich auch nicht mit Tabletten abgab. Wie kommt eine Prostituierte aus Köln nachts in die Eifel? Das ist eine der vielen Fragen. Es ist kaum zwei Tage her, wir haben drei Leichen, zwei halbtotgeschlagene Männer, und eigentlich wissen wir nichts, absolut nichts. Sie sollten mir schnell die Rechnung machen.«

»Warum schnell? Glauben Sie, Sie werden keine Zeit mehr haben, mich zu bezahlen?« Er grinste.

»Nein, das ist es nicht. Nehmen Sie bitte einen Satz der Bilder mit und deponieren Sie ihn an einem sicheren Ort.«

Wir aßen etwas, dann verabschiedete er sich und nahm die Bilder mit. Den zweiten Satz verpackte ich in einen Aktenordner, den ich dick mit mehreren Lagen Tesafilm umwickelte. Dann nahm ich eine Taschenlampe und kletterte in der Garage durch die Dachluke in das Stroh, das Alfred dort lagerte. Ich kroch flachliegend bis zur Stirnwand und legte den Ordner mit den Bildern auf einen Balken.

Zwei Bilder hatte ich zurückgehalten und offen auf meinen Schreibtisch gelegt: Eine Gesamtansicht des Tatortes Nummer eins mit den zwei schemenhaft erkennbaren Leichen im Jeep sowie eine Aufnahme des Tatortes Nummer zwei mit der zweiten Frauenleiche und einigen Bundeswehrsoldaten des Depots als Zuschauern. Die Tatwaffe war auf diesem Bild nicht zu sehen.

Ich hörte durch die dicke Mauer das Telefon läuten,

aber es war sinnlos zu versuchen, es rechtzeitig zu erreichen. Es war heiß und muffig im Stroh, und ich legte mich eine Weile auf den Rücken und schloß die Augen. Der Geruch erinnerte mich an meine Kinderzeit. Süße Träume.

Krümel kam die Leiter heraufgeklettert und keckerte laut, weil sie mich suchte. »Ich bin hier, meine Schöne, ich gehe dir nicht verloren.«

Beim Hinunterklettern hockte sie auf meiner Schulter, und als wir im Wohnzimmer ankamen, schellte das Telefon erneut. Es war Elsa: »Ich will dir nur Glück wünschen und dir sagen, daß ich dich ein bißchen verstehe.«

»Danke. Mir tut es wirklich leid, daß du gegangen bist.« Sie hatte schon wieder eingehängt. Ich legte mich auf das Sofa, draußen war es jetzt dunkle Nacht. Im Fernsehen zeigten sie noch einmal de Sicas *Fahrraddiebe*, und ich schaltete hastig aus, als sei der Film eine Bedrohung. Er war eine Bedrohung.

»Verdammt, meine Schöne, wir müssen resolut sein, wir müssen morgen aufstehen und arbeiten, und deshalb nehmen wir Pillen.« Ich nahm zwei Schlaftabletten, und Krümel benahm sich so, als sei sie beleidigt, daß ich nicht mit ihr teilte.

Als sie an die Haustür donnerten, weil meine Klingel selten funktioniert, dachte ich anfangs, es sei Elsa reumütig zurückgekehrt, oder so ähnlich. Es war zwei Uhr morgens.

»Ja, ja«, schrie ich und stand auf.

Sie donnerten wieder an die Tür, und ich schrie erneut. Mir fiel auf, daß ich nackt war, aber ich sagte laut »Wurscht« und schlurfte durch den Flur zur Tür. Ich schaltete sämtliche Lichter ein, auch die draußen auf dem Hof. Dann öffnete ich.

Der Mann war klein und kugelrund und trug trotz der warmen Witterung einen ekelhaft kackbraunen Trenchcoat. Er war so der Typ Papa, der mit offenen und ehrlichen Augen und gutgelaunt, immer guten Willens und

alles verstehend sein Gegenüber ansieht und dann sagt:
»In dieser Woche gibt es kein Taschengeld.«

Hinter ihm stand Messner und lächelte bescheiden.
Hinter Messner stand ein Jeep, und vorne saßen zwei
Bundeswehrler drin.

»Es ist so«, sagte der kleine Kugelrunde gemütlich lächelnd, »daß ich Sie kurz sprechen muß. Mein Name ist
Doktor Falk Herrmann mit zwei ›r‹ und zwei ›n‹. Bundesanwaltschaft. Kann ich zu Ihnen hereinkommen?«

»Mir hat schon einmal jemand gesagt, er heiße Doktor
Sowieso, und anschließend hat er mich durch die Mangel
gedreht.«

»Sie erkälten sich, Herr Baumeister«, sagte der kleine
Kugelrunde freundlich.

»Sie werden schon einmal einen Pimmel gesehen haben«, sagte ich. »Sie können rein, aber dieser Schläger
hinter Ihnen nicht.«

»Ich möchte aber zwischen den Kontrahenten vermit-
teln«, bat er, »Streit ist nicht nötig.«

»Ich will mich ja entschuldigen«, sagte Messner.

»Sie allein, der Schläger hinter Ihnen nicht.«

»Ich könnte aber einen Durchsuchungsbefehl für dieses Haus haben«, murmelte er.

»Wie goldig!« sagte ich. »Aber dann dürften Sie diesen
Vogel hinter Ihnen auch nicht mit reinnehmen. Es ist
ohnehin merkwürdig und verstößt gegen alle möglichen
guten Sitten, daß Sie ausgerechnet mit einem Bundeswehrjeep und diesem Affen da anrücken.«

»Das ist, abgesehen von dem Affen, richtig«, gab er zu.
Er drehte erstaunlich schnell seinen kugelrunden Kopf
und seufzte: »Wie Sie sehen, Messner, weiß der Mann
genau, was er will.« Dann schlüpfte er an mir vorbei in
den Flur.

»Rauchen Sie inzwischen eine«, sagte ich in Messners
Gesicht und machte die Tür zu.

»Sie sind schlimm zugerichtet«, murmelte der Kugelrunde. Er war etwa fünfzig Jahre alt.

»Messner ist eben gründlich«, sagte ich.

»Er behauptet, sich an nichts mehr zu erinnern. Er weiß gar nicht mehr, was passiert ist.«

Ich antwortete nicht.

Erst jetzt sah ich, daß er dünne Lederhandschuhe trug. Er zog sie bedächtig aus und legte sie sorgsam gefaltet über sein rechtes Knie. »Was ist mit den Bildern?« fragte er.

»Sie liegen dort auf dem Schreibtisch«, sagte ich. »Ich habe Sie erwartet.«

Er stand auf und ging an den Tisch. Er sah die Bilder sehr aufmerksam an. »Soweit ich informiert bin, hat die ein Bundeswehrsoldat gemacht und Ihnen verkauft.«

»Das ist richtig. Das habe ich gesagt. Und der, zu dem ich es sagte, wurde heute abend auf seinem Acker fast zu Tode geprügelt.«

»Alfred Melzer, ich weiß. Peinlich die Sache. Sie sagten gerade, Sie hätten den Bilderkauf nur behauptet. Also ist es nicht so, also haben Sie die Bilder von einer anderen Person?«

»O nein, ein Soldat hat sie mir verkauft.«

»Wie hieß der Soldat?«

»Keine Antwort. Informantenschutz.«

»Was haben Sie dafür bezahlt?«

»Keine Antwort. Ebenfalls mit Hinweis auf den Schutz, den ein Informant zu Recht erwarten kann.«

»Dies ist aber eine Sache, die Sicherheitsbelange des Staates berührt.« Er sprach jetzt nicht mehr sanft, er war auch nicht mehr klein und kugelig und gemütlich.

»Sicherheitsbelange des Staates? Das kann nicht Ihr Ernst sein. Der Minister hat mitgeteilt, daß es eine miese Eifersuchtstragödie war.«

»Darf ich die Bilder haben? Und war es ein ganzer Film oder nur diese beiden Aufnahmen?«

»Nur diese zwei Bilder. So, wie Sie sie in der Hand halten.«

»Und Sie haben bereits weitere Kopien gezogen und

die Negative irgendwo deponiert?« Er kam zu dem Sessel zurück.

»Richtig. Aber ich sage nicht, wo.«

»Ich hätte die Möglichkeit, Sie durch gewisse Maßnahmen auf Ihre Pflichten als Staatsbürger aufmerksam zu machen.«

»Das haben Sie. Nur zu. Im Knast kann ich mich endlich ausruhen. Ich treffe keine hirnlosen Idioten wie Messner mehr und andere Leute schreiben die Geschichte.«

»Sie sind wütend, nicht wahr?«

»O ja, ich bin wütend. Und ich werde nichts sagen. Nicht ein Wort. Es ist ein mieses Eifersuchtsdrama gewesen und aus damit.«

»Sie können sich aber doch denken, daß die Mitteilung des Ministers nur dazu diente, den Behörden die Möglichkeit zu geben, in Ruhe weiter zu ermitteln.«

»Sicher weiß ich das. Und ich bin auch wütend, weil ich für dumm verkauft werde, weil man mich für dämlich genug hält, dem Geschwätz des Ministers zu glauben. Ich bin aber auch wütend, weil dieser Staat Typen wie Messner die Rente zahlt. Also ist es eine Spionageaffäre?«

»Das kann ich Ihnen nicht beantworten. Zunächst untersage ich Ihnen kraft meiner Befugnis, in dieser Sache weitere Recherchen anzustellen, in dieser Sache journalistisch weiter zu ermitteln und die Ermittlungen zu veröffentlichen.«

»Machen Sie man«, sagte ich obenhin.

»Ich werde das der Redaktion mitteilen, und Sie bekommen ein Protokoll.«

»Welcher Redaktion? Ich arbeite für mindestens vier Blätter. Und wenn Sie denen Bescheid geben, kommen andere und bieten viel Geld, um die Geschichte zu bekommen.«

»Aber heute nachmittag hatten Sie doch Besuch von einem Chefredakteur.«

»Das ist richtig, das haben Messners Spürhunde richtig erkannt. Aber er war nicht in dieser Sache hier, er weiß absolut nichts davon.«

»Ich untersage Ihnen also noch einmal, in dieser Sache gegen die Bundesrepublik Deutschland tätig zu werden. Und ich hoffe, bei Gott, Sie halten sich dran. Sonst werde ich Sie einsperren.«

»Ich nehme es zur Kenntnis. Würden Sie so nett sein und mir Ihre Adresse, Ihren Namen und Ihren Titel auf ein Blatt Papier schreiben?«

»Natürlich«, murmelte er und schrieb es auf. Dann nickte er mir kurz und ernst zu und ging. Irgendwie tat er mir leid, denn er ging als jemand, der absolut sicher wußte, daß ich ihm nicht folgen würde.

Ich konnte nicht mehr einschlafen und überlegte herum. Als gegen fünf Uhr morgens Elsa auf den Hof fuhr und todmüde, blaß und wütend sagte: »Ich bin auf halbem Weg umgekehrt, ich kann dich doch nicht allein lassen in all dem Wirrwarr«, war ich richtig glücklich und nahm sie in den Arm. Ich war eingeschlafen, als sie aus dem Bad kam.

Wir wurden erst gegen Mittag wach, ich konnte mich bereits besser bewegen und hatte kaum noch Schmerzen. Alfred rief an und wußte natürlich längst, daß ich nächtlichen Besuch gehabt hatte.

»Kannst du mich mal besuchen?«

»Später, gegen Abend.«

»Hat sich etwas Neues getan?«

»Noch nicht viel. Aber wir werden etwas tun, und dann wird sich etwas tun.«

»Wenn ich die Bundeswehrler erwische, mische ich die auf. Noch besser wäre es, man würde mit den Jungens von der Freiwilligen Feuerwehr ausschwärmen.«

»Laß das sein. Und sei am Telefon nicht so gesprächig.«

»Ach so«, sagte er.

»Aber ich habe noch eine Bitte: Du mußt unbedingt die ganze Sache aufschreiben. Versuchst du das mal?«

Er sicherte zu, er würde das versuchen und hängte ein.

Elsa rannte im Bikini im Garten herum. Es war ein sehr knapper Bikini.

»An der Mauer, da wohnen Fritz und Fritzi und Friedbert und Friedrich. Frösche und Kröten. Wenn du dich langsam bewegst, hauen sie nicht ab, bestaunen dich nur. Und wenn du dich vorgestellt hast, zieh dir etwas an. Wir fahren spazieren.«

»Bin ich zu nackt für dein Dorf?«

»Das ist das Problem meiner Nachbarn, meines nicht. Komm jetzt und nimm die Kamera mit. Vor allem das vierhunderter Rohr. Und heute abend sprechen wir die ersten Recherchenergebnisse auf Band und schicken sie dem Chef.«

»Hast du noch Schmerzen?«

»Nein, keine mehr. Aber mein linkes Knie ist kaputt. Wenn ich es zu stark belaste, trägt es mich nicht.«

»Das ist das Alter«, sagte sie. »Komm, wir machen dich schön.«

Ich mußte mich still auf den Küchenstuhl hocken, und sie bearbeitete mich kichernd mit Makeup, bis ich halbwegs menschlich aussah. Ihre Hände waren sehr sanft und erinnerten mich an die meiner Mutter, oder vielleicht ist das auch übertrieben, vielleicht erinnerten sie mich nur an die sanften Hände der Elsa.

Ehe wir losfuhren, kam Mutter Melzer mit dem Moped. Mit ihrem strahlenden, von tausend Falten durchzogenen Gesicht lächelte sie scheu und sagte: »Es ist ja so, Herr Baumeister, daß ein Gefallen des anderen wert ist. Ich habe Ihnen hier ein paar Pfund Butter mitgebracht.« Etwas linkisch, aber sehr feierlich überreichte sie mir einen mindestens fünf Pfund schweren in Pergament eingehüllten Klumpen Butter und ich stotterte: »Danke, aber das kriege ich nicht aufgegessen.«

»Dann frieren wir es eben ein«, sagte Elsa schnell. Sie strahlte Mutter Melzer an. »Ich bin Elsa, eine Kollegin von dem. Ihren Sohn kenne ich schon.«

»Sie sind zum erstenmal hier, oder?« stellte Mutter Metzer leicht spitz fest. »Und dann wollte ich noch fragen, wieviel Benzingeld ich zahlen muß, Sie haben doch Alfred ins Krankenhaus gefahren.«

»Sie kriegen auf Ihre alten Tage noch mal Prügel von mir«, sagte ich.

Sie lachte und murmelte: »Prügel gibt's ja viel in letzter Zeit.« Dann zog sie knatternd mit ihrem Moped ab.

»Es ist sonst so still hier im Dorf. Jetzt ist alle Ruhe dahin«, knötterte ich.

Wir fuhren nach Hohbach. Ich zeigte Elsa das Depot, indem ich sehr langsam daran vorbeifuhr. Wir sahen, wie die Soldaten auf ihren Wachtürmen die Ferngläser auf uns richteten. Dann blieb ich vor einer der zahlreichen Tafeln stehen, auf denen zu lesen steht, daß Fotografieren verboten ist, daß man sich dem Zaun nicht nähern darf, daß man offenes Feuer in mindestens 50 Metern Abstand vom Zaun halten muß, daß man nicht campen darf, daß das militärischer Schutzbereich ist und daß scharf geschossen wird.

»Sie geben jetzt Alarm«, sagte ich. »Aber ich weiß nicht genau, was dann passiert.«

Dann sahen wir uns den Waldweg an, auf dem es geschehen war. Es war ein schöner Weg mit sehr vielen Wildblumen, und das Verbrechen war nicht vorstellbar, weil böse Träume nicht in einen Sommerwald passen. In der nächsten Kurve war hinter uns ein Jeep.

Elsa wurde nervös und sagte: »Ich habe keine Papiere bei mir.«

»Macht nichts. Sie werden nicht riskieren, uns anzuhalten, weil sie wissen, wer wir sind, und daß wir wissen, daß sie keinerlei Vollmacht haben.«

Der Jeep folgte uns in einem Abstand von einhundert Metern und verließ uns nach einem Kilometer.

»Wir fahren jetzt nach Hohbach, ich gehe in die Kneipe. Du steigst aus. Du gehst auf diesem Feldweg da entlang bis zu einer Stelle, die hoch über dem Dorf liegt. Da stehen wilde Rosen, die Stelle ist nicht zu verfehlen. Du siehst genau auf den Eingang der Kneipe. Wenn ich aus der Kneipe herauskomme, mußt du fotografieren, mit dem vierhunderter Rohr draufhalten, klar? Und falls dich jemand beobachtet, pfeifst du, guckst in die Luft oder fotografierst Blumen, oder irgend so etwas.«

»Und wenn sie dich verprügeln?«

»So dumm sind die nicht. Das werden sie nicht tun, nachdem der Bundesanwalt da war. Und noch etwas: Nimm jeden belichteten Film aus der Kamera und versteck ihn im Büstenhalter.«

»Ich trage aber keinen.«

»Dann sonstwo. Und jetzt mach es gut.«

Ich sah ihr nach, wie sie den Feldweg zwischen blühendem Mohn und Raps entlangging und dabei tänzelnde Schritte machte.

Dann ließ ich den Wagen ins Dorf hinunterrollen und hielt vor der Kneipe. Messner stand in der Tür, was mich nicht im geringsten verwunderte. Er hatte wohl Funkkontakt zum Depot.

Ich sah ihn nicht an und ging dicht an ihm vorbei. Drinnen war es dämmrig und angenehm kühl, und außer mir war niemand da. Der Wirt kam aus der Schiebetür hinter dem Tresen, sah mich und zuckte zusammen und wußte nicht, was er sagen sollte. In der Verlegenheit fingen seine Hände zu flattern an.

»Ich will nur eine Cola«, sagte ich. »Und Sie brauchen nicht zu versuchen, irgend etwas zu erklären.«

Er hüstelte und sagte: »Ein Cola, jawohl« und sah mich nicht an und versuchte, die Flasche Cola mit einem Kugelschreiber zu öffnen. Dabei hatte er ein sehr verbissenes Gesicht.

Messner kam herein und baute sich zwei Meter entfernt auf. »Ich hoffe, wir vertragen uns wieder.«

»Warum nicht?« sagte ich leichthin. »Ich mache Urlaub. Im Urlaub bin ich friedlich.«

Elsa mußte jetzt den Punkt erreicht haben.

»Das ist schön«, sagte Messner. Er wirkte sehr angespannt.

»Ich bin hier, um das Zimmer zu bezahlen.«

Der Wirt geriet ins Stottern. »O, o, nein, das ist schon erledigt, ist das.«

»Es waren dreißig Mark«, sagte ich. »Ich brauche eine Quittung.«

»Nicht doch«, sagte Messner sanft.

»Eine Quittung, bitte«, sagte ich.

»Mach ihm eine«, murmelte Messner. Es war deutlich, daß er daran herumkaute, was ich damit bezweckte.

»Für die Steuer«, erklärte ich freundlich. Ich nahm die Quittung und legte das Geld für das Zimmer und die Cola auf den Tresen. »Habe die Ehre. Beißen denn die Fische auch gut?«

»Ich kann nicht klagen«, sagte Messner fast eifrig. »Wollen Sie mitgehen? Morgens um sechs, wenn noch Nebel über dem Wasser ist?«

»Warum nicht?« sagte ich, und ich achtete darauf, daß ich mich sehr langsam und selbstverständlich auf die Tür zu bewegte. Schritt und Schritt. In der Tür blieb ich stehen und sah einen Augenblick lang, wie sich die Sonne in der Linse von Elsas Nikon brach.

»Wann würde es denn passen?« Ein, zwei Schritte, ich stand draußen.

Messner kam sehr schnell heran und stellte sich neben mich. »Sie wollen mich jetzt verscheißern, nicht wahr?« fragte er.

»Nicht unbedingt«, sagte ich. »Der Bundesanwalt hat mir untersagt zu recherchieren, und ich mache jetzt wirklich Urlaub.« Noch zwei Schritte aus dem Schatten des Eingangs hinaus in die Sonne. Sonne ist besser für Elsa. Dann noch ein Schritt in Richtung Auto. »Sie können mich ja anrufen.«

»Das tue ich«, sagte er und machte drei Schritte auf mich zu. »Warum nicht gleich einen Termin machen? Morgen früh? Übermorgen früh?«

»Morgen früh. Um sechs Uhr hier vor der Kneipe.«

»Das ist ein Wort«, sagte er. »Sie können mir glauben, daß es mir wirklich leid tut.«

»Das glaube ich Ihnen sogar«, sagte ich und nickte ihm zu.

Ich fuhr sehr schnell, bog auf den Feldweg ab und nahm Elsa auf. Diese Feldwege in der Eifel sind praktisch: Niemand von den Städtern traut sich, sie zu benutzen, obwohl sie ausgezeichnet sind und immer zur nächsten Straße führen.

»Alles in Ordnung?«

»Blendend. Das ist also Messner. Und jetzt?«

»Nimm den Film raus.«

»Aber wieso? Hier ist doch kein Mensch.«

»Bitte, nimm ihn raus!«

Sie erwarteten uns hinter einer jungen Lärchenschonung, und sie sagten nichts. Sie standen einfach mit ihrem Jeep quer auf unserem Weg. Zwei standen an den Jeep gelehnt, die anderen saßen hinten drin.

»Machen Sie bitte Platz?« Ich fand meinen Ton widerwärtig devot, aber unsere Chancen waren gleich Null. Sie waren jung und sie waren unsicher, aber sie wußten genau, was sie wollten. Sie hatten einen von ihnen zum Sprecher gemacht, und es war klar, daß niemand ihnen einen Befehl gegeben hatte.

Es wirkte so lächerlich wie in jedem amerikanischen B-Film, wie in all den kreischenden, rumpelnden, polternden und schrillenden Streifen, die die Privatsender in nicht endenwollender Freundlichkeit über ihren Zuschauern auskippen: Der Anführer hatte sich drei Schritte vor den anderen in der Mitte des Weges aufgestellt. Er war fast zwei Meter groß, stand leicht breitbeinig in Kampfstiefeln und einem Tarnanzug mit hochgerollten Ärmeln in der Sonne und hielt den Kopf starr gegen uns gerichtet. Er hatte kurzes rotes Haar wie einen Heiligenschein über abstehenden Ohren und ein sehr rundes, rotes, gutmütiges Gesicht. Der Mund war schmal über einem sehr massiven, eckigen Kinn, der Mund wischte alle Gutmütigkeit hinweg. Es war schwer, herauszufinden, weshalb er so gefährlich aussah. Wahrscheinlich lag es an den tiefliegenden Augen hinter weit vorspringenden Jochbögen, unter dichten, wulstigen Augenbrauen. Er hatte nicht vor, eine Diskussion zu führen, er hatte die Aufgabe, etwas festzustellen, etwas zu fordern. Irgend jemand mußte ihm gesagt haben: Laß dich auf keine Diskussion ein!

»Sie sind Journalisten. Sie haben von der Sache bei uns erfahren. Das geht nur unsere Einheit an, Wir wollen nicht, daß darüber geschrieben wird. Sie haben fotografiert.«

»Haben wir nicht«, sagte ich. Wenn sie Elsa beobachtet hatten, war alles für die Katz. »Wir sind aus der Geschichte ausgestiegen. Wir haben eine Mitteilung vom Verteidigungsministerium bekommen, daß es ein Eifersuchtsdrama war. Es ist uns auch von der Bundesanwaltschaft verboten worden, zu recherchieren. Wir haben nicht fotografiert.« Ich stieg aus, nachdem ich den Motor ausgeschaltet hatte. »Mein Name ist Baumeister, aber das wissen Sie wohl schon.« Reden, Junge, du mußt reden. Reden stoppt sie, Reden hält sie auf, Reden macht sie unsicher. Rede, Junge, rede! »Der Name der Frau da ist Elsa Meinecke, und sie ist meine Freundin. Elsa, sei so lieb und steig aus.«

Sie stieg aus und blieb sehr verkrampft stehen. Es war zu sehen, daß sie vor Angst zitterte.

»Ich habe das nicht nötig, aber ich will Ihnen beweisen, daß wir nicht fotografiert haben. Wir haben drei Nikon hier. Schauen Sie her.« Ich nahm die Tasche aus dem Wagen und stellte sie auf die Motorhaube. »Wir haben die Apparate immer bei uns, aber die Kameras enthalten keine Filme, sie sind leer.« Ich wirbelte alle drei Nikons auf und legte sie offen auf die Motorhaube. »Und falls Sie das nicht glauben, falls Sie immer noch mißtrauisch sind, dürfen Sie den Wagen durchsuchen. Sie haben zwar keinerlei polizeiliche Befugnis, aber ich erlaube es Ihnen. Und dann möchte ich nicht, daß das noch mal passiert.«

Bis zu diesem Punkt war es offensichtlich nach ihren Vorstellungen gelaufen, aber das alles war nur ein Vorspiel gewesen. Jetzt kam der Punkt, er sammelte Kraft. »Da ist eine andere Sache«, sagte er irgendwie tonlos. »Wir haben erfahren, daß ein Kamerad von uns ... daß einer von der Bundeswehr Ihnen Bilder verkauft hat.«

Links von mir stand eine wilde, samtrosafarbene Malve, an der drei Hummeln hingen. Sie summten sehr laut.

»Das ist richtig«, sagte ich. »Das habe ich auch dem Bundesanwalt gesagt und ihm die Fotos gegeben. Es war aber nicht viel drauf zu sehen. Die Leichen im Jeep sehr unscharf und ein paar Soldaten.«

Er räusperte sich. »Der Bundesanwalt hat aber nur Abzüge gekriegt, nicht die Negative. Und die wollen wir unbedingt haben.«

»Die bekommen Sie nicht. Es ist ein Grundrecht unserer Demokratie ...«

»Wie wollen die Negative, damit das klar ist.«

»Ich habe die Negative nicht in der Tasche ...«

Er lächelte schmal. »Wir glauben Ihnen schon, wenn Sie sagen, daß wir sie kriegen. Und wir wollen den Namen des Soldaten, der Ihnen die Bilder verkauft hat.«

Die Szenerie blieb. Der Jeep, die zwei Soldaten drin, die sich so lümmelten, als seien sie Statisten in einem Wildwestfilm. Der dritte Soldat, ein kleiner, hagerer schwarzer Typ an der Motorhaube, und der Sprecher mit leicht gespreizten Beinen.

»Den Namen gebe ich nicht preis, die Negative bekommen Sie nicht.«

Elsa atmete scharf ein. Ich wußte, daß sie sagen wollte: »Gib ihnen doch die Negative, wir haben genug Bilder, wir können sie neu machen«, aber sie sagte nichts. Ich griff an, weil mir nichts anderes blieb. »Was wollen Sie jetzt machen? Wollen Sie uns totschlagen, wie der Doktor Messner das bei mir versucht hat?«

»Wer ist das? Ich kenne keinen Doktor Messner.«

»Es ist doch sehr einfach«, sagte ich. »Die Kamerad-schaft bei der Bundeswehr ist lebenswichtig. In meinem Beruf ist lebenswichtig, daß ich Menschen, die mir Informationen geben, niemals verrate. Ich denke, Sie verstehen das sehr genau.«

»Einer hat Ihnen Bilder verkauft und uns verpfiffen.« Er hatte jetzt ein Problem und wurde nicht damit fertig.

»Das ist doch ein leichtes. Sie können doch herausfinden, wer fotografiert hat. Soviel können das doch nicht gewesen sein.«

»Achtundzwanzig«, sagte er schnell.

Die Sonne war sehr intensiv, ein paar Vögel machten netten Lärm, die Hummeln an der wilden Malve arbeiteten weiter, Elsa bewegte sich unruhig.

»Wir fahren jetzt«, sagte ich. »Sie wissen, wo ich wohne. Wir können in Ruhe darüber reden, wenn Sie wollen.« Er nickte langsam und vollkommen in sich gekehrt. »Wir kommen demnächst mal vorbei. Los, fahr die Karre zur Seite.«

»Wie heißen Sie?«

»Norbert Lenz«, sagte er mehr zu sich selbst. »Gute Fahrt.« Er drehte sich ab und ging in einem merkwürdig weiten Bogen um den eigenen Jeep herum. Er ging wie ein Mensch, der in zwei Teile gespalten ist. Die langen, starken Beine staksten kräftig mit nach innen gerichteten Füßen vorwärts. Das wirkte so, als wolle er jemanden angreifen. Von der Hüfte an aber war er nach vorn geneigt, sein Rücken war gekrümmt und sein Nacken verstärkte die Krümmung, und es schien, als sei ihm sein Kopf zu schwer. Er hielt inne, wandte sie langsam nach links, drehte sich, richtete sich auf, sah uns an, machte eine sehr linkische Verbeugung und sagte scharf: »Fahr die Scheißkarre aus dem Weg!« Dann stand er stocksteif und sein Kopf knickte ein wenig nach vorn.

Wir stiegen ein, ich fuhr ganz langsam an ihnen vorbei.

»Du lieber Himmel!« Elsa hatte ein schneeweißes Gesicht. »Jetzt verstehe ich, warum ich den Film rausnehmen sollte. Der kneift ja furchtbar.« Sie holte ihn aus der Tiefe ihrer Jeans. »Das war knapp, oder? Du siehst aus wie Frankfurter Handkäs.«

»Ich rieche aber besser. Sie waren stocknüchtern und sie wollten die Sache schnell und mit Gewalt ausmachen. Das war gefährlicher als zehn Messners zusammen, sie hatten so einen messianischen Blick. Du hast uns gerettet. Du bist eine Frau, und das hat sie gestoppt. Nur das.«

Wir fuhren durch das Tal hinunter zur Bundesstraße und bogen nach Blankenheim ab, das sich mit uralten Fachwerkhäusern aus einem Talkessel die Hänge hochwindet. Wir ließen den Wagen auf einem der großen Parkplätze stehen und stiegen dann die engen Gassen hinauf. Elsa lief neben mir her, starrte auf das Kopfsteinpflaster, überlegte etwas und murmelte dann und griff dabei nach meiner Hand: »Wenn ich diese jungen Soldaten so sehe und die Aggressivität in ihren Augen, dann möchte ich rennen, dann ist das nicht mein Land. Und als wir weiterfahren konnten, hatte ich nur einen Wunsch.« Sie hielt inne und blieb stehen und tippte mit dem rechten Zeigefinger gegen eine Schaufensterscheibe. Dahinter war nichts, nur ein Schild, auf dem zu lesen stand, daß das Sarglager Schmitz jede Art von Bestattung schnell und diskret und zu günstigsten Preisen erledige.

»Ich hatte nur den einen Wunsch«, murmelte sie, »mit dir auf eine Waldlichtung zu fahren und nackt zu sein und zu schlafen und deinen Samen in mir zu spüren.« Sie lächelte. »Das ist blöd, nicht wahr?«

»Das ist gut«, sagte ich.

Es gab vier Boutiquen, aber nur eine war wirklich gut, und nur in einer arbeitete eine blonde Frau, die so aussah, als könne sie Mannequin gewesen sein. Die Boutique hieß »Maritas Laden«.

Elsa sagte aufgeregt: »Das ist ein Witz! Ich suche seit Monaten so ein Kleidchen, wie die es hat. Ausgerechnet in der Eifel.«

Wir gingen hinein.

»Sind Sie die Chefin, sind Sie Marita?«

Die Blonde drehte sich herum und lächelte mit einer Batterie schneeweißer Zähne wie eine große Modebrosche.

»Allerdings«, sagte sie.

»Meine Frau hat da ein Kleid in der Auslage gesehen.«

Sie roch sehr aufdringlich nach etwas, was auf Anhieb »Der große Aufriß« oder »Hasch mich« heißen konnte, und sie hatte beachtlich lange Beine. Sie stelzte an mir vorbei, lächelte Elsa bezaubernd an und fragte: »Zeigen Sie mir, was ich holen soll?«

Elsa sagte resolut: »Das da!« und deutete auf einen superkurzen Rock aus Strippen oder Schnüren. Eigentlich war es kein Rock, eigentlich war es so etwas wie ein Rundumvorhang mit der Möglichkeit, hindurchzuschauen.

»Kurz, hübsch und gewagt«, sagte Marita lobend. »Wollen Sie es anprobieren?«

»O ja«, hauchte Elsa genießerisch, nahm den Fummel und verschwand damit in einer Kabine. Nach einer Weile kam sie heraus und drehte sich und kicherte und war nicht einmal verlegen.

»Billig ist es aber nicht«, sagte Marita. »Dreihundert.«

»Dreihundert für diese gefärbten Wäscheleinen?«

»Ja, mein Herr. Dazu ein schwarzer Slip. Das wäre mörderisch gut.«

»Oh, bitte, Liebling«, hauchte Elsa.

Ich bezahlte langsam betulich und reuig und sagte: »Ich brauche eine Quittung. Und wir müssen mit Ihnen sprechen. Über Lorenz Monning.«

Sie stand da gebückt über dem Quittungsblock und schluckte es. Sie schaute nicht einmal auf, sie zuckte nicht zusammen, ihre Stimme veränderte sich kaum.

»Irgendwann mußte das ja kommen. Ich habe damit gerechnet. Aber Sie brauchen doch nicht das Kleid zu kaufen, nur um mit mir zu sprechen. Staatsanwaltschaft?

Oder MAD? Oder BND? Oder Verfassungsschutz? Ich kenne mich da nicht aus.« Sie schaute noch immer auf den Quittungsblock.

»Das mit dem Kleid geht schon in Ordnung«, sagte ich.

»Können Sie sich hier vertreten lassen?«

»Ja, ich kann nebenan ein Mädchen rufen. Ich wohne hier über dem Laden.«

»Wie praktisch«, sagte Elsa.

## SECHSTES KAPITEL

Die kleine Wohnung war ein Alptraum aus steifem Brokat, sehr, sehr echten Teppichen und dem, was in deutschen Möbelhäusern als altdeutscher Stil, antik, echt Eiche, an die Familie gebracht wird. Nicht einmal die Betenden Hände des Albrecht Dürer fehlten, und sein Karnickel lümmelte sich an der Wand. An den schneeweißen Tüllgardinen konnte man sicherlich ein Streichholz anreiben.

»Kaffee, Tee, irgend etwas anderes?«

Wir schüttelten dankend die Köpfe.

»Ich brauche jetzt einen großen Schnaps«, sagte Marita. Und dann sehr selbstsicher: »Kann ich Ihre Legitimation sehen?«

Ich reichte ihr meinen internationalen Presseausweis und sagte: »Nicht Staatsanwaltschaft, nicht BND, nicht MAD, nicht Verfassungsschutz und so weiter.«

Sie gab mir den Ausweis zurück und sagte: »Ich habe aber was dagegen, durch die Presse gezogen zu werden.«

»Ich auch«, murmelte ich, »aber sehen Sie mich an. Ich bin verprügelt worden, nur weil ich mich erkundigen wollte, was am Depot in Hohbach geschehen ist. Die ganze Eifel spricht leise darüber, aber wenn man danach fragt, wird man verprügelt. Der Minister hat erklärt, das Ganze sei nix als eine miese Eifersuchtstragödie gewesen.«

Sie verzog den Mund. »Das war es natürlich nicht.«

Sie trank von dem Schnaps und zündete sich eine Zigarette an, nachdem sie Elsa eine angeboten hatte. Ich stopfte mir die Neuilly von Jeantet. Es war sehr still, nur eine Fliege summte verzweifelt im Tüll.

»Können wir uns einigen, daß Sie nur antworten, wenn Sie wollen?« fragte Elsa freundlich.

»Ich weiß nicht, was Sie bisher herausgefunden haben«, sagte sie. »Aber es scheint ja wohl unvermeidlich, daß mein Privatleben durch den Dreck gezogen wird, oder?«

»Das ist vermeidbar«, sagte ich und lehnte mich zurück. »Sie scheinen vorauszusetzen, daß es uns Spaß macht, Dreck anzurühren. Das ist nicht so. Das einzig Unvermeidbare bei der Angelegenheit ist wohl die Tatsache, daß wir in den nächsten Tagen alles über diese Affäre herausfinden werden, auch dann, wenn einige Beteiligte schweigen.«

»Sie sind also nicht auf irgend etwas Knalliges aus? Wer schlief mit wem? Oder wer bezahlte wen?«

»Das interessiert mich überhaupt nicht, es sei denn, es ist tatauslösend.«

»Was wissen Sie denn schon?«

»Zu wenig«, sagte ich. »Ich möchte Ihnen nur eine Frage stellen. Wenn Sie die beantworten können, besitzen Sie den Schlüssel zu dem Verbrechen. Wieso meldet sich ein Soldat aus dem Münsterland, hier in der Eifel stationiert, zu einem Heimaturlaub ab und wird Stunden später hundert Meter vor dem Depot bei strömendem Regen in einem offenen Jeep erschossen? Das ist die Frage. Und ich sage Ihnen, warum wir eigentlich hier sind: Wir bekamen von einem Freund die Information, daß Sie eine Frau sind, die den toten Lorenz Monning gut kannte. Aber wir wissen nicht, wie gut.«

Sie sah aus dem Fenster, und ihre Augen wurden schmal.

»Was wird mir das bringen?« fragte sie.

103

»Sie meinen Geld?«

»Ich meine Geld.«

»Ich bezahle nichts«, sagte ich. »Ich bezahle meine Informanten nie, es sei denn, sie haben kein Geld, sich das Mittagessen zu kaufen.«

»Geld versüßt das Leben, nicht wahr?« fragte Elsa. Sehr klar und eiskalt kam die Geschäftsfrau. »Liebe Frau, ich lebe hier sehr isoliert. Mit Geld kann ich der Isolation etwas ausweichen. Ich sehe das ganz cool.«

»Wenn Sie Geld zur Bedingung machen, gehen wir«, sagte ich. »Dann bin ich hier falsch.«

»Das ist aber seltsam«, sagte Marita. »Ich habe Bekannte, die damit angeben, daß sie große Informationshonorare von Zeitungen bekommen haben.«

»Aber nicht von Baumeister«, sagte Elsa.

»Angenommen, ich gehe nicht darauf ein?«

»Dann gehen wir, aber es ist eine peinliche Frage«, sagte ich. »Sehen Sie, soweit ich weiß, hat Hohbach sechshundert Einwohner, das Depot verfügt über rund hundert Bundeswehrsoldaten, Lorenz Monning hat Verwandte im Münsterland. Glauben Sie denn im Ernst, daß die alle eisern schweigen? Was ist mit dem Soldaten Lenz, was ist mit dem Leutnant Wannenmacher?«

»Wannenmacher ist dumm, Lenz sagt niemals etwas gegen die Bundeswehr«, sagte sie schnell, aber sie wirkte jetzt unsicher.

»Sie werden letztlich alle reden«, sagte Elsa. »Sie sind doch sehr lebenspraktisch, Sie wissen das. Und die Verwandten von Monning sind sauer. Sie werden reden, wenn sie erfahren, daß der Mann nicht bei einem Unfall umkam, sondern erschossen wurde.«

»O ja«, lächelte Marita bitter. »Die werden reden, aber die wissen nichts.«

»Wir verschwenden Zeit«, sagte ich unwirsch. »Sie sind also nicht gewillt, uns etwas zu erzählen. Also gehen wir besser.«

Ich erwartete, daß Elsa protestieren würde, aber sie

durchschaute es und sagte beiläufig: »Ich denke, du hast recht. Tja, dann wollen wir mal.« Damit stand sie auf, führte den Angriff schnell und resolut. Ich lächelte Marita an und spielte den Trumpf sehr genießerisch aus. »Nichts für ungut, dürfen wir Ihnen denn das Manuskript zeigen, wenn es fertig ist? Vielleicht würden Sie uns bei den Korrekturen helfen?«

Marita war sehr verwundert, und sie bemühte sich, das nicht zu zeigen. Sie lächelte schief. »Natürlich dürfen Sie mir das zeigen. Tun Sie das immer?«

Ich stand auf und trat an das Fenster und schaute auf die malerische Gasse hinunter. Eine graugetigerte Katze strich um einen uralten Türstein und schloß in der grellen, steilen Sonne genießerisch die Augen. »Das tue ich immer«, sagte ich. »Ich gebe meinen Hauptinformanten gewöhnlich schriftlich, daß sie das Manuskript lesen können, bevor ich es einer Redaktion auf den Tisch lege.«

»In der Beziehung ist er ein bißchen meschugge«, lächelte Elsa. »Aber er hat den Vorteil, dadurch besser zu sein. Nur reich wird er dabei nicht.«

»Das geht dich nichts an«, sagte ich muffig.

»Irgendwie bewundere ich das ja«, murmelte Elsa, »aber es macht deine Arbeit so zäh und langwierig. Und wohlhabend wirst du dabei wirklich nicht.«

»Es dauert länger, aber es hat den Vorteil, präziser, subtiler und nicht so fehlerhaft zu sein wie das Geschmiere gewisser anderer Leute«, sagte ich wütend.

»Sie sehen, er ist unverbesserlich«, plauderte Elsa. »Tja, dann wollen wir mal. Und falls Ihnen etwas einfällt, was Sie uns erzählen könnten, dann rufen Sie uns einfach an. Wir wohnen ja ganz in der Nähe, zwanzig Minuten weg.«

»Ich denke, Sie kommen aus Hamburg.«

»Die Zentralredaktion ist in Hamburg«, sagte ich. »Ich wohne seit fünf Jahren hier in der Eifel. Ich lebe in einem alten Bauernhof, ich gebe Ihnen die Telefonnummer.«

Ich stand nach wie vor am Fenster, Elsa stand zwei

Schritte vom Sofa entfernt auf dem Weg zur Treppe in den Laden. Marita stand ebenfalls, wirkte isoliert und ließ die Arme seltsam leblos hängen. Es war eine Pattsituation.

»Sie haben ja nicht einmal gefragt, wie ich zu Lorenz stand.« Sie klang enttäuscht und hilflos.

»Warum sollen wir das?« fragte ich. »Ich kaufe grundsätzlich nie Informationen. Der Informant muß mir vertrauen und darauf hoffen, daß irgend etwas an seiner Situation klarer wird und daß er die Chance hat, die Affäre mit eigenen Worten zu erklären, oder …«

»Er war mein Geliebter, wir wollten heiraten«, sagte sie schnell.

Elsa drehte sich zu mir herum, ließ ihre Augen wie ein Leuchtfeuer blitzen, ging zurück zum Sofa und setzte sich. Ich drehte mich erneut zum Fenster und sah auf die Gasse hinaus. Die Katze war verschwunden.

»Er war aber doch verheiratet«, sagte ich.

»Ja, das war er«, sagte sie. »Aber er hatte die Scheidung eingereicht. Der Termin war in vier Wochen.«

Die Katze war wieder da, hatte sich auf den Stein gesetzt und beobachtete einen Papierfetzen, den der Wind langsam über das Kopfsteinpflaster trieb. Als sie zusprang, drehte ich mich herum und sagte: »Er hatte also am Freitag mittag gar nicht vor, ins Münsterland zu fahren?«

»Nein«, sagte sie. »Ich dachte, das wüßten Sie. Er machte Freitag mittag Schluß und kam hierher. Wie immer.« Dann begann sie zu weinen und sagte: »Verdammt, das ist alles so schlimm. Ich hab nicht mal sein Grab gesehen, ich konnte nicht mal zur Beerdigung.« Sie stand schnüffelnd auf und suchte irgend etwas.

»Ich habe sogar daran gedacht, heimlich ins Münsterland zu fahren und auf den Friedhof zu gehen und sein Grab zu suchen. Und dann stehe ich da und weiß nicht … Was soll ich ihm sagen? … Es ist ja nur sein Grab.«

»Hier ist ein Tempo«, murmelte Elsa matt.

»Ich kriege das nicht geregelt«, sagte sie und schniefte in das Tuch. »Ich bin so was von fertig, daß ich mich kaum noch auf den Beinen halten kann.«

»Haben Sie denn keine Freunde?« Elsa sah zu Boden.

»Doch, ein paar, nicht viele. Meine Freundinnen sind alle verheiratet und haben wenig Zeit. Das sagen sie immer. Das ist ein Scheiß-Kaff, ist das hier. So verlogen und so bigott. Ich habe sogenannte Bekannte, die nur über den Hinterhof zu mir kommen. So ist das.«

Ich setzte mich und sagte: »Vielleicht ist es gut, wenn wir einen Kaffee trinken.«

Sie nickte und verschwand mit Elsa in der Küche. Ich starrte in das grelle Licht der Sonne, das sich in einer unsauber gezogenen Fensterscheibe bündelte. Ich hörte, wie sie in der Küche miteinander sprachen, einmal schluchzte Marita laut und brüllte: »Scheiß Bundeswehr!« Dann kam die beruhigende Stimme von Elsa und das Klappern von Geschirr. Ich stopfte mir die *Commodore* von Oldenkott und zündete sie bedachtsam an. Sie zog nicht. In Zeiten der Hektik werden die Pfeifen vernachlässigt. Sie kamen hinein, deckten den Tisch, und Elsa sagte: »Stell dir vor, Baumeister, es gibt italienischen Kaffee.«

»Toll«, sagte ich höflich. »Marita, seien Sie mir nicht böse, aber gibt es Beweise dafür, daß Lorenz Monning Sie wirklich heiraten wollte?«

»Ja«, sagte sie. Sie stand auf und ging zu einem Schrank. Sie kam mit zwei kleinen grünen und einem kleinen blauen Heft zurück und legte sie vor mich hin. Es waren Sparbücher, ausgestellt zugunsten Marita Heims und Lorenz Monnings. Und die Gesamtsumme belief sich auf etwa dreißigtausend Mark.

»Das ist aber kein Beweis für eine Scheidung«, sagte ich freundlich.

»Ich habe noch etwas«, sagte sie eifrig und ging wieder zu dem Schrank. »Hier ist ein Schreiben von Lorenz an

107

seine Frau. Eine Kopie. Da steht drin, daß er nichts von den Höfen haben will. Lorenz war Hoferbe. Seiner Frau gehört auch ein Hof.« Sie legte das Schreiben vor mich hin. Sie murmelte: »Und all seine Unterwäsche ist auch hier.«

»Das reicht aber doch«, murmelte Elsa. »Oder?«

»Das reicht«, sagte ich. »Haben Sie denn nun eine Ahnung, was in der Sonntagnacht beim Depot geschehen ist?«

»Nicht die geringste«, sagte sie, und sie begann wieder zu weinen.

Über die Tischdecke kroch eine Fliege, unten im Laden waren irgendwelche Kunden und sprachen murmeld miteinander, eine Kirchturmuhr schlug, es war vier, ein Radio heulte auf und wurde abgedreht.

»Es muß mit dieser Frau zu tun haben, die in der Hohbacher Kneipe bediente. Ich meine diese Susanne Kleiber. Sie war schließlich eine Kollegin von Lorenz.«

»Eine was?« fragte Elsa scharf.

»Ich dachte, das wüßten Sie«, sagte Marita wieder. »Lorenz war Leutnant bei der Bundeswehr. Er war Trainer, Sportlehrer. Aber er war ein verdeckter MAD-Mann. Und die Susanne Kleiber war ebenfalls beim MAD. Ich dachte, Sie wüßten das. Übrigens: Lassen Sie ein Tonbandgerät mitlaufen?«

»Wir haben keins bei uns«, sagte ich. »War diese Frau aus Köln, die erst nach drei Tagen gefunden wurde, auch beim MAD?«

»Das weiß ich nicht. Ich weiß es nur von der Susanne.«

»Eine weitere Frage: War jemand von der Bundeswehr oder irgendeiner anderen Behörde nach den Todesfällen hier bei Ihnen?«

»Ja. Der Hartkopf. Er kam am Montag, nachdem Lorenz und Susanne erschossen worden waren. Ich hatte wie wahnsinnig telefoniert, aber nur Gerüchte gehört. Dann rief mittags jemand vom Depot an. Ich kannte seine Stimme nicht. Er sagte, Lorenz sei tödlich verunglückt.

108

Gleichzeitig riefen Bekannte an und sagten, er sei erschossen worden. Hartkopf kam dann und sagte, Lorenz sei bei einem Verkehrsunfall umgekommen. Ich sagte ihm: Das glaube ich nicht, aber er beharrte darauf. Und er sagte, ich soll schweigen, dann könne er mich da raushalten. Ich sagte, ich wollte ja gar nicht rausgehalten werden. Der wollte nur, daß ich den Mund halte, sonst nichts.«

»Wer ist Hartkopf?«

»Auch ein MAD-Mann. Er ist zuständig für viele Depots in der Eifel. Wenn ich mit dem rede, kriege ich jedesmal Gänsehaut. Ich habe jedesmal das Gefühl, der will mir nur an die Wäsche.«

»Er ist ungefähr einen Kopf kleiner als ich, schmales asketisches Gesicht, dunkelbraune Augen wie Steine. Er wirkt arrogant.«

»Genau«, sagte sie, »das ist Hartkopf.«

»Wir kennen ihn als Doktor Messner«, sagte Elsa. »Macht ja nix.«

»Es gefällt mir hier nicht«, sagte ich. »Ich kann es nicht begründen. Mir wäre es lieber, wir könnten woanders weitersprechen. Spaziergang?«

»Frische Luft wäre gut«, sagte Marita.

Wir gingen also hinaus und nahmen ihren großen Mercedes und ließen sie fahren, wohin sie wollte. »Das ist ein Weg, den wir immer gegangen sind. Da ist nie ein Mensch.«

Sie parkte den Wagen in der Mündung eines Waldweges. Wir schlenderten los, zur Rechten einen sehr alten Eichen-Buchen-Bestand, zur Linken einen Bach in einer Wiese, den man im Dickicht von wildem Rhabarber nicht sehen konnte.

»Hier muß es Grasfrösche geben.«

»Er ist ein Froschfreak«, erklärte Elsa, »überhaupt ein Tierfreak. Sollte ein Grizzly durch die Eifel ziehen, wird er ihm Asyl anbieten.«

»Lorenz mochte Tiere auch gern. Das war ganz komisch. Er konnte sehr streng und ruppig sein, und dann kam ein kleiner Hund, und seine Stimme wurde sofort weich und verständnisvoll. Ja also, ich bin 29 Jahre alt. Abitur in einem Internat in Trier ...«

»Moment, Moment«, unterbrach ich. »Bevor wir zu den großen Lebenserinnerungen kommen, hätte ich gern gewußt, wie dieser Sonntag verlaufen ist, der Tag, an dem Lorenz Monning starb.«

»Eigentlich war nichts Besonderes. Oder doch. Na ja. Er hatte am Freitag abend Schluß und meldete sich ab und kam hierher. Die meisten wußten, er war im Münsterland zu Hause, und die meisten dachten wohl auch, er führe dorthin. Aber er fuhr schon seit Monaten nicht dorthin. Er kam zu mir, hier war sein Zuhause. Freitag abend gingen wir auf ein Bier in eine Kneipe. Wir schliefen lange am Samstag und fuhren dann nach Monschau zum Kaffeetrinken. Dann gammelten wir hier. Am Sonntag dasselbe. Er war gut gelaunt; er lief nach dem Aufstehen im Handstand die Treppe runter. So was konnte er mit links ...«

»Das geht mir zu schnell«, murmelte Elsa und biß sich auf die Lippen. »Erzählte er nichts aus dem Dienst?«

»Also anfangs an diesem Sonntag nichts. Dann mittags hatte er plötzlich Hunger ... also Hunger auf mich, und wir schliefen zusammen. Ist das wichtig? Vielleicht ist das wichtig ...«

»Das ist immer wichtig«, sagte Elsa. »Wir wollen ja nicht wissen, ob Sie die Missionarsstellung geprobt haben oder das, was prüde Deutsche französisch nennen. Da Männer aber beim Bumsen oder nachher gern reden, also die Frage: Hat er was gesagt?«

»Ich möchte so formulieren können wie Sie.« Marita lächelte. »Ja, er hat was gesagt, aber ich weiß nicht, ob ich überhaupt verstanden habe, um was es ging. Also, wir ... wir aalten uns im Bett und sprachen davon, daß wir Pfingsten nach Texel wollten. Plötzlich sagte er ganz leise: Ich glaube, ich werde mißbraucht. Das sagte er zwei- oder dreimal. Er sagte es nicht wütend, er war auch nicht traurig. Das klang so, als hätte er das jetzt erst begriffen und …«

»Sie haben doch bestimmt nachgehakt«, sagte Elsa.

»Ich habe gefragt: Was soll denn das? Und er antwortete, er würde mir das später erzählen. Es sei so neu, daß er das noch gar nicht richtig begriffen habe. Aber: Er würde mißbraucht.«

»Von wem denn?« stieß ich nach.

»Das habe ich auch gefragt. Er sagte: wahrscheinlich von zwei Menschen. Von meiner Frau und meinem Vorgesetzten.«

»Also auch von Hartkopf, den wir als Dr. Messner kennen?«

»Richtig. Aber ich habe bis heute nicht kapiert, was er meinte. Und bis Sie kamen, habe ich das auch nicht in Verbindung, in Verbindung, in … mit seinem Tod gebracht.«

Sie tat ein paar Schritte in altes Laub und starrte in den Wald. »Wir haben dann aufgehört, davon zu sprechen. Ich ging in die Küche und machte Kaffee. Als ich zurückkam, saß er an seinem Schreibtisch und lachte leise. Er hatte sich etwas auf ein Blatt Papier geschrieben. Das Papier knüllte er zusammen und verbrannte es in einem Aschenbecher. In diesen Dingen war er pingelig: Nie blieb etwas Schriftliches zurück. Er sagte: Das Schwein hat die Aktenlage ausgenutzt. Das sagte er zweimal. Ich war fröhlich und fragte: Was sollen alle diese dunklen Andeutungen? Und er antwortete: Es geht nur um Macht für einzelne Menschen. Was anderes haben die nie gewollt. Aber er sagte nicht, wen er meinte, wer diese Macht wollte. Es war Spätnachmittag, als die Susanne Kleiber anrief. Das weiß ich genau, weil ich am Telefon war. Sie sagte: Gib mir mal den Lorenz …«

»Mit welcher Stimme?« fragte Elsa schnell.

»Mit normaler Stimme. Lorenz ging ran, und sie redeten kurz miteinander. Dann legte er auf und sagte: Ich muß um neun rauf ins Depot. Wir wollen uns einen LKW-Fahrer aus der DDR ansehen ...«

»Moment mal«, sagte ich. »Genau das waren seine Worte?«

»Genau das«, sagte sie. »Aber weiter nichts. Nur: Wir wollen uns einen DDR-LKW-Fahrer ansehen. Um halb neun abends ist er dann raufgefahren. Dann nichts mehr.«

»Das habe ich jetzt verstanden«, sagte ich. »Nun weiter zu Ihnen. Sie waren also bis zum Abitur in einem Internat in Trier.«

»Dann wollte ich studieren, aber daraus wurde nichts, weil mein Aussehen dazwischenkam. Ich wurde Model, ich verdiente eine Menge Geld, aber ich war nicht diszipliniert genug. Ich fraß zuviel, und wahrscheinlich habe ich auch zuviel getrunken. Mit 24 war ich unten und bekam plötzlich Angebote für Pornofilme. Das machte ich nicht. Ich wollte zwar nicht zurück zu meiner Familie, aber ich mußte, weil ich pleite war. Dann kam ein Fabrikant daher, verheiratet und mit einem Stall voll Kinder. Der Mann hatte eine grauenhafte Angst vor Impotenz, was dazu führte, daß er impotent war. Der richtete mir den Laden hier ein, und ich befreite ihn von seiner Angst, so gut es ging. Zwei Jahre ging das so. Dann begriff ich, daß ganz Blankenheim Bescheid wußte und mich insgeheim verachtete. Also zahlte ich dem Fabrikanten Pfennig für Pfennig zurück. Harte Zeiten waren das. Der Laden gehört jetzt seit drei Jahren mir. Vor zwei Jahren lernte ich Lorenz Monning kennen. Das war bei einer Fete in Bad Münstereifel, dort war er stationiert. Wir, na ja ... es war Liebe auf den ersten Blick. Er sagte mir sofort, er sei unglücklich verheiratet, zwei Kinder seien da, und er wolle sich scheiden lassen.«

Sie lächelte in der Erinnerung. »Er sagte eigentlich das, was eine Bardame jede Nacht hört. Und ich dachte: Scheiße! Wieder so ein Typ, der sich bloß an meinen Titten festhalten will! Entschuldigung, aber ich bin so wütend. Mit Lorenz war das anders. Er war in seiner Ehe wirklich unglücklich und wollte da raus. Er bereitete also alles vor und reichte dann die Scheidung ein.« Sie sah Elsa um Hilfe bittend an. »Wir Frauen haben ja oft mit Männern zu tun, die behaupten, unglücklich zu sein, und die nur bumsen wollen. Na ja, Lorenz war ehrlich. Dann ließ er sich nach Hohbach versetzen, weil das auch näher zu mir war. Aber ich war nicht der wirkliche Grund. Lorenz ließ sich hierherversetzen, weil er zusammen mit Susanne Kleiber hinter einem dicken Fisch her war. Die sind seit zwei Jahren hinter irgend etwas hergewesen. Fragen Sie mich nicht, was das war. Das weiß ich nicht.«

»Was ist in Hohbach eigentlich gelagert?«

»Kampfgas«, sagte sie. »Die Leute reden immer von Atomsprengköpfen und solchen Sachen. Aber es ist Kampfgas. Susanne Kleiber war seit Jahren mit Lorenz zusammen. Erst waren sie zusammen in der Gegend von Bitburg, dann kamen sie für kurze Zeit nach Bad Münstereifel, dann hierher. Sie hat immer in einem Hotel bedient, es war immer dasselbe Schema wie hier in Hohbach.« Sie lächelte. »Es ist möglich, daß Sie Leute treffen, die behaupten, Lorenz und Susanne hätten etwas miteinander gehabt. Die waren auch dick befreundet. Aber sie hatten nichts miteinander, absolut nichts.«

Elsa kniete sich nieder und pflückte Zittergras. »Waren Sie glücklich mit Lorenz?«

»O ja, sehr glücklich. Es war schön mit ihm. Über die meisten Dinge waren wir gleicher Ansicht, und es gab Dinge, in denen wir verschiedener Ansicht waren. Aber Krach gab es nicht. Er hat mir beigebracht, den anderen und seine Meinung zu akzeptieren. Mir ist das zum erstenmal im Leben passiert.«

»Ist es wahr«, fragte ich, »daß Lorenz in diesem Dorf im Münsterland als Verkehrsopfer beerdigt wurde?«

»Das ist wahr. Ein Chefarzt von einer der Kliniken hier hat einen ausführlichen Bericht für die Eltern gefälscht. Und ein Polizeichef hat einen ebenso ausführlichen Unfallhergang erfunden und ebenfalls den Eltern zugeleitet. Das wußte ich zunächst durch Gerüchte, inzwischen weiß ich es sicher. Die Eltern und die Frau konnten ihn ja nicht mehr sehen, er hatte ja ... er hatte kein Gesicht mehr.« Sie trödelte ein wenig aus der Reihe, wahrscheinlich sah sie gar nichts, war ganz versunken in ihrem Gram. Dann stolperte sie in altem Laub und schreckte zusammen.

»Hat Ihnen Lorenz eigentlich viel von seinem Beruf erzählt?«

»Anfangs nicht, und ich war auch nicht neugierig. Irgendwann habe ich gemerkt, daß er kein normaler Soldat ist. Erstens konnte er sich gewissermaßen selbst versetzen, wenn es ihm notwendig schien. Zweitens konnte er sehr viel zwischen den Depots pendeln, und er selbst bestimmte das. Drittens hatte er niemals Wachdienst oder Bereitschaftsdienst. So etwas fällt mit der Zeit auf. Erst habe ich mich nicht getraut zu fragen, aber dann wollte ich es wissen. Er sagte, er wäre beim MAD. Einzelheiten allerdings sagte er mir nie. Ich weiß nur, daß er bestimmte Akten oder Teilakten niemals im Depot aufbewahrte, sondern immer in der Zentrale des MAD in Köln. Wenn er sich Notizen machte, lernte er sie auswendig und verbrannte die Zettel. Er war auch häufig im Ministerium in Bonn.«

»War er denn in der letzten Zeit anders? Aufgeregt? Gespannt?«

»Ja. In den Wochen vor seinem Tod war er unheimlich nervös. Und er sagte: Wenn das klappt, werde ich befördert. Susanne wird auch befördert. Und dann können wir noch mehr Geld sparen. Und dann, sagte er, mache ich dir das Geschenk deines Lebens.«

»Wissen Sie, was das sein sollte?«

»Ich weiß es nicht, ich weiß es wirklich nicht.«

»Was wäre denn das Geschenk Ihres Lebens gewesen?«

»Daß er die Bundeswehr verläßt.«

»Wieso das?«

»Ich weiß nicht, ich denke, wir brauchen Frieden und keine Soldaten.«

»Hat er denn einen Hinweis darauf geliefert, weshalb er befördert werden würde?«

»Hartkopf wird es wissen, ich weiß es nicht.«

»War Hartkopf sein Vorgesetzter?«

»Ja, leider. Das war das, was ihn am meisten störte. Hartkopf ist ein mieser Typ. Lorenz sagte, daß hundert Hartkopfs die ganze Bundeswehr versauen könnten.«

»Wieso ließ er sich nicht versetzen, wenn Hartkopf so mies war?«

Sie lachte. »Weil ich da war. Lorenz war ein Geheimniskrämer. Es kann sein, daß seine Beförderung damit zu tun hatte, daß er selbst Hartkopfs Vorgesetzter wurde. Aber gesagt hat er das nicht. Hartkopf ist ein Typ, der auf Kameradschaft macht, der aber kein Kamerad ist.«

»In Hohbach hat Hartkopf eine Frau bei sich, die er als seine Frau ausgibt«, sagte ich.

»Das kann sein«, sagte sie matt und uninteressiert. »Hartkopf ist ledig, und wenn er sagt, sie ist seine Frau, bedeutet das nur, daß sie ebenfalls beim Dienst ist und mit ihm bumst. Sonst nichts. Hat Hartkopf Sie verprügelt?«

»Ja. Und er ließ mir keine Chance.«

»Das ist Hartkopf. Deshalb ist er bei der Truppe auch so beliebt. Er gibt sich als knallharter Einzelkämpfer, macht Karate und so. Er spielt sich als Beschützer der Bundeswehr auf.«

»Was mochte Lorenz am wenigsten an Hartkopf?«

»Lorenz sagte, Hartkopf wäre ein Schauspieler, man wisse nie, woran man bei ihm ist. Warum reiten wir dauernd auf Hartkopf herum?«

»Weil Hartkopf ihn verprügelt hat«, sagte Elsa. »Und seinen Freund hat er verprügeln lassen.«

»Und Sie haben wirklich keine Ahnung, wer die zweite Frauenleiche war?« fragte ich.

115

»Nicht die geringste. Ich weiß nicht einmal, wie sie hieß. Lorenz hat mir auch nie etwas von einer zweiten Frau erzählt. Und er hätte es bestimmt, wenn es sie gegeben hätte.«

»Eigentlich hat er Ihnen doch ziemlich viel erzählt«, sagte ich.

»Eigentlich schon. Aber eben keine Einzelheiten. Er war verschwiegen. Ich habe anfangs gedacht, sein Job wäre gefährlich, ich hatte Angst um ihn. Aber er sagte, Gefahr wäre kaum vorhanden. Seine Pistole zum Beispiel lag immer bei mir rum. Er mochte Waffen einfach nicht.«

»Aber er hatte eine Schrotflinte«, warf ich ein.

»Ja. Aber er hat nie damit geschossen. Sein Vater wollte, daß er ein Jäger wird. Er hat sie ihm geschenkt, aber Lorenz wollte mit Jagd nichts zu tun haben.«

In der Ferne kläffte ein Hund, ein sanfter Wind fuhr durch die Baumkronen.

»Er ist mit dieser Flinte erschossen worden«, murmelte ich.

Sie stand augenblicklich vollkommen starr. »Das ist ganz unmöglich«, sagte sie dann und drehte sich schnell mit erschreckten Augen zu mir herum.

»Doch, doch«, sagte Elsa. »Wir haben sogar ein Foto von dem Ding. Es lag bei Leiche Nummer drei.«

»Moment mal«, sagte sie erregt. »Ich muß sofort umkehren, lassen Sie uns umkehren. Das will ich wissen.« Sie ging mit großen Schritten voran zurück zum Wagen. Sie fuhr sehr schnell und verkrampft und sagte kein Wort. Sie stürmte die zwei Stufen zu ihrem Laden hoch, schaute nicht rechts noch links, nahm sehr schnell die Treppe nach oben. Elsa und ich keuchten hinterher. Sie nahm einen Stock mit einem Metallhaken und zog eine Bodenklappe herunter. Als es nicht sofort funktionierte, fluchte sie: »Das Scheißding klemmt immer!« Endlich rollte die Bodentreppe aus, und sie stieg hoch. Sie kramte irgendwo außerhalb unseres Gesichtsfeldes herum, sagte dumpf triumphierend »Ha!« und reichte dann ein sehr

116

langes, schweres Lederfutteral herunter. Ich zog den Reißverschluß auf und nahm die Waffe heraus. Es war eine zweiläufige Schrotflinte mit sehr schönen Metallziselierungen.

Marita kam heruntergeklettert. »Ich wußte doch, daß er das Ding nicht wollte. Er war absolut nicht daran interessiert. Er sagte immer: Stell dir vor, ich müßte damit ein Reh abknallen. Da kriege ich doch das Zittern. Das sagte er immer. Sein Vater hat ihm das Ding geschenkt, er gab es mir, und seitdem liegt es da oben rum. Ich selbst habe es auf den Dachboden gebracht.«

»Das ist ja mehr als merkwürdig«, sagte ich. »Elsa, lauf bitte runter zum Wagen, wir brauchen eine Fotografie von dem Ding.«

»Aber das Ding läuft doch nicht weg«, murrte sie.

»Ich gehe selbst«, sagte ich.

»O nein, o nein, ich kann ja gehen.«

»Ist schon o.k.«, sagte ich.

Im Laden war ein junges Pärchen, das Mädchen flüsterte hastig: »Mama wird aber fragen, woher ich das Geld habe.«

»Dann sagst du: von mir«, erklärte der junge Mann.

»Als ob das geht«, antwortete das Mädchen empört.

Die Gassen lagen jetzt unter einem schrägen Sonnenlicht, das das Fachwerk der alten Häuser sehr deutlich akzentuierte. Ich schlenderte.

Als ich zurückkehrte, machte ich einen Film Aufnahmen von Marita mit der Schrotflinte im Arm. Dann fotografierte ich die Sparbücher und den Scheidungsbrief.

»Haben Sie Fotografien von Lorenz?«

»O ja, eine Menge.« Sie kicherte albern. »Sogar unanständige auch.« Sie blickte schnell zu Elsa, und Elsa lächelte. »Wir haben uns sogar im Bett fotografiert. Nur so zum Spaß.«

»Sicher ein sehr schöner intimer Spaß«, murmelte ich, »aber eigentlich suche ich Bilder, die ich veröffentlichen kann.«

»Ja, ich weiß«, murmelte sie verlegen. »Ich suche sie, etwas Geduld.«

»Können Sie sich vorstellen, daß es von der Susanne ein Foto gibt?« fragte Elsa.

»Das kann ich. Wir haben mal in der Kneipe in Hohbach fotografiert. Nicht die Susanne, aber sie ist draufgeraten.«

»Her damit«, sagte ich. »Ist Hartkopf auch drauf?«

»Nein. Der achtet wie ein Luchs darauf, daß er nicht fotografiert wird. Aber beim MAD tut das eigentlich jeder. Brauchen Sie Aufnahmen in Uniform oder Zivil?«

»Alles«, sagte Elsa schnell.

»Sehen Sie, hier ist auch Susanne. Da, mit dem Essenstablett im Hintergrund. Und hier von der Seite. Und da ganz groß. Sie war nett, sie war eine unheimlich starke Frau.«

»Wir gehen jetzt, aber wir kommen wieder. Wir müssen weiterreden.«

»Und Sie werden nicht sofort schreiben, und ich lese es irgendwo und habe keine Ahnung?«

»Ich gebe Ihnen mein Wort«, sagte ich. »Und rufen Sie uns an. Jederzeit, wenn Ihnen danach zumute ist.«

»Ich finde Sie sehr in Ordnung«, sagte Elsa, und Marita sagte verlegen: »Sie sind so nett.« Und dann weinte sie, brachte uns aber trotzdem auf die Gasse hinaus. Sie stand in der Sonne in der Ladentür, und Elsa fragte: »Es wird gesagt, daß die dritte Tote eine Freundin der Susanne Kleiber war. Sie hieß Marianne Reibeisen und war aus Köln. Was wissen Sie von dieser Freundschaft?«

»Lorenz hat mal erwähnt, daß Susanne eine Freundin hat, die immer am Wochenende herkommt. Lorenz hat sein Privatleben streng vom Dienst getrennt. Ich weiß nicht mehr. Es war wohl die übliche Freundschaft unter Frauen.«

»Ich habe auch noch eine Frage«, murmelte ich. »Wie ist das eigentlich in der Eifel mit Spionen?«

Ein Lächeln kam sehr schnell und war wieder verschwunden. »Das ist ja das, was wir ... also ich meine ... Zivilisten überhaupt nicht verstehen. Die jagen dauernd irgendwelche Agenten und Spione. Wenn man dann so nach ein paar Wochen oder Monaten nachfragt, dann erfährt man, daß es gar keine gab. Aber, das ist ja deren Beruf, nicht wahr?«

Als wir im Wagen saßen, bemerkte Elsa nachdenklich: »Ich gebe zu, ich hätte ihr Geld geboten.«

»Aber du hast sie unglaublich gut ganz ohne eine müde Mark zum Reden gebracht.«

»Ich bin gut, Baumeister, nicht wahr? Sag, daß ich gut bin.« Sie lehnte sich gegen meine Schulter und ich sagte: »Ich muß mir so einen Knieschützer für Fußballtorwarte kaufen. Ich mißtraue dem Knie. Das ist im Eimer.«

»Du solltest das Naumann untersuchen lassen, vielleicht muß Messner dir eine Rente zahlen. Jetzt laß uns heimfahren.«

Als wir heimkamen, verschwand sie in der Küche und schloß mich aus. »Ich mache uns ein Essen.«

Ich legte mich auf das Sofa und schaute eine Weile der Werbung im Fernsehen zu und fragte mich, für wie dämlich Werbetexter deutsche Hausfrauen halten. Dann sah ich die Bilder durch, die Marita Heims uns mitgegeben hatte.

Eine unheimlich starke Frau hatte Marita Susanne Kleiber genannt. Sie hatte ein schmales, ernstes Gesicht, sehr dunkle Augen, einen sehr sanften, breiten, stark konturierten Mund. Ein energisches Gesicht unter einer dunklen, kurzen Pagenfrisur.

Lorenz Monning war ein strohblonder Typ, einer, der aus der hohlen Hand Werbung für Ostfriesland oder Sylt hätte machen können. Er hatte ein breites, gutmütiges Gesicht, und es gab kein Foto, auf dem er nicht lachte. Aber die Augen wirkten flach, als habe er Angst, jemand könne etwas in ihm entdecken. Ein ausgesprochen gut aussehender Mann, nicht mehr, nicht weniger.

Weil ich sichergehen wollte und immer noch die Befürchtung hatte, die Bundesanwaltschaft könne das Haus durchsuchen lassen, machte ich eine Aufnahme von jedem Foto, nahm den Film heraus und steckte ihn in eine Packtasche, in die ich die anderen Filme getan hatte. Das Material konnte an den Chef in Hamburg gehen.

Dann begann ich zu diktieren, was wir bis jetzt erfahren hatten. Es war sehr viel Material. aber es sah nicht so aus, als könne man daraus eine gute Reportage machen: Uns fehlte jeder Hauch einer Erklärung für alle diese Vorfälle.

Elsa hatte den Tisch liebevoll gedeckt. Kerzen brannten. »Ich habe die Wildsau aus dem Eisschrank veredelt«, sagte sie.

»Du mußt nach Köln«, sagte ich. »Ich brauche die Fotos von Messner oder Hartkopf, oder wie er auch immer heißen mag.«

»Was willst du heute nacht damit? Du siehst ihn doch morgen früh beim Angeln.«

»Du wirst es erleben«, sagte ich. »Wann kannst du fahren?«

»Ich bin todmüde. Wäre es nicht besser, das Laborzeugs hierher zu holen?«

»Das ist eine gute Idee«, sagte ich. »Wann fährst du?«

»Du bist ein Irrer. Schon gut. ich fahre gleich. Und was machst du?«

»Ich werde zu Alfred spazieren. Er wollte aufschreiben. was ihm widerfahren ist. Dann diktiere ich das Material zu Ende, mache die Sendung fertig und bringe sie zur Post.« So geschah es. Gegen elf Uhr fuhr ich durch die Nacht nach Adenau und warf die Umschläge mit den Filmen, den Tonbändern und Alfreds Bericht in den Briefkasten. Als ich zurückkehrte, war Elsa gerade dabei und schleppte keuchend den Vergrößerungsapparat ins Haus.

»Und wo können wir entwickeln?«

»Im Badezimmer. Das ist leicht zu verdunkeln. Bist du müde?«

120

»Todmüde«, sagte sie. »Ich habe deine Post mitgebracht. Glaubst du, daß wir irgendwann herausfinden, wer sie getötet hat?«

»Ich weiß nicht, ich hoffe es. Gib mir den Film mit den Aufnahmen von Messner. Ich will ihn noch entwickeln.«

»Du bist wahnsinnig. Du arbeitest nicht, du baggerst.«

»Laß mich, ich kann nicht anders.«

Sie legte mir die Arme um den Hals. »Gib einmal nach, mach einmal Pause. Nur für heute. Du mußt um fünf raus, um sechs triffst du Messner in Hohbach.«

»Gut«, sagte ich, aber ich fand es nicht gut.

Ich zog um auf meine geliebte Matratze im Obergeschoß und war schon eingeschlafen, als Elsa frisch gebadet und wohlriechend aus dem Bad kam.

Als das Telefon schrillte, war sie schneller hoch als ich und lief nackt auf bloßen Füßen hinunter in das Wohnzimmer. Ich hörte, wie sie laut »Nein!« sagte, dann verstand ich nichts mehr und döste schon wieder ein. Plötzlich war Licht, und Elsa stand vor dem Bett und sagte atemlos: »Aufstehen, Mensch, aufstehen. Marita ist verunglückt.«

»Wie bitte?«

»Erinnerst du dich an das Mädchen, das Marita im Laden vertreten hat, als wir mit ihr sprachen? Die war am Telefon. Marita ist spätabends irgendwohin gefahren. Sie ist auf einer schmalen Straße irgendwie abgekommen und wurde dann gefunden. Das Mädchen sagt, es wäre vor einer Stunde passiert. Wir müssen das sehen, wir müssen das angucken.«

»Zieh dich an und mach die Kameras klar«, sagte ich. Dann drehte ich mich auf den Bauch und schlug auf die Matratze ein. »Ich Arschloch hätte daran denken sollen. Ich Trottel! Und ich habe daran gedacht. Und ich habe die Schnauze gehalten, weil ich dachte, ich mache mich lächerlich.«

»Komm jetzt. Sei nicht traurig. Laß uns fahren«, sagte sie. »Vielleicht war es ja wirklich ein Unfall.«

121

»Wie heißt das Mädchen?«

»Ingrid«, sagte sie. »Ich habe ihr gesagt, sie soll mit niemandem sprechen, bis wir da sind.«

Draußen war schon die Ahnung eines neuen Tages und auf den Hügeln waren die ersten Lerchen schon in die Luft gestiegen.

## SIEBTES KAPITEL

Elsa hatte sich hinter das Steuer meines Wagens gesetzt und sagte: »Das wird sicher ein schöner Sonnenaufgang.«

»Sonnenaufgang, Sonnenuntergang, die Eifel ist einfach wunderbar. Rutsch zur Seite, ich fahre. Wo ist das passiert?«

»Nonnenheim oder Nonneburg, oder so. Ich will fahren, du rast immer so.«

»Rutsch beiseite. Das heißt Nonnenbach, ich kenne die Straße. Ich rase nicht, ich rase nie.«

Sie rutschte zur Seite, und noch auf der Dorfstraße gab ich Vollgas. »Hast du die Kameras?«

»Sicher. Vorsicht! Kurve.«

»Ich wollte eigentlich geradeaus fahren. Was immer passiert: Du fotografierst, nimmst jeden vollen Film raus und verstaust ihn da, wo du den Messner-Film verstaut hast. Ich lasse dich vor der Unglücksstelle raus. Auf diese Weise bist du abgedeckt.«

»In welchem Krankenhaus wird sie liegen?«

»Das kann uns jetzt egal sein. Wenn das passiert ist, was ich glaube, kommen wir sowieso nicht an die heran.«

»Jawoll, Sir. Kannst du nicht etwas langsamer fahren. Du bist schon bei einhundertsechzig, und ich bin ein junges, blühendes Leben.«

»Morgen«, sagte ich, »morgen.«

»Dann mache ich die Augen zu«, sagte sie.

»Das ist gut, das ist sehr gut.«

Ich schaffte es in zwanzig Minuten, und es war nicht zu übersehen, wo es passiert war. Ich schaltete die Scheinwerfer aus.

Marita mußte mit dem schweren Wagen in einer Kurve einfach geradeaus gefahren sein. Da standen zwei Streifenwagen mit eingeschalteten Blaulichtern. Von Maritas Wagen oder dem, was davon geblieben war, keine Spur.

»Du springst hier raus und gehst in diesem Wald bis runter auf die Talsohle. Dann wirst du irgendwo rechts von dir das Wrack sehen. Ich fahre zu den Beamten und spiele den Neugierigen.«

Sie stieg aus und kletterte den Abhang hinunter. Ich wartete, bis sie im Wald verschwunden war, und ließ dann den Wagen den Berg hinunterrollen.

Marita hatte gebremst, die schwarzen Striemen auf dem Asphalt waren deutlich zu sehen.

»Guten Morgen, die Herren«, sagte ich. »Kann ich helfen? Was ist denn passiert?«

»Sieh da, ein Frühaufsteher«, sagte einer der Beamten freundlich. »Danke, aber Sie können nicht mehr helfen. Das ist schon mehr als eine Stunde vorbei.«

»Da ist einer den Abhang runter, was?« fragte ich und stieg aus.

»Das kann man wohl sagen«, sagte er. »War 'ne Frau aus Blankenheim.«

Das Wrack hatte sich vor zwei alten Buchen quergelegt, zwanzig Meter tiefer.

»Hat die geschlafen?« fragte ich.

»Möglich«, sagte der Beamte. »Besoffen war sie jedenfalls nicht. Das hätte ich gerochen. Sag mal, Josef, wer holt die Karre da unten eigentlich raus? Kromschröder?«

»Ja sicher«, sagte der andere mürrisch. »Aber die sind vor neun Uhr morgens nicht zu erreichen. Der Blechhaufen da unten stört doch niemand.«

»Junge Frau, alte Frau?« fragte ich.

»Jung«, sagte der erste Beamte. »Viel zu jung für so einen Scheiß.«

123

»Gute Verrichtung«, sagte ich und ging zum Wagen zurück. Dreihundert Meter unterhalb bog ich in einen Waldweg nach links und folgte ihm so weit wie möglich. Elsa lag auf dem Bauch auf einer Lichtung hinter einem Eichenstrauch rund zwanzig Meter vom Wrack entfernt.

»Glaubst du, daß da etwas nicht stimmt?« fragte sie.

»Das kann sein, das muß nicht sein. Ich habe nur so ein bestimmtes Gefühl, du kennst das ja.«

Nach einer Weile zogen die Streifenwagen ab, und wir hockten uns hin und rauchten.

»Wolltest du sie wirklich warnen?«

»Ja, eigentlich schon. Überleg einmal: Wenn jemand außerhalb des Depots überhaupt irgend etwas weiß, dann sie. Wahrscheinlich weiß sie sogar viel mehr, als ihr selbst bewußt ist. Hätten wir vierzehn Tage Zeit mit ihr, hätten wir mit Sicherheit die Lösung.«

»Fahren wir zu dieser Ingrid?«

»Du fährst dorthin. Ich muß Messner anrufen, daß ich nicht komme. Und dann will ich noch etwas. Laß uns abhauen hier.«

In Nonnenbach gab es eine Telefonzelle. Ich versuchte ohne jede Hoffnung, die Kneipe in Hohbach zu erwischen und geriet sofort an Messner. Er war so, als habe er auf den Anruf gewartet.

»Es geht nicht«, sagte ich. »Tut mir leid. Können wir es auf morgen verschieben?«

»Aber sicher«, sagte er. »Natürlich. Anderweitig beschäftigt?«

»Das kann man wohl sagen. Ich muß noch einmal geröntgt werden.«

»Alles Gute«, sagte er. »Bis morgen früh.«

Bei Alfred meldete sich seine Mutter.

»Mutter Melzer. Ich muß mich entschuldigen wegen der Uhrzeit, aber ich brauche dringend den Alfred.«

»Der kann sowieso nicht schlafen«, sagte sie freundlich. »Wir spielen schon die ganze Nacht Mensch-ärgere-Dich-nicht. Ich gebe ihn Ihnen.«

124

»Hör zu. Kannst du was mit Nonnenbach anfangen?«

»Sicher.«

»Hat Brettschneider seinen Tieflader bei euch auf dem Hof?«

»Um was geht es denn?«

»Schwing dich auf die Hufe. Nimm den Unimog und den Tieflader und fahre von der Bundesstraße aus links weg nach Nonnenbach hoch. Du wirst uns sehen. Kannst du überhaupt aufstehen?«

»Aufstehen nicht«, kicherte er, »aber Tieflader fahren. Was willste denn, Junge?«

»Komm schnell«, sagte ich, »wir müssen ein Autowrack klauen.« Ich hängte ein.

»Baumeister, du bist wahnsinnig«, sagte Elsa aufgeregt. »Das kannst du nicht machen, das ist kriminell. Und das am hellichten Tag!«

»Es ist unsere einzige Chance«, sagte ich. »Und du weißt, daß ich recht habe.«

Sie überlegte eine Sekunde und sagte dann einfach »Ja«.

»Wir sollten uns trennen«, sagte ich. »Es reicht, wenn ich in diese Autogeschichte reingezogen werde. Fahre bitte nach Blankenheim und besuche diese Ingrid. Wenn sie nachts um vier bei uns anruft, wird sie jetzt nicht schlafen. Laß dir genau erzählen, was war. Dann nimmst du den schnellsten Weg direkt nach Hause. Ist das o.k.?«

»Gut«, murmelte sie. »Was soll ich diese Ingrid fragen? Ich meine, ach Scheiße, ich lasse dich so ungern zurück.«

»Du wirst keine Frage vergessen«, sagte ich.

»Ich mag dich schon sehr gern, Baumeister.«

»Übertreib es nicht«, sagte ich.

»Angsthase«, sagte sie und fuhr ab.

Ich schlenderte gemächlich die Straße entlang, niemand war auf den Beinen, niemand befuhr die Straße. Die aus Nonnenbach zur Arbeit fuhren, waren durch, und für die Touristen war es zu früh.

An dem Punkt, an dem Marita aus der Kurve geflogen

war, kletterte ich zu dem Wrack hinunter. Auf beiden Vordersitzen waren sehr viele Blutflecken. Ich kletterte wieder hinauf und hockte mich zweihundert Meter abwärts an den Rand der Straße auf einen Findling. Alfred kam nach einer Stunde. Es sah imposant aus, wie er mit dem schweren Gerät die Kurven hochkam. Er fuhr Vollgas. Er stieg aus, ging seltsam krumm und hatte ein vollkommen verpflastertes Gesicht.

»Frag mich nicht«, sagte er. »Fahren kann ich.«

Wir fuhren an den Punkt, an dem Marita von der Straße gekommen war.

»Von hier oben geht das nicht, außer mit schwerem Bergegerät«, entschied er. »Das haben wir nicht. Wie kommen wir näher ran? Ist da unten ein Weg? Wir können es nur vom Tal aus versuchen.«

Es machte sehr viel Mühe, aber schließlich brachte er es fertig, den Tieflader durch das Tal auf ungefähr zwanzig Meter an das Wrack heranzubringen. »Von hier aus geht es mit der Frontwinde. Stell dich oben an die Straße. Wenn einer kommt, hebst du einfach die Hand. Dann höre ich auf. Die Winde macht einen Riesenlärm.«

Vierzig wunderbare Minuten hindurch kamen nur zwei PKW durch, deren Fahrer sich absolut nicht für uns interessierten. Vierzig wunderbare Minuten konnten wir ungehindert arbeiten, das Wrack kreischend auf den Tieflader ziehen. Ich dachte dauernd, das muß man auf dem Domplatz in Köln hören.

Strahlend zogen wir heimwärts, strahlend pfiffen wir einen Schlager mit, der aus dem Radio dröhnte, strahlend sagte ich: »Das wird uns kein Schwein glauben«, strahlend und stolz brüllte er: »Du brauchst bloß in die Eifel kommen, da ist was los!« Und um unser kleines Glück vollkommen zu machen, sang im Radio die höchst wunderbare Ella Fitzgerald ›Sunny, yesterday my life was full of rain …‹«

Wir fuhren das Wrack in seine große Scheune.

»Ich weiß nicht, was ich suche«, sagte ich. »Falls du

jemand kennst, der beim TÜV ist und Ahnung hat und den Mund halten kann, ruf ihn an. Irgend etwas an der Karre muß nicht in Ordnung gewesen sein. Und leg dich wieder ins Bett.«

»Ich weiß einen«, sagte er. »Aber ins Bett gehe ich nicht mehr.«

»Da ist noch etwas zu klären«, sagte ich. »Wegen deiner Prügelei und der Fotos.«

Er sah mich an und grinste schief. »Ich habe das schon verstanden. Aber wenn ich gewußt hätte, wer die Fotos gemacht hat, hätte ich den Mund gehalten.«

»Es ist so«, sagte ich, »eigentlich war es ganz gut, daß du das gesagt hast. Das hat sie unsicher gemacht. Sie suchen jetzt nach einem Bilderverkäufer, den es gar nicht gibt.«

»Ich verstehe schon«, sagte er. »Du bist ein Hund.«

»Ja, ja«, murmelte ich lahm, drehte mich herum und wollte gehen, als er protestierte: »Hör mal, was machen wir denn mit dem Blechhaufen? Ich brauche die Scheune doch für's Heu.«

»Es wird mir schon etwas einfallen«, sagte ich und ging nach Hause. Elsa war noch nicht da, ich legte mich auf das Sofa und dachte nach. Erfolgreich kann es nicht gewesen sein, ich döste ein.

Elsa kam erst zwei Stunden später, zog bedrückt wie ein kleiner Clown durch den Flur, blieb in der Tür stehen und seufzte: »Ach, Baumeisterr, das ist alles so traurig. Entschuldige, daß das alles so lange gedauert hat, aber das Mädchen hatte nur eine Freundin: Marita. Und sie war völlig aus dem Leim. Ich habe ihr gesagt, sie solle die Boutique weitermachen und bei irgendwelchen Fragen mich anrufen.«

»Weiß sie irgend etwas von Bedeutung? Und wie geht es Marita?«

»Ja, sie weiß etwas und sie hat etwas, aber wir wissen nicht, was es bedeutet. Hier ist ein DIN-A4-Blatt. Marita hat sich gestern nach Geschäftsschluß hingesetzt und etwas aufgeschrieben. Da steht: Heute waren zwei Leute von der Presse bei mir, ein Pärchen. Sie machen den Eindruck, als könnten sie herausfinden, wer Lorenz und die anderen getötet hat ... An dieser Stelle bricht der Text ab. Und unten drunter steht in großen Buchstaben mit Bleistift: SCHAFE. Ausrufezeichen. Spät am Abend, so gegen elf Uhr, hat Marita das Mädchen angerufen und einigermaßen aufgeregt gesagt, ihr wäre ein Gedanke gekommen, aber sie wisse nicht, ob der etwas taugt. Dann hat sie gesagt, sie müsse wegfahren und nachschauen, ob sie recht habe. Das Mädchen hat dann nichts mehr gehört, bis Maritas Mutter sie anrief und gesagt hat, Marita sei verunglückt. Marita wird noch versorgt, die Ärzte geben keine genaue Auskunft, nicht einmal der Mutter. Aber sie schwebt nicht in Lebensgefahr. Das ist alles.«

Ich nahm das Papier. »Schafe. Was um Himmels willen heißt Schafe?«

»Schafe heißt Schafe«, sagte Elsa.

»Du willst sagen, daß die Lösung einfach ist.«

»Das denke ich«, sagte sie. »Hast du etwas dagegen, wenn ich mich mit einer Decke in die Sonne lege?«

»Tu das. Ich werde die Bilder von Messner entwickeln.«

»Sind deine Geschichten immer so ... so voll von Anstrengung und atemlos?«

»Ein bißchen, aber dies ist die dreckigste meiner Geschichten«, sagte ich. »Wenn wir fertig sind, werden wir so müde sein, daß wir sie nicht schreiben können. Und wir werden Mühe haben, die Tage und Nächte zu unterscheiden.«

Sie sah mich an, lächelte zaghaft und ging hinaus in die Sonne. Das Hänflingspärchen flog die Fensterbank an, an der Mauer quakte ein Frosch. Es war deutlich auszumachen, daß es Friedbert war. Nur Friedbert klingt so gleichmäßig arrogant. Elsa hatte Messner und mich gut getroffen. Ich vergrößerte ein besonders klares Bild von ihm heraus und zog es viermal ab. Dann ging ich an die

Maschine und schrieb einen Brief, der folgendermaßen lautete:

*Sehr geehrte Damen und Herren!*
*Beiliegendes Foto zeigt einen Mann, der sich mir als der Kölner Studienrat Dr. Messner vorstellte. Ort der Handlung: Die Eifelgemeinde Hohbach, dort die Dorfkneipe. Ich wurde in Ausübung meines Berufes von Herrn Dr. Messner, der sicherlich anders heißt, verprügelt – und zwar dermaßen, daß ich sowohl im Krankenhaus als auch ambulant versorgt werden mußte. Da ich weiß, daß dieser Herr Dr. Messner einem Geheimdienst angehört, da ich aber nicht präzise weiß, welchem, erlaube ich mir, dieses Schreiben mit Kopie dem Bundesnachrichtendienst in Pullach bei München, dem Bundesverfassungsschutz in Köln, dem Militärischen Abschirmdienst im Verteidigungsministerium sowie den Dienstherrn der beiden größten Dienste, dem Herrn Bundesinnenminister und dem Herrn Bundesminister im Bundeskanzleramt, zuzuschicken. In der Hoffnung, daß eine der angeschriebenen Stellen mir Auskunft erteilen wird, verbleibe ich hochachtungsvoll …*
*P.S.: Selbstverständlich reiche ich Kopien dieses Schreibens bei den Chefredaktionen aller Blätter ein, für die ich tätig bin, sowie bei meinem Anwalt und Notar. Noch ein Hinweis: Zuweilen nennt sich Messner auch Hartkopf.*

Das war gut, das gefiel mir, das würde Wirkung haben. Das Haus war unwirklich still, im Dorf waren ein paar Trecker zu hören. Maria, die Postbotin, zog ihre Runde, an der Kreuzung vor dem Haus sprachen zwei Nachbarinnen lebhaft miteinander.

Vor dem halboffenen Fenster flüsterte jemand: »Das hältste im Kopf nicht aus, die ist nackt!« Dann kicherte jemand sehr hoch und sehr kindlich. Ich sah vier blonde Schöpfe am Fenster vorbeiziehen, mußte mich zusammennehmen, um nicht laut zu lachen, ging an die Rückfront des Zimmers und sah Elsa in paradiesischer Nacktheit unter dem Pflaumenbaum liegen.

Während ich überlegte, ob ich was tun solle, bauten sich die Kinder der Nachbarn in stummer Reihe auf und hielten den Mund zu, um das Prusten zu unterdrücken. Dann wurde Elsa unruhig, fuhr mit einem spitzen Schrei hoch, fuhrwerkte nach ihren Kleidern, und die Kinder rannten davon. Binnen einer Stunde würde nun jeder Interessierte wissen, was da in meinem Garten zu finden sei. Wahrscheinlich würde ich sehr viel Besuch haben, nur mal eben schnell fragen, wie es den Fröschen geht. Elsa kam herein, war rot im Gesicht und murmelte: »Ich habe wohl gegen die guten Sitten verstoßen.«

»Bereue und bete! Nimm bitte die Briefe und schicke sie per Einschreiben und Express los.«

Sie las den Text, überlegte und fragte: »Du willst Messner verbrennen, nicht wahr? Aber warum?«

»Wir wissen, daß er beim MAD ist. Sämtliche Dienste werden nach meinem Brief wissen, wie er sich nennt, wie er aussieht. Also muß er schleunigst abgezogen werden. Wenn er abgezogen ist, werden wir weiter recherchieren können. Aber noch etwas: Im Verteidigungsministerium wird man sich überlegen, ob es nicht angebracht ist, mich schleunigst zu einem Gespräch zu bitten. Und dieses Gespräch könnte von großem Nutzen sein, oder?«

»Darf ich darüber nachdenken?« fragte sie.

»Nicht zu lange«, sagte ich, »nicht zu lange. Wenn du ungestört in der Sonne liegen willst, mußt du hinter das Regenfaß gehen. Da sieht dich keiner.«

»Kommst du mit?«

»Nein. Ich habe ein bißchen Angst vor dir.«

»Ich weiß, aber ich nutze es nicht aus«, sagte sie ernst.

Als das Telefon schellte, nahm sie ab. »Ja bitte, bei Baumeister.«

»Wie? Ach, der Herr Messner. Guten Tag. Sie wollen sicher Herrn Baumeister. Warten Sie.« Sie gab mir den Hörer.

»Wieso waren Sie denn in aller Herrgottsfrüh in Nonnenbach?« fragte er aufgeräumt.

»Ich? In Nonnenbach? Wo, bitte, ist denn Nonnenbach?«

»Hier in der Nähe. Man hat mir berichtet, Sie seien dort gesehen worden. Feind hört mit, Sie wissen schon. Im Ernst, waren Sie beim Röntgen?«

»Ja«, sagte ich. »Sie können beruhigt sein, voraussichtlich wird nichts zurückbleiben.«

»Gott sei Dank«, sagte er beiläufig. »Also waren Sie nicht in Nonnenbach?«

»Wann, um Gottes willen, soll ich denn in diesem Nonnenbach gewesen sein?«

»So um fünf, sechs Uhr herum«, sagte er, und er schien vor Spannung ganz flach zu atmen.

»Um fünf, sechs? Ist das Ihr Ernst? Um die Zeit hat mein Wecker geklingelt. Ich habe Sie angerufen, daß ich nicht kommen kann.« Ich machte eine Pause. »Auf was wollen Sie denn hinaus? Mich kann niemand gesehen haben, ich war hier in meinem Bett. Was soll das?« Ich war richtig empört.

»Nur so. Ist ja auch nicht wichtig. Jemand glaubt, er habe Sie gesehen. Bleibt es bei morgen früh?«

»Nein«, sagte ich. »Mir geht es mies. Kommen Sie doch hierher, ich bin meistens da. Bis dann.« Ich legte den Hörer auf die Gabel. »Er hätte nicht anrufen sollen. Das war dumm, das war sehr dumm.«

»Wieso hat er denn angerufen? Also hat man doch deinen Wagen gesehen.«

»Das mag sein, aber zu beweisen wird es nicht sein. Er hat natürlich angerufen, weil ihm jemand das Wrack des Mercedes geklaut hat. Und damit gibt er zu, daß es kein Unfall war.«

»Der Mann hat eben Pech«, sagte sie, »und er ist ein bißchen dumm.«

»Laß uns zu Alfred gehen. Der wird etwas wissen, der ist ein fixer Junge.«

»Ruf doch einfach an«, sagte sie.

»Das Telefon ist nicht sauber«, erinnerte ich sie. Also spazierten wir zu Alfred runter. Er hatte es sich in der Scheune auf drei Heuballen bequem gemacht, war allein und sah das Wrack des Mercedes beinahe liebevoll an.

»Die Frau sollte umgebracht werden, oder so. Der Kumpel vom TÜV war da und hat nicht mal eine halbe Stunde gebraucht. Verstehst du was von Bremsen?«

»So gut wie nichts.«

»Das ist ganz einfach. Bei den meisten Wagen funktionieren die Bremssysteme mit Hilfe einer Flüssigkeit. Die Flüssigkeit ist in einem Behälter. Der Behälter wurde durchlöchert. Mit einem Nagel oder mit einem Schraubenzieher. Da liegt er. Der Wagen bremst zwar noch, aber höchstens mit dreißig Prozent. Wenn du also bremsen willst, macht das anfangs so den Eindruck, daß das auch geht. Aber dann merkst du, daß die Bremswirkung nicht kommt, und dann ist es zu spät.«

»Sagt der TÜV-Mann denn auch, was das heißt?«

»Der TÜV-Mann sagt: Das war ein Mordversuch. Und der TÜV-Mann sagt auch, daß er nicht lange darüber die Schnauze halten kann. Was machen wir jetzt?«

»Wir behalten den Flüssigkeitsbehälter. Das Wrack bringen wir zurück.«

»Bist du verrückt?«

»O nein, das ist er nicht«, kicherte Elsa.

Auf dem Rückweg sagte sie plötzlich: »Ich würde an deiner Stelle den Brief über Messner/Hartkopf nicht abschicken. Das kannst du immer noch, wenn der Fall gelaufen ist. Messner ist mies, klar. Aber wen werden sie an seiner Stelle schicken? Das wird jemand sein, den wir nicht kennen, den wir erst identifizieren müssen. Messner/Hartkopf hat doch den Vorteil, daß wir ihn kennen und daß er nicht sonderlich intelligent ist.«

»Du wirst mir unheimlich«, sagte ich.

»Ich verlange Honorar«, murmelte sie.

»Honorar gibt es erst nach Druck. Trotzdem liegst du

falsch. Wenn Messner abgelöst wird, entsteht zwischen ihm und seinem Nachfolger ein Vakuum, in dem wir gut recherchieren können. Und noch etwas: Das Verteidigungsministerium wird uns sprechen wollen, um sicherzugehen, daß sie erfahren, was wir wissen. Um uns zu beschwichtigen. Nein, die Briefe gehen gleich per Expreß ab.«

»Nie Privatleben!« maulte sie.

»Hör zu, laß uns die Geschichte machen. Bitte nicht in irgendwelchen Gefühlsdingen versaufen.«

»Das ist ja krankhaft«, murmelte sie. »Was machen wir mit dem Rest des Tages?«

»Bring bitte die Briefe weg«, sagte ich. »Wir sollten versuchen, ein paar Stunden vorzuschlafen. Ich zumindest bin hundemüde.«

Ich ging sofort hoch auf meine Lieblingsmatratze und verlor Elsa aus den Augen. Ich hörte, wie sie mit dem Wagen vom Hof fuhr, und wurde erst wach, als sie mit einem Knieschützer vor mir stand.

»Schau her, mein Held, für deine Gesundheit.«

Es war ein sehr schöner Knieschützer, schneeweiß aus prima Baumwolle. Und die Elsa dahinter war nackt.

»Du bist irre«, sagte ich.

»Gott sei Dank«, antwortete sie.

Ich wurde gegen Mitternacht wach, weil das offene Fenster schlug. Wind war aufgekommen, es roch nach Gewitter. Krümel lag auf dem Bauch von Elsa und starrte hellwach auf das Fenster. Elsa schlief wie ein Kind. Eine Amsel schlug sehr hoch an, fast grell. Kein Zweifel, sie warnte vor Sturm und Regen.

Ich schloß das Fenster, zog mir den Bademantel an und ging leise hinunter. Ich schob eine Kassette in das Radio und hörte »Nobody does it better« in voller Lautstärke, dann »Sergeant Peppers Lonely Heart«, später wesentlich leiser »Doldinger in Südamerika«, noch später, noch leiser »Every Day I Have The Blues«. Dann kamen drei Donnerschläge kurz hintereinander, scharf akzentuiert.

Elsa stand in der Tür und fragte gähnend: »Überlegst du an dem Wort Schafe herum? Ich hab etwas Angst vor Gewitter.«

»Laß uns aufschreiben, was uns bei dem Wort einfällt«, sagte ich, »vielleicht kommen wir drauf. Aber zieh dir was an, es wird kühl.«

Sie verschwand und kam in Jeans und einem Pullover zurück. Sie sagte nicht sonderlich interessiert: »Also Schafe, Einzahl, Mehrzahl, Schafstall, Schafhirte, Schaf-pferch, Schafschur, Schafwolle, Schäferhund, was noch?«

»Ich weiß es nicht«, sagte ich, »und doch ist es ganz einfach.«

»Ich habe mir eine Frage aufgespart«, sagte sie. »Die beiden Toten im Jeep müssen total ahnungslos gewesen sein, denn sie wurden aus kurzer Entfernung von hinten erschossen. Also müssen sie von dem Mörder eine der-artige Lebensgefahr nicht erwartet haben, oder? Und die Rebeisen wurde rund zweihundert Meter entfernt er-schossen. Aber diesmal von vorn. Kann es sein, daß sie den ersten Mord erlebte und in panischer Angst davon-rannte?«

»Nicht nur das. Es kann auch sein, daß sie zeitversetzt getötet wurde. Der Mord an Lorenz und der Kleiber war offensichtlich etwas anderes als der an der Rebeisen. Es kann wirklich sein, daß die Rebeisen starb, weil sie da war. Daß es sonst keinen Grund gegeben hat, sie auch zu ermorden.«

»Warum hast du mir das nicht gesagt?«

»Es war doch selbstverständlich.«

»Aber nicht für mich«, sagte sie wütend. »Mir mußt du so etwas erklären. Gibt es noch weitere Selbstverständ-lichkeiten in diesem Fall?«

»Nein, soweit ich sehe, nicht. Jetzt erneut zum Problem Schafe. Schafe, Schafe, Schafe. Ich darf mich da nicht verrennen, ich muß geduldig sein, aber mir kommt nichts, absolut nichts.«

Es blitzte grell im Süden, und die Landschaft war blau

und windgepeitscht und hatte etwas von einem aufregenden Traum.

Elsa überlegte. »Vielleicht hat sich Marita daran erinnert, daß Schafe auf manchen Kleidungsstücken abgebildet sind, aufgenäht. eingestickt. weiß der Himmel was. Das Schmusewolle-Schäfchen als Werbefigur? Wieso schreibt sie Schafe und fährt dann weg, um das zu klären? Mitten in der Nacht. Das ist doch der Vorgang.«

»Also war sie in der Lage, nachts abzuklären, was irgendetwas mit Schafen zu tun hat. War sie bei Freunden oder Bekannten?«

Sie murmelte: »Einmal anders: Sag mir, was Schafe hier in der Eifel bedeuten?« Sie zuckte zusammen, als es kurz und trocken knallte.

»Das war ein Einschlag in einen Hochspannungsmast. Die Eifel ist immer ein karges Land gewesen, die Böden sind nicht sonderlich ergiebig. Also hat die Schafzucht Jahrhunderte lang die wichtigste Rolle gespielt. Schafe haben hier sogar Landschaften entstehen lassen, die sogenannten Wacholderheiden. Schafe sind genügsam, Schafe fressen alles kahl, nur eines können sie nicht fressen: Wacholdersprossen. Die sind hart und harzig und bitter. So entstehen Wacholderheiden, heute unter Naturschutz. Schafherden waren hier alltäglich, bis Kunstdünger eingesetzt werden konnte. Noch heute gibt es ein paar große Schafherden … Großer Gott, natürlich! Du bist phantastisch. Laß uns fahren, ich muß das wissen. Da reichen Taschenlampen.«

»Flipp nicht aus. Was meinst du und wieso reichen da Taschenlampen? Und bei diesem unheimlichen Wetter.«

»Man kann auf einer Wiese genau unterscheiden, ob da Kühe gegrast haben oder Schafe. Und wenn ein Hirte mit einer Herde in der Gegend war, als sie erschossen wurden, dann hat sich Marita aus irgendeinem Grund daran erinnert. Vielleicht hat sie gehofft, daß der Hirte etwas gesehen hat … wenn ich nicht spinne, wenn ich nicht total spinne. Komm her, das Wetter ist gut für uns.«

»Aber das ist mehr als zwei Wochen her. Das Gras ist nachgewachsen. Ich habe Angst vor Gewitter.«

»Jaja, das Gras ist nachgewachsen, aber ich denke, wir finden Schafkot. Wir müßten auch Wolle an den Zäunen finden.«

»Baumeister, du bist verrückt. Ein Blitz wird uns treffen, die Götter werden zürnen. Im Ernst, ich habe Schiß.«

»Es gibt kein schlechtes Wetter, sagen wir Bauern. Bei Gewitter sind die Leute auf den Wachtürmen auch nicht sonderlich aufmerksam.«

Als wir auf den Hof gingen, fing es an zu regnen, und die große Linde sah im starken Wind wie eine silbriggrüne stark bewegte Fläche aus. Es knallte scharf, und ich zählte mit. Nach drei Sekunden kam der Donner, lang und hallend. »Das Zentrum liegt einen Kilometer nordwärts. Wir müssen mitten rein.«

»Du sagst das so, als machte dir das Spaß.«

»Es macht mir Spaß.«

Als ich aus dem Dorf hinausfuhr, war der Regen schon so stark, daß die Scheiben beschlugen und die Scheibenwischer ihre Mühe hatten. Blitz und Donner folgten sehr schnell aufeinander. Nach vier Kilometern hatten wir das Zentrum hinter uns, und der Regen wurde zu schrägen, regelmäßigen Strichen.

»Irgendwie romantisch ist es ja schon«, sagte sie blaß. »Und woran erkennst du, daß Schafe auf den Weiden waren?«

»Sie weiden gründlicher, bis zu den Wurzeln herunter«, sagte ich.

»Was machen wir, wenn Marita stirbt?«

»Wir wissen alles von ihr, und wir haben ihre Unterlagen. Aber sie ist nicht in Lebensgefahr.«

Ich bog nach links in die Hügel ab und fuhr einen vermatschten Feldweg entlang auf das Depot zu. Dann schaltete ich die Lichter aus.

»Wir müssen die Straße finden, die der Schäfer zog. Er vermeidet Wald und pachtet Wiesen an. Und diese Wiesen ergeben eine Straße. In diesem Fall also wahrscheinlich von Norden nach Süden am Depot vorbei. Zieh die Schuhe aus, es wird naß.«

Beim dritten Stacheldraht riß ich mir die Hose auf, und Elsa sackte in einen Graben und verstauchte sich den linken Fuß. Sie hockte da klatschnaß im Regen und seufzte: »Komm in die Eifel, da ist was los!«

»Bleib hier, ich suche weiter«, sagte ich und ging auf den nächsten Zaun zu.

»Hier ist Schafkot!« schrie ich. »Jede Menge.«

»Und hier ist Wolle am Stacheldraht!« rief sie. »Wunderbare pure Schafwolle.«

»Nach Hause«, brüllte ich.

»Lieber alter Mann«, sagte sie und hielt dem Regen ihr Gesicht hin, »denk bitte nicht, daß wir meschugge sind. Wir suchen nichts als Schafscheiße und danken dir, daß wir sie finden durften.«

Ich zerquetschte mit Genuß eine Handvoll des köstlichen Fundes. Es regnete jetzt sanfter. Vor uns lag das Depot. Es sah so hell und friedlich aus wie ein gut erleuchtetes Sarglager.


## ACHTES KAPITEL

»Marita ist also wahrscheinlich zu dem Schäfer gefahren«, sagte ich. »Er wird bei seiner Herde in einem Karren sein, wir müssen ihn finden.«

»Ist das schwierig?«

»Nein, überhaupt nicht. Das Problem ist nur, daß Messner uns dabei nicht erwischen darf.«

»Glaubst du, er wird uns besuchen?«

»Keine Frage. Wir haben noch zwei Reisen vor uns: Die Mordkommission in Trier und das Dorf der Monnings im Münsterland. Und wahrscheinlich noch einmal Köln. Diese Rebeisen ist mir ein Rätsel.«

»Ich werde erst einmal im Krankenhaus anrufen, wie

es Marita geht.« – Das tat sie, als wir auf dem Hof waren. Sie erfuhr, daß Besuche nicht gestattet seien, daß es Marita aber den Umständen entsprechend gut gehe.

»Ob sie bewacht wird?«

»Das ist doch egal«, sagte ich.

Sie schüttelte den Kopf. »Das ist durchaus nicht egal. Stell dir vor, wir können ein Foto schießen, wie ein Bulle vor ihrem Zimmer sitzt.«

»Du hast wie immer recht«, seufzte ich.

»Mir geht der unheimliche Anblick des Depots nicht aus dem Kopf. Mich erschreckt das. Was weiß man eigentlich von diesen Dingern?«

»Eine Menge«, sagte ich, »und das meiste davon hat die Friedensbewegung herausgefunden. Es gibt im Rahmen der NATO rund 500 Militärdepots in der BRD. Das ist Weltrekord. Die wichtigsten Depots werden direkt von Militär bewacht, die weniger wichtigen von Privatfirmen, die Rentner mit Schäferhunden einsetzen und so ihre Gewinne maximieren. Dann gibt es eine Unmenge von Depots, die gar nicht bewacht werden. Das sind die sogenannten Sprengmittelhäuser, die man mitten in den Wald gesetzt hat, oder um die herum man Schonungen anlegte. Die Sprengmittelhäuser sind mit den Ladungen gefüllt, die man braucht, um Brücken und Dämme in die Luft zu jagen, wenn der böse Feind kommt. Alle Depots sind wie eine Zwiebel gebaut. Gewissermaßen hinter der letzten Schale lagern die Munition, die Sprengstoffe, die Raketenköpfe. Jedes Depot ist über eine Alarmeinrichtung direkt mit dem nächsten großen Polizeirevier verbunden. Niemand hat eine Chance, unbemerkt an das Zeug heranzukommen. Vom Depot in Hohbach zum Beispiel ist nur ein Viertel zu sehen, der Rest liegt hinter meterdickem Beton und Stahl tief in der Erde.«

»Und wenn mal ein Flugzeug auf so ein Ding stürzt?«

»Dann gute Nacht, Marie. Darüber laß uns besser nicht spekulieren. Was machen wir jetzt? Ich weiß: Frühstükken und eine Runde schlafen.«

»Du bringst mein ganzes ordentliches Leben durcheinander, Baumeister.«

»Sieh mal, wie schön das Land nach Regen und Gewitter aussieht.«

Gegen elf Uhr kam Naumann vorbei und warf uns aus dem Bett. Er besah sich die Naht hinter dem Ohr, zog behutsam die Fäden und murmelte etwas von »sehr gutem Heilfleisch«.

»Wann können wir bei der Mordkommission in Trier eintrudeln?«

Er grinste. »Sie brauchen nicht hin. Da gibt es den Kriminalrat Rodenstock. Der läßt anfragen, wann er kommen darf. Er ist ganz wild auf Sie.«

»Ist er gut für uns?«

»Mit Sicherheit. Er ist stinkwütend, daß der MAD die Mordkommission aus dem Rennen geworfen hat.«

»Sagen Sie ihm bitte, er kann jederzeit kommen. Ich habe noch eine Frage nach den ersten beiden Leichen. Aus welcher Entfernung sind Monning und Kleiber erschossen worden?«

»Höchstens zwei bis drei Meter, schätze ich. Ich habe übrigens noch einen sehr wichtigen Hinweis: Die dritte Leiche, Marianne Rebeisen, war schwanger. Im zweiten Monat. Meine Kollegen aus Bonn haben mir das gesagt.«

»Es wird immer verrückter«, sagte Elsa. »Ob Monning der Vater ist?«

»Monning wird nicht dreißigtausend Mark mit Marita Heims sparen und von einer Kölner Prostituierten ein Kind bekommen«, gab ich zu bedenken.

»Lehr mich die Menschen kennen«, sagte sie leise.

»Wie lange werden Sie noch brauchen, um das alles zu entwirren?« fragte der Arzt.

»Keine Voraussage«, sagte ich. »Im Grunde wartet man bei so einem Fall immer auf den Menschen, der einfach sagt: Ich kann das alles erklären. Aber in der Regel muß man sich die Dinge selbst zusammenreimen, weil ein solcher Mensch nie auftaucht.«

»Aber der Mörder weiß alles«, sagte Elsa schnell.

»Ganz falsch«, sagte ich. »Es ist durchaus vorstellbar, daß der Mörder auch nur einen Ausschnitt kennt. Es ist vorstellbar, daß er aus gewissen Einzelheiten die falschen Schlüsse zog, daß gar kein Grund bestand zu morden.«

Sie überlegte das und war erschreckt. »Also kann der Mörder gedacht haben, daß Monning etwas wußte, weil einiges darauf hindeutete, daß er etwas wußte. Und tatsächlich wußte Monning nichts.«

»Das geht noch weiter«, sagte ich. »Es kann sein, daß Susanne Kleiber und Marianne Rebeisen nur ermordet worden sind, weil sie zufällig am Tatort waren. Es kann aber auch sein, daß es Monning zufällig erwischt hat. Und so weiter und so fort in allen Kombinationen. Und dann kommt die schlimmste Möglichkeit: Ein Irrer, absolut ohne erkennbares Motiv, wohnt in der Gegend um Hohbach und will nur einmal ausprobieren, wie seine Schrotflinte funktioniert.«

Der Arzt protestierte. »Warum wurden Sie und Alfred dann verprügelt?«

»Ich habe darüber nachgedacht. Sie spielen auf unseren geliebten Messner an. Es gibt eine sehr einfache Antwort: Messner glaubt, daß hier eine Spionagegeschichte läuft, von der er nichts weiß. Er benimmt sich also wie jeder Platzhirsch, schmettert alles ab, was in sein Revier vorstößt. Und sei es auch nur, um den Überblick zu behalten und die Kontrolle nicht zu verlieren. Auf gut deutsch wurden Alfred und ich einfach verprügelt, um aus der Szene herausgehalten zu werden.«

Naumann überlegte und nickte dann. »Und ein Typ wie Messner würde anschließend auch noch einen Orden kriegen.«

»So sind Ordensträger«, sagte Elsa. »Ich leg mich in den Garten und schlafe.«

Ich ging mit Naumann auf den Hof.

»Was geschieht eigentlich, wenn mit Elsa etwas geschieht?« fragte er.

»Dann drehe ich durch«, sagte ich.

Er lächelte bitter und ging zu seinem Wagen. »So fangen Kriege an«, murmelte er.

»Können Sie mir einen Gefallen tun? Wir haben da eine Dame ausgegraben. Marita Heims heißt sie. Sie liegt schwerverletzt in der Klinik in Blankenheim. Können Sie sich erkundigen, was medizinisch mit der los ist?«

Er schüttelte bedächtig den Kopf. »Nein, Sir. Ich stecke ohnehin bis zum Hals drin. Ich könnte nicht einmal glaubwürdig begründen, weshalb ich nach dieser Dame frage. Nichts für ungut.«

»Schon gut«, sagte ich, »schon gut. Ich werde auch schlafen gehen.«

»Was tun Sie eigentlich nachts?« Er verzichtete auf eine Antwort und fuhr davon.

Ich legte mich unter den Holunder in das Gras und war gleich darauf eingeschlafen. Bevor mein Geist sich in den kleinen Tod fügte, dachte ich darüber nach, wem wohl die Mordwaffe gehörte. Ich hatte sie vollkommen vergessen.

Elsa stupste mich irgendwann und sagte leise: »Baumeister, dein Intimfeind Messner ist hier.«

»Sage ihm, ich empfange zur Zeit nicht. Ich dachte immer, die Eifel sei einsam.«

»Aber er hat ganz traurige Augen.«

»Er ahnt seinen Tod.«

Messner saß in einem Sessel, hielt ein Glas Bier fest und sagte: »Schön haben Sie's hier.«

»Ja. Aber bevor wir in Höflichkeiten versinken, möchte ich Sie fragen, was Monning gewußt hat?«

»Wie bitte?« Er war offensichtlich irritiert und hielt den Atem an.

In diesem Augenblick fuhr Elsa mit Vollgas vom Hof, und ich hatte Mühe, so zu tun, als sei das nicht von Wichtigkeit.

»Monning wurde erschossen. Sicherlich nicht grundlos. Er war MAD-Mann, streiten Sie das nicht ab. Sie sind

141

auch einer, abstreiten hat auch keinen Zweck. Also hat er etwas gewußt, was er nicht wissen sollte.«

»Ach so«, sagte Messner. »Das ist ja äußerst interessant. Und sicherlich wissen Sie ungefähr, was er wußte, und was andere nicht wissen dürfen.«

»So fragt man kleine Jungens aus. Ich dachte, Sie würden es mir sagen.«

»Ich weiß nichts dergleichen. Es war halt eine Eifersuchtssache.« Sein Gesicht war ähnlich ausdrucksvoll wie das eines Weihnachtskarpfens.

»Übrigens Eifersucht. Wie geht es Marita?«

»Hm.« Er trank einen Schluck Bier. »Sie war eine Tussi, die hinter Monning her war, nichts sonst. Sicher hat er sie ein paarmal beschlafen, ist ja auch einsam in der Eifel.«

Ich sagte nichts auf diese Rede, ich fand ihn nur widerwärtig.

»Na ja, sie war hinter ihm her wie so viele«, setzte er erklärend hinzu. »Ich denke, Sie recherchieren nicht mehr.«

»Das wußten wir schon vorher«, murmelte ich. »Also, wie geht es Marita?«

»Den Umständen entsprechend. Sie wird ohne große Narben aufstehen.«

»Das freut mich aber«, murmelte ich und setzte mich auf die Sofalehne. »Wir haben rein gedanklich gewisse Probleme mit der dritten Leiche, der zweiten Frau. Wie hieß die doch gleich?«

Er lachte kurz. »Sie wollen doch nicht mit mir in ein Verhör gehen, oder? Das war eine Frau, die ebenfalls Monning über den Weg gelaufen ist. Er nahm sie eben kurz mit, der Weiberheld.« Er sagte das so, als sei er stolz auf Monning.

»Diese zweite Frau wurde zweihundert Meter entfernt erschossen. Vor den Morden an Lorenz und Kleiber oder nachher? Und noch etwas: Wo ist dieser LKW-Fahrer aus Dresden abgeblieben?«

Seine Stimme veränderte sich nicht. »Der Reihe nach.

Wie Sie wissen, war die zweite Tote eine Freundin der Kleiber. Und ich weiß nur: Sie war nicht astrein. Ich bin aber nicht berechtigt, das weiter auszuführen. Der LKW-Fahrer ist ein entschieden wichtiger Punkt. Er zog kurz nach zehn Uhr an dem Sonntagabend von Hohbach Richtung Depot los, obwohl die Straße für jeden Durchgangsverkehr gesperrt ist. Was wollte der am Depot? Sie sollten sich darüber Gedanken machen, sehr dringend sogar, denn vorher sprach der Mann mit der Kleiber – in der Kneipe. Eine Verabredung, ein Treff? Ich weiß es nicht. Glauben Sie denn zu wissen, daß Monning etwas wußte, das seinen Tod wert war?«

»Na sicher«, sagte ich. »Er war hinter jemandem her, und wir ahnen auch, hinter wem.«

»Das sollten Sie mir aber sagen«, seine Stimme wurde scharf.

»Das behalten wir lieber für uns«, sagte ich sanft. »Wir recherchieren sowieso nicht weiter. Ist rein privates Interesse.«

»Aber die Staatssicherheit könnte berührt sein«, dachte er laut.

»Aha«, sagte ich und lächelte ihn freundlich an. Ich suchte nach einer Möglichkeit, ihn zu verunsichern. Und als ich sie gefunden hatte, atmete ich tief durch. »Wissen Sie denn«, fragte ich langsam, »was die Mitarbeiterin Susanne Kleiber gewußt hat?«

Seine Schultern bewegten sich einige Zentimeter nach vorn, und die Haut rechts und links vom Mund wurde straff. »Wieso Mitarbeiterin?« fragte er.

»Es sind viele Gerüchte in der Eifel«, sagte ich, und ich genoß es. »Sie wissen doch, wie das hier so geht. Die Leute sind dankbar für jedes kleine Schwätzchen. Aber wenn Sie nicht wissen, was Lorenz Monning wußte, werden Sie auch nichts wissen, was die Susanne Kleiber betrifft. Mich interessiert da noch eine Frage privat am Rande: Diese Marianne Rebeisen, die angebliche Verkäuferin aus Köln, diese Profinutte, ich meine die, die von

143

vorne erschossen wurde, die im zweiten Monat schwanger war, wie unsere Informanten sagen, also die, deren Namen Sie nicht sagen mögen ... Ich fange besser von vorne an, es wird zu kompliziert.« Ich lächelte offen in sein versteinertes Gesicht, wie das so meine Art ist. »Die Frage ist ganz einfach, für wen hat die gearbeitet? Für den MAD oder den Verfassungsschutz? Die Frage liegt doch nahe, nicht wahr?«

»Finden Sie?« fragte er und hielt den Kopf über sein Bierglas gesenkt. »Ich fange an zu begreifen, warum deutsche Journalisten soviel spinnen. Sie wissen doch in Wirklichkeit gar nichts.«

»Also, das würde ich nicht sagen, und Sie wissen das.« Ich lachte. »Mögen Sie noch ein Bier?«

»Danke, es ist zu heiß. Was wissen Sie denn wirklich? Ich meine von Lorenz Monning?«

»Ich bin der Meinung, Sie verschwinden jetzt besser«, sagte ich. »Ich bin ein netter, höflicher Mensch, aber wenn Leute wie Sie mich verarschen wollen, fühle ich mich unbehaglich. Und Angeln ist nichts, mein Bester. Ich hätte ständig Angst, Sie würden mich ersäufen.« Ich sah ihn an und bemühte mich, ein warmes, menschliches Gefühl in die Augen zu bekommen. Aber er achtete wohl nicht darauf.

Er stand auf und stellte das Bierglas so heftig auf die Kupferplatte des kleinen Tisches, daß es zerbrach. Er ging hinaus und nach den Bewegungen seiner Hüften zu urteilen, litt er an drohendem Durchfall.

Ich mußte eine volle Stunde warten, ehe Elsa wieder auf den Hof gefahren kam. Sie hatte ein seltsam erregtes Gesicht. Sie ging an mir vorbei und sagte: »Ich habe in der Küche eine Flasche Pernod gesehen, so ein Lakritzwasser wird mir jetzt gut tun. Und schimpf nicht, Baumeister. Als ich Messner so sah, hatte ich die Idee: Wenn der nicht in Hohbach ist, kann ich mal nach Hohbach fahren.« Sie ging vor mir her in die Küche und machte sich einen Pernod zurecht. »In Hohbach gibt es einen schönen Tante-Emma-Laden, da war ich drin. Ich habe ein Vermögen ausgegeben. Du hast sechs Tüten voll Zeugs im Auto, das wir irgendwann mal gebrauchen können. Vom Toilettenpapier bis Haarspray. Je mehr ich einkaufte, um so mehr hat die Frau im Laden erzählt. Eine richtig gute Zeitung, die Frau.« Sie trank den Pernod, als sei es Sprudel. »Natürlich kam es mir auf die Susanne Kleiber an. Die war mit Sicherheit die bestgehaßte Frau in Hohbach. Alle Weiber glauben, daß ihre Männer es mit ihr trieben. Ja, ja, wir beide wissen, daß das wohl nicht so war, aber gegen Eifersucht ist wenig zu machen. Sie war in der Kneipe nicht nur Bedienung, sie hat auch in der Küche gearbeitet. Und sie ging dauernd mit Soldaten spazieren. Mal mit ganzen Trupps, mal mit einem allein. Und sie hatte keinen Freund, was die Hohbacher Frauen natürlich besonders mißtrauisch gemacht hat. Ich habe gesagt, ich wäre eine Frau vom Campingplatz, das machte sich ganz gut. Gerüchteweise haben die Frauen gehört, Susanne Kleiber wollte in der Kneipe aufhören und abhauen. Sie erzählen auch empört, die Kleiber habe was mit dem Monning gehabt, obwohl der doch die Marita Heims hatte. Und sie haben immer wieder gehört, in Hohbach hätten sich Spione aus der DDR herumgetrieben. Das war es.«

»Das war Klasse, das war sehr gut.«

»Und wie war Messner?«

»Messner muß jetzt glauben, daß wir sehr viel mehr wissen, als wir eigentlich wissen dürfen. Und morgen haben die Ministerien mein Schreiben und dann wird er beruflich für den Rest seines Lebens ein sehr toter Mann sein.«

Sie trank den Rest ihres Pernods. »Messner wäre so himmlisch als der große geheimnisvolle Spion, der hinter allem steckt. Und ich träume davon, daß du ihn mit der Messerschärfe deines Verstandes zur Strecke bringst.«

»Du wirst mir unsympathisch«, sagte ich.

Sie stand da und starrte auf die Fliesen. »Die Frau in

dem Tante-Emma-Laden in Hohbach findet übrigens den Lastwagenfahrer aus Dresden sehr nett. Der kommt jedes Jahr mal vorbei und kauft bei ihr Kinderspielzeug und Sachen für seine Frau und so.«

»Ja und?«

»Nichts weiter. Nur so. Sie mag ihn. Sie sagt, er ist ein netter Kerl und lacht dauernd und macht Späße.«

»Zieh mich nicht auf, da ist noch was.«

»Richtig«, sagte sie. »Sie haben ihn nicht mehr erwischt. Er ist losgefahren, ist in Herleshausen über die Grenze in die DDR und verschwunden. Er ist Messner und Konsorten durch die Lappen gegangen.«

»Das kann doch gar nicht sein«, sagte ich. »Die Kleiber hat Lorenz Monning bestellt, weil sie sich den Lastwagen ansehen wollten. Der ist bis zur DDR-Grenze fünf bis acht Stunden unterwegs. Wieso konnte er ihnen entkommen?«

»Das ist die Frage«, murmelte sie. »Liebe Hausfrau, ergänzen Sie: Ohne Flei- kein Prei-.«

Ich rief Alfred an und fragte, wie man herausfinden könne, wo der Schäfer sei. Er sagte, ich solle es in der Staatlichen Domäne versuchen, der die Herde gehöre. Aber dort wußten sie nur, daß der Schäfer in den großen Steinbrüchen am Ostrand der Kalkmulde sei, irgendwo in der Gegend. Als ungefähre Richtung reichte das.

Wir fuhren nach Westen und ließen den Wagen oberhalb des ersten kleinen Steinbruchs stehen. »Wenn wir Glück haben, sind es zwei, drei Kilometer, wenn wir Pech haben, das Dreifache.«

»Sieh mal, die Farbe der Steine ist phantastisch«, sagte Elsa begeistert.

»Die meisten Steinbrüche hier liegen still, und ein paar Idioten warten darauf, daß sie voll Wasser laufen. Sie träumen von Bratwurstbuden und Colaverkauf an Leute, die auf zweihundert Quadratmetern surfen wollen. Das nennt man Strukturwandel, nachdem es gelungen ist, die bäuerliche Kultur kaputtzumachen.«

Nach zwei Kilometern hörten wir die Klarinette.

Der Schäfer hatte seinen Karren auf die erste Sohle eines dreistufigen Steinkraters gestellt. Er hockte vor einem mattblau rauchenden Feuer, über dem ein Kessel hing. Und er spielte den ›Basin Street Blues‹.

»Das glaubt uns keiner«, sagte Elsa atemlos, und sie schraubte das vierhunderter Rohr auf die Kamera und fotografierte den Mann. »Wie gehen wir vor?«

»Harmlos wie immer«, sagte ich. »Am besten als Leute, die hier rumkraxeln und keine Ahnung haben.«

Die Klarinette schraubte sich in schnellen Sprüngen hoch, ging dann ›Blue Velvet‹ an, wenig später den ›Trumpin Blues‹. Als wir nach dem Abstieg suchten, verlor sie sich im ›St. Louis Blues‹. Kein Zweifel, der Mann spielte sehr leicht und gekonnt, die Läufe perlten wie ein Gebirgsbach.

»Kann sein, daß das unser Waterloo wird«, sagte ich. »Jemand, der so spielt, ist einfach zu gut. Und Schafhirte ist der auch nicht.«

Dann sahen wir die Herde in einer großen Wiese liegen. Ein schwarzer, großer Hund kam schnell wie ein Strich heran.

Ich sagte hastig: »Streichel ihn nicht!«, aber sie war starr vor Angst und bewegte sich überhaupt nicht. »Du sollst dich natürlich verhalten«, sagte ich. »Das ist doch kein Horrorfilm.«

»Ich benehme mich ja natürlich«, sagte sie. »Ich hab Angst, und der guckt so heimtückisch.«

Der Hund trollte sich, als habe er etwas gehört, das wesentlich interessanter war als wir. Dann fanden wir den Abstieg und gingen auf den Hirten zu, der uns entgegensah und dabei eine Zigarette drehte. Die Klarinette hatte er auf einen großen rötlichweißen Bruchstein neben sich gelegt.

»Ich hoffe, Sie haben einen Schnaps bei sich«, sagte er fröhlich. »Wir haben Sonntag.«

»Aber es ist nicht Sonntag«, sagte Elsa irritiert.

»Es ist so«, erklärte er, »die Gewerkschaft hat festgestellt, daß Schafe auch einen Sonntag brauchen. Wir haben durchgesetzt, daß wir selbst bestimmen können, wann Sonntag ist. Also: heute ist Sonntag.«

Er war ein Mann Ende dreißig, mit dichtem dunkelbraunem Vollbart, einer roten Zinkennase und in vielen Lachfalten versunkenen Augen.

»Wir streunen hier herum«, sagte ich. »Und leider haben wir keinen Schnaps, aber beim nächsten Mal denken wir daran. Lohnt sich denn die Schäferei noch?«

Er trug das, was wir in grauer Vorzeit ein Buschhemd genannt hätten, darunter Lederhosen, die über die Knie reichten, und schwere Schuhe mit dicken roten Wollstrümpfen – so, als friere er untenrum, als sei ihm obenrum zu warm.

Er deutete auf eine Weide. »Dahinter ist ein Tümpel, das ist mein Eisschrank. Da steht ein Träger Bier. Bedienen Sie sich.«

»Das mache ich schon«, sagte Elsa.

Er sah ihr nach und murmelte ungeniert mit seinen klaren Augen: »Ein schönes, munteres Reh ist das aber. Ihre Frau?«

Elsa kam mit drei Flaschen Bier zurück und teilte sie aus.

»Wieviel Köpfe hat die Herde?« fragte ich.

»Etwas über vierhundert«, sagte er. »Und es lohnt sich kaum noch.«

»Sie leben ja direkt bei Mutter Natur!« Elsa strahlte ihn an.

Er nickte bedächtig. »Messner hat mir genau erklärt, wie Sie sich benehmen würden«, murmelte er. »Und er hatte recht. So benehmen Sie sich auch. Sie machen so ein bißchen auf deppert, wie man in Bayern sagt.«

»Oh Scheiße!« sagte ich, fand es aber nicht angebracht, unhöflich zu sein. Ich öffnete meine Flasche und gab sie ihm. »Ich lebe alkoholfrei. Was hat Messner sonst noch gesagt?«

Er grinste. »Eigentlich nur, daß Sie kommen würden.«

»Ein präpariertes Mannsbild also«, murmelte Elsa.

»Dieser Messner geht mir auf die Nerven«, sagte ich.

»Das kann ich verstehen, aber er arbeitet eben für Vater Staat«, sagte er. »Und Staatsdiener sind gründlich.«

»Ich habe eine Bitte«, sagte ich. »Spielen Sie uns ein bißchen auf der Klarinette?«

Er lachte, und das sah beängstigend echt aus. »Man geht dem Künstler um den Bart.«

»So nicht«, murmelte ich abwehrend. »Sie haben so eine Art sauberen Ackerbilk-Sound, wenn Sie den Vergleich erlauben. Ich weiß ja Ihren Namen nicht.«

»Den glauben Sie mir nicht«, lächelte er. »Ich heiße Meier.«

»Wie schön für Sie«, sagte Elsa.

»Im Ernst. Sebastian Meier. Das mit der Klarinette erklär ich Ihnen noch. Was wollen Sie denn hören?«

»Kennen Sie die Klarinettenversion von Sinatras ›My Way‹? Das wäre jetzt gut, ich bin so schön wütend.«

Er nickte, spielte es lang und gut. Dann verlor er sich in einer Bachschen Fuge, und Elsa hauchte: »Toll.«

»Die Herde ist ruhig, wenn ich spiele«, sagte er.

»Sind Sie ein Berufsklarinettist?« Vielleicht gefiel ihm die Frage.

Er sah mich an, nahm einen kleinen Stein und warf ihn in das Feuer. »Ich bin Lehrer. Kunstgeschichte und Musik. Ich sage Ihnen das nur, weil Sie das sowieso rauskriegen würden. Mein Vater hat diese Domäne gepachtet, ich habe nie einen guten Job gekriegt und bin dann auf eine agrarwissenschaftliche Schule gegangen. Umgeschult also. Ich bin Schäfer mit Diplom. Was die andere Sache betrifft, wegen der Sie hier sind: Ich kann nichts sagen, weil ich unterschrieben habe, nichts zu sagen. Das geht einfach nicht, ich rede mich nicht um Kopf und Kragen.«

»Also haben Sie etwas gesehen?« fragte ich. »Oder anders gefragt: Sie sind der einzige Zeuge? Sie waren da, das wissen wir mit Sicherheit.«

»Woher wissen Sie das?«

»Ich habe Weiden gefunden, auf denen Schafe gezogen sind. Ich habe mit Vergnügen Schafscheiße entdeckt und Wolle auf den Zäunen. Und außerdem hatten Sie bereits Besuch von einer blonden Frau namens Marita Heims aus Blankenheim. Das war in der letzten Nacht.«

»Pressemenschen sind irgendwie verrückt«, sagte er. Es lag widerwillige Anerkennung darin. »Aber das darf ich wohl sagen: Ich bin der einzige Zeuge. Aber: Was ich gesehen habe, habe ich nicht verstanden.«

»War der Jeep geschlossen oder auf?«

»Ich sage nichts.«

»Sie sind ein Schofel«, sagte Elsa hell.

»Nicht doch!« wehrte er sich beleidigt. »Ich sitze auf einer ABM-Stelle, das Arbeitsamt finanziert mich, und die EG finanziert meine Herde. Ich kann mich doch nicht um meine Existenz reden.« Er grinste.

»Sie möchten das aber«, sagte ich schnell.

»Wie bitte?« fragte er irritiert. Dann sah er mich an, und ich sah das Verständnis in seinen Augen.

»Also: War der Jeep geschlossen oder offen?«

»Oh, Mann, Sie bringen mich in Verlegenheit. Können Sie etwas damit anfangen, wenn ich sage: Beides?«

»O ja, damit kann er etwas anfangen«, sagte Elsa zufrieden. »Vielen Dank.«

»Aber mehr sage ich nicht.«

»Eines können Sie aber sagen: Ob es eine Spionagegeschichte ist.«

Er sah mich an und lächelte. »Glauben Sie, die Kameraden von der Bundeswehr würden um eine Eifersuchtsgeschichte soviel Wirbel machen?«

»War der Täter ein Mann oder eine Frau?«

»Und wenn Sie mich totschlagen: Beides!«

»Heißt das zwei Täter?«

Er schüttelte den Kopf. »Es heißt Beides.«

Er war sehr belustigt. »Jetzt mache ich Sie vollkommen verrückt, was?«

»Es ist eher komisch«, sagte ich. »Und es wäre sicher sehr komisch, wenn nicht soviel Brutalität dabei wäre.«

»Ja, das ist schlimm.« Er schüttelte den Kopf. »Sie haben aber einen interessanten Beruf.«

Ich weiß nicht, was sich die Menschen unter dem Beruf des Journalisten vorstellen. Wahrscheinlich unentwegte Reisen in die hintersten Winkel dieser Erde, unglaublich interessante Menschen in nicht zu verdauender Schnelligkeit kennenlernen, das Wahnsinnsabenteuer in einer gleichförmigen Welt.

»Ich dachte immer, daß kluge Menschen eine solche Bemerkung nicht machen«, sagte ich.

»Ich bin ja nicht klug«, sagte er sanft. »Ich bin nur ein neugieriger Eifelbauer. Sie sind sauer, nicht wahr?«

»Ziemlich. Aber das hat weniger mit Ihnen zu tun als vielmehr mit diesem Messner. Er hat mich verprügelt.«

»Das hat er mir aber nicht gesagt.«

»Sie sollten ihn nackt sehen«, sagte Elsa empört. »Er hat immer noch ein Dutzend Pflaster!«

»Warum hat er Sie denn verprügelt?« fragte er.

»Weil ich Journalist bin und weil er die Hosen sehr voll hat«, sagte ich. »Wissen Sie etwas über die dritte Leiche, die Marianne Rebeisen?«

»Jetzt weiß ich endlich, wie sie heißt«, sagte er. »Vor zehn Sekunden wußte ich das noch nicht. Ich weiß nichts über die, absolut nichts. Sie war eben da.«

»Zu welcher Uhrzeit war das eigentlich?«

»Das war ziemlich genau um 23.45 Uhr.«

»Und ein alter Bauer hat die Toten entdeckt?«

»Ein Bauer hat sie gar nicht entdeckt«, grinste er. »Der Bauer ist eine Erfindung. Ich war das.«

»Hat es zu diesem Zeitpunkt geregnet?«

»Bindfäden. Aber jetzt sage ich nichts mehr, sonst macht mir Messner das Leben schwer. Er hat übrigens gesagt, es wäre Ihnen von der Bundesanwaltschaft verboten worden, die Sache zu untersuchen.«

»Das ist richtig«, sagte ich. »Das ist sehr richtig. Eine

Frage noch: Als Sie die Toten entdeckten, war da alles passiert? Oder haben Sie zugeschaut, als es passierte?«

»Sie sind pingelig, was?« Er lächelte. »Das zweite, das zweite. Und ich würde an Ihrer Stelle vorsichtig sein. Die Jungens in dem Depot sind stinksauer. Messner hat ihnen gesagt, wenn ein schiefes Licht auf die fällt, ist das Schuld der Presse.«

»Immer dieselbe Leier«, sagte Elsa zornig. »Ein Vogel scheißt ins Nest, wir schreiben drüber und sind anschließend die Scheißer. Verzeihung. Rufen Sie uns denn an, wenn Ihre Schweigsamkeit vorbei ist?«

»Eine Frage noch«, sagte ich. »Die Marita Heims hat Sie heute Nacht besucht. Auf dem Nachhauseweg ist sie schwer verunglückt. Wußten Sie das?«

»Ich hab gehört, sie ist aus einer Kurve geflogen. Sie wollte dasselbe wissen wie Sie. Aber ihr habe ich nichts gesagt, nichts angedeutet. Sie war ja wohl hinter dem toten Leutnant her.«

»Diese Geheimdienste sind einfach beschissen«, sagte ich. »Erinnern Sie sich an den schwulen General Kießling, der nie schwul war. Die Schwulität war eine Erkenntnis unserer teuren Nachrichtendienste. Und in diesem Fall hören wir dauernd, daß die Marita Heims geil auf den Lorenz Monning war. Tatsächlich war er aber genauso geil auf sie. Er hatte nämlich die Scheidung eingereicht, um die Heims zu heiraten. Das ist beweisbar.«

Das traf ihn, das machte ihn nachdenklich. Er blinzelte in die Sonne und murmelte vage: »Na ja, alles können die bei der Bundeswehr ja auch nicht wissen.«

»Das ist aber doch sehr wichtig, verdammt noch mal«, sagte ich heftig. »Damit steht und fällt doch ein Motiv für den Massenmord. Na, ist ja wurscht. Sie erwischen mich hier in der Eifel.« Ich gab ihm die Karte.

»Wieso? Ich denke, die Redaktion ist in Hamburg.«

»Ich sitze hier und bereite mich auf die Rente vor. Dann will ich vier Heidschnucken und ein Dutzend Zwergziegen.«

Er wollte einen Witz machen, aber er sah, daß ich das ernst meinte. »Das habe ich nicht gewußt.«

»Macht ja nichts. Ist ja nur ein paar Minuten von hier. Und zu Hause haben wir auch einen Schnaps.«

»Ich komme mal vorbei«, murmelte er. »Und schönen Dank auch für den Besuch.«

»Moment, Moment«, sagte Elsa mit ganz weißem Gesicht. »Sie kommen mir nicht so leicht davon. Auf die Frage, ob der Täter eine Frau oder ein Mann war, antworteten Sie: Beides. Heißt das auf gut deutsch, daß das nicht erkennbar war, weil es in Strömen regnete?«

»Richtig«, sagte er.

»Dann noch etwas: Ich traue Ihnen nicht, es kann sein, daß Sie lügen. Es gibt aber eine Möglichkeit, zu beweisen, daß Sie die Wahrheit sagen. Ungefähr zur Tatzeit ist ein Laster die Straße entlanggefahren. Vor den Morden, oder nach den Morden?«

»Sehr gute Frage. Aber das können Sie ja überall in Hohbach erfahren. Es war vor den Morden, ziemlich genau fünfzehn Minuten vor den Morden.«

Elsa lächelte schnell. »Sie sind schon sehr nett«, murmelte sie.

»Jetzt bin ich noch einmal dran«, sagte ich. »Der Laster fuhr also kurz vor den Morden durch. Wie weit waren Sie entfernt?«

»Etwa zweihundert Meter nördlich auf einer Koppel.«

»Gut. Sie sind sicherlich technisch versiert. Hätten Sie gehört, wenn der Laster stoppt, anhält?«

»Sicher, hat er aber nicht.« Er verzog sehr ernst das Gesicht. Das war ein Punkt, der ihm Kummer machte. »Messner schwört, der hat gehalten, und ich sage, er hat nicht gehalten. Na ja, ist ja wohl wurscht.«

Wir schlenderten zum Wagen zurück. »Kannst du dir einen Reim darauf machen?«

»Nicht ganz. Zuerst war der Jeep geschlossen, dann offen. Den Mörder konnte er bei dem strömenden Regen nicht erkennen. Der Lastwagen kam vorher durch und stoppte nicht. Herzlichen Glückwunsch übrigens, deine Fragen sind hervorragend.«

»Keine Lobessprüche, bitte«, sagte sie. »Ich hätte den Dank gern in Naturalien.«

»Wie schön«, murmelte ich. »Bring mich bitte nach Hause. Fahr in die Klinik und stell fest, ob Marita Heims' Zimmer bewacht wird. Ich muß mich hinlegen, ich habe Schmerzen.«

Sie setzte mich ab und fuhr weiter, ich hockte mich an das Fenster zum Garten. Es war ein gutes Gefühl, Elsa in der Geschichte neben mir zu haben. Krümel hockte im Gras und wurde von zwei wütenden Rauchschwalben attackiert, die wie Sturzkampfbomber anflogen. Sie bemühte sich um Gelassenheit und putzte sich betulich beide Vorderläufe. Dann brachte sie irgend etwas durcheinander und fiel um, weil sie das Gleichgewicht verlor.

## NEUNTES KAPITEL

Elsa war nach einer Stunde wieder da und sagte aufgeräumt: »Es war wie erwartet. Vor Maritas Krankenzimmer hockt ein Mann in Zivil auf einem Stuhl und langweilt sich zu Tode. Ich habe ihn aus der Hüfte mit dem Superweitwinkel abgeschossen. Und was nun?«

»Denkpause«, sagte ich. »Ich meine nicht eine Pause, in der wir denken, sondern eine Pause, um das Hirn zu entspannen. Ruh dich aus, du hast es verdient.«

»Können wir nicht etwas Gutbürgerliches machen? Ein Eis essen gehen oder so was?«

»Laß mich noch ein Band diktieren und postfertig machen, dann können wir dergleichen Luxuriöses machen. Wie wäre es mit Eifelforelle statt Eis?«

»Du bist ein himmlischer Liebhaber. Wenn es wirklich eine Spionagegeschichte ist, haben wir keine Chance, jemals die Lösung zu finden, oder? Weil wir das, was in geheimen Akten steht, niemals erfahren.«

»Das ist auch nicht mein Thema. Thema ist die Spionagegeschichte nicht, auch nicht der dreifache Mord in einer Spionagegeschichte. Thema ist dreimal Mord, einmal Mordversuch und zweimal schwere Prügelei, wobei die ganze Eifel gezwungen wird, so zu tun, als wäre das alles nicht geschehen. Das ist eine sehr verdeckte, brutale Geschichte. Und diese Geschichte können wir teilweise schon schreiben.«

Sie überlegte und sagte dann: »Danke für die Aufklärung, Sir. Ich war ganz mutlos, als ich begriff, daß wir die Spionagegeschichte niemals klären werden. Weißt du, Baumeister, es ist eigentlich grotesk, wieviel Macht der Staat besitzt.«

»Es ist nicht der Staat, es sind Menschen, die das im Namen des Staates behaupten. Es gibt groteskere Beispiele. Die heilige Maria hat was mit dem heiligen Josef und bleibt dabei Jungfrau. Nach neun Monaten gebärt sie einen Mann namens Jesus und bleibt Jungfrau. Das mußt du glauben. Glaubst du es nicht, bist du kein rechter Katholik. Das ist Macht, das ist Ausnutzung von Macht.«

»Du wirst ja richtig elegisch.«

»Jungfernhäutchen machen mich an und hin. Die Menschen fallen immer wieder auf alte Dinge rein und denken immer wieder alte Gedanken. Sie ducken sich, wenn jemand droht. Und wenn jemand wie Messner mit Gewalt winkt, ducken sie sich so tief, daß ihre eigene Meinung auf der Strecke bleibt.«

Sie starrte aus dem Fenster. »Die Menschen ducken sich und denken alte Dinge. Weißt du, ich habe mal sehr viel getrunken. Ich weiß nicht mehr genau, es war ein mieses Stück in meinem Leben. Zehn Jahre später, als ich nicht mehr trank, hat mir eine Tante erklärt, jemand, der zuviel trinkt, habe einen massiven Charakterfehler. Ich denke, daß die Tante zu denen gehört, die an Leute wie Messner glauben. Und sie gehört zu denen, die im Dritten Reich duldeten, daß sechs Millionen Juden umgebracht wurden. Und wahrscheinlich denkt sie, daß jemand, der Aids hat, auch einen ekelhaften Charakter haben muß. Jeder hat so eine Tante. Ich trau mich bloß nie, so etwas zu sagen, geschweige denn zu schreiben. Aber eigentlich müßte ich es tun.«

»Deine Elegien passen nicht. Wir müssen in unserem Fall einfache Denkmuster herausfinden, die dazu führen, daß jemand mit einer Schrotflinte drei Leute erschießt. Wir sollten ein bißchen Schach spielen.«

Ich nahm ein DIN-A4-Blatt und zeichnete einen Kasten. »Das ist der Jeep. Er steht auf einem Waldweg. Entfernung zum Depot ungefähr einhundertfünfzig Meter. Rechts eine Schonung mit Weißtannen, Birken, Erlen, links alter Buchenbestand. Geradeaus sieht man auf die Wiesen, über die der Schäfer Meier zog. Entfernung rund einhundert Meter. Wir haben drei Tote. Im Jeep der Lorenz Monning und die Susanne Kleiber. Wahrscheinlich außerhalb des Jeeps getötet und dann hineingesetzt. Zweihundert Meter weiter östlich dicht vor der Bundesstraße die Leiche der Marianne Rebeisen. Jetzt laß uns mit den Figuren spielen. Wahrscheinlich ist doch, daß der Monning und die Kleiber zusammen waren, daß die Rebeisen dazukam. Aber wieso ist das wahrscheinlich? Nehmen wir an, die drei waren ursprünglich zusammen. Also etwa hier neben dem Jeep. Kann es also sein, daß die Rebeisen erlebte, wie die Kleiber und der Monning erschossen wurden, daß sie in panischer Angst wegrannte und eingeholt wurde, um auch erschossen zu werden? Und warum rannte sie dann in Richtung Bundesstraße anstatt in Richtung Depot?«

»Es kann aber auch sein, daß ursprünglich die beiden Frauen zusammen waren. Daß Monning hinzukam. Daß eine der beiden Frauen Monning erschoß. Daß dann dieselbe Frau die andere Frau erschoß ... Baumeister, das macht keinen Sinn, das führt zu nichts. Wir wissen, daß Monning und die Kleiber denselben Beruf hatten, wir wissen auch, daß die Rebeisen eine Prostituierte war. Aber was wollte die da? Das macht mich ganz kribbelig.«

»Und noch etwas: Prostituierte sind clever, die bekommen keine Kinder. Und die Rebeisen war schwanger. Sie wollte also schwanger sein, sie wollte das Kind. Aber du merkst, wie gefährlich Denkspiele sind. Es hat keinen Sinn.«

Ich rief Alfred an, und er sagte, es gehe ihm besser. Dann beschwerte er sich lauthals, daß er zuwenig wisse, daß wir Geheimniskrämer seien, und ich versprach ihm, alles zu sagen, was wir wissen.

»Wann, glaubst du, sollen wir es machen? Wie sieht der Wetterbericht aus?«

»Das Fernsehen sagt was von Gewittern und Schwüle. Das heißt, wir machen es am besten morgens gegen drei Uhr. Da ist Ruhe.«

»Wir kommen um drei«, sagte ich.

»Was heißt das?« fragte Elsa.

Dann schellte es, und ich brüllte: »Reinkommen, Tür ist offen!«

Jemand öffnete die Tür sehr zögerlich, schlurfte langsam durch den Flur, als lauerten dort zahlreiche Feinde, und klopfte an die offenstehende Tür. Dann sagte er schüchtern: »Bin ich hier richtig bei Herrn Baumeister?« Er war ein kleiner, dürrer Mensch mit einer erstaunlich tiefen Stimme, schütterem, fast gelbem Haar über einem griesgrämigen Gesicht. Er trug einen dunkelblauen Anzug mit feinen hellen Streifen, als sei dies eine höchst feierliche Sache. Er konnte fünfzig Jahre alt sein, aber durchaus auch siebzig.

»Sie müssen der Kriminalrat Rodenstock sein«, sagte ich.

»Ganz recht«, nickte er und gab mir die Hand. »Herr Dr. Naumann war so freundlich, uns zusammenzubringen. Privat gewissermaßen.«

»Privat ist mir auch recht«, sagte ich. »Mein Kumpel Elsa. Möchten Sie etwas? Einen Kaffee vielleicht?«

»Ein Kaffee wäre sehr gut«, sagte er bescheiden. »Und vielleicht einen Kognak dazu? Bei nachdenklichen Gesprächen mag ich einen Kaffee, einen Kognak und einen Riegel bittere Schokolade. Es wird doch hoffentlich nachdenklich?«

Ich starrte das erstaunliche Wesen an. »Bei der Schokolade muß ich aber passen.«

Er lächelte und murmelte: »Macht nichts, ich habe immer eine Tafel im Auto und erlaube mir, die zu holen.«

Damit schlurfte er hinaus.

»Den gibt es gar nicht«, sagte Elsa entzückt.

»Phantastisch«, sagte ich. »Wir hatten schon mal Glück mit meinem Arzt. Aber vielleicht weiß er noch weniger als wir.«

Rodenstock kam zurück und übernahm sofort das Kommando. »Wenn Sie mir vielleicht einen Teller geben würden, gnädige Frau? Dann breche ich die Schokolade, und wir ersparen uns klebrige Finger.«

Elsa sagte nichts, Elsa konnte nichts sagen, Elsa verschwand, um das Tellerchen zu holen.

Rodenstock sagte nichts, Rodenstock hatte offenbar Zeit. Er zerbrach die Tafel Schokolade mit spitzen, kräftigen Fingern und schaute sich aufmerksam um. Er nahm dankbar das Tellerchen von Elsa entgegen und legte die Schokolade darauf. Dann griff er in die Innentasche seines Jacketts, holte ein Lederetui heraus, entnahm ihm eine beachtlich dicke Brasil, kramte umständlich nach einem kleinen Taschenmesser, spitzte den Mund, machte die Zigarre naß und schnitt sie so behutsam ab, als sei das eine lebensbestimmende Operation. Die Zigarre legte er auf den Aschenbecher, ohne sie anzuzünden.

Es war nahezu peinlich, aber Elsa und ich starrten ihn beide fasziniert und wortlos an. Er lächelte uns an, sagte nichts, schaute sich nur um.

»Der Kognak steht auf dem Küchenschrank, falls Alfred ihn nicht entdeckt hat«, sagte ich.

Er blinzelte. »Aha, Alfred Melzer«, sagte er dann und nickte gedankenschwer. »Ich habe davon erfahren.« Dann zog er ein Knie hoch, betrachtete gedankenverloren

das Schnürband in seinem schwarzen glänzenden Halb-
schuh, zog es auf und verschnürte es neu – betulich und
gewissenhaft, als sei es ein Kletterseil, an dem sein Leben
hängen könnte.

Ich begriff plötzlich, daß dieser Mann jeden Verdächtigen im Verhör allein durch seine Rituale wahnsinnig
machen mußte.

Elsa löste sich und ging den Kognak holen. Krümel
schnürte hinein und blinzelte Rodenstock an.

»Hallo, Dame«, sagte er.

»Sie ist tatsächlich ein Weibchen«, sagte ich.

»Man sieht es«, murmelte er. »Na, meine Kleine, bist
du zufrieden mit deiner Herrschaft?«

Krümel kam zwischen seine Beine und ließ sich krau-
len. Das sah nach Verrat aus.

Dann kam Bewegung in die Szene. Elsa brachte den
Kaffee, goß ein und setzte sich, und Rodenstock zündete
seine Zigarre an. Ich goß ihm Kognak ein. Als die Zigarre
brannte, deutete er auf die Schokolade und murmelte:
»Bedienen Sie sich.« Er nahm ein Stückchen, lutschte
darauf herum, trank einen Schluck Kaffee, wälzte den im
Mund, dann eine Winzigkeit Kognak, dann ein langsamer Zug an der Zigarre. Und dann seufzte er. Wenn er
jetzt den Rücken wohlig an der Sessellehne geschubbert
hätte, um Ungeziefer zu entfernen, hätte ich es geglaubt.

»Ich nehme an«, sagte er, »daß Sie sehr viel wissen.
Aber Sie werden nicht in der Lage sein, bestimmte lose
Fäden miteinander zu verknüpfen. Machen Sie sich keine
Vorwürfe, das kann ich auch nicht. Können wir austau-
schen?«

»Was haben Sie zu tauschen«, fragte ich.

»Einen Brief«, sagte er. »Einen Brief, den eine gewisse
Marianne Rebeisen an den Vater ihres Kindes schrieb.
Zwei Tage, bevor sie ermordet wurde.«

»Lieber Himmel!« hauchte Elsa.

Er sah sie freundlich-väterlich an. »Keine Sensation,
gnädige Frau, nur Ermittlungsarbeit. Aber ich muß wohl

erklären, wie die Dinge stehen, sonst verstehen Sie die
Zusammenhänge nicht. Wir, also die Staatsanwaltschaft
Trier, wurden aus den Ermittlungen ausgeschlossen. Die
Begründung war einfach, es gehe um die Staatssicherheit, und da sei allein die Bundesanwaltschaft zuständig.
Mein leitender Oberstaatsanwalt ist wegen der Tötung
zweier Zivilisten nun durchaus anderer Meinung. Es
wird ein Nachspiel geben. Dr. Naumann ist der Ansicht,
ich könne mich Ihnen anvertrauen. Ist das so?«

»Ja, das ist so. Ich verpflichte mich, Ihnen das Manuskript zu zeigen, bevor ich es abliefere.«

Er schüttelte den Kopf. »Das ist durchaus nicht nötig,
mein Sohn. Im allgemeinen sind meine Erfahrungen mit
Ihrem Berufsstand nicht sehr gut, aber ich bin durchaus
lernfähig. Zur Sache: Erwarten Sie von mir keine Wunder, aber immerhin habe ich den Brief und eine vage
Vorstellung davon, wie die Tat verlaufen ist. Wären Sie
also bereit, all Ihr Wissen an mich weiterzugeben?«

»O ja«, sagte Elsa begeistert.

»Vorab allerdings eine Korrektur«, sagte ich schnell,
um nicht den Eindruck zu erwecken, wir hätten nur auf
ihn gewartet. »Sie sagten eben, zwei Zivilistinnen seien
getötet worden. Das ist falsch, vollkommen falsch. Die
Susanne Kleiber nämlich arbeitete im Auftrag des MAD.
Und wenn ich das richtig einschätze, so hat man der
Mordkommission, als sie noch arbeitete, diese Tatsache
verschwiegen. Ich weiß nicht, welche Funktion sie genau
hatte, aber sie gehörte dieser Truppe an.«

»Ist das gesichert?« fragte er verstört.

»Aber ja«, strahlte Elsa.

Er nahm einen winzigen Schluck Kognak, sog bedächtig an der Zigarre, dann ein Stückchen Schokolade, darauf einen Schluck Kaffee. »Soso, sieh mal einer an«, sagte
er tiefsinnig und starrte in eine unbekannte Ferne. »Nun
gut«, sagte er dann rasch und lächelte etwas bitter. »Zur
Sache, also zu dem Brief. Wenn Behörden einen Irrtum
korrigieren, tun sie das gewöhnlich zu spät. Geheimdien-

ste übrigens auch. Als die Mordkommission aus den Ermittlungen … äh … hinausgeworfen wurde, liefen die bereits und waren nicht mehr aufzuhalten. Als die dritte Leiche also gefunden wurde, waren unsere Ermittlungen gestoppt, aber sämtliche Informationsstränge liefen weiter. Natürlich haben wir uns, wie vermutlich auch Sie, die Frage gestellt, wieso eine Prostituierte aus Köln morgens um vier Uhr auf einem schmutzigen Waldweg in der Eifel vor einem Bundeswehrdepot erschossen wird. Nun, wie Sie sehen werden, hatte das seinen Grund. Sie gab zwei Tage vor ihrem Tod einer Kollegin einen Brief. Die Kollegin sollte diesen Brief in den Briefkasten werfen, vergaß das aber. Der Brief kam zu uns, Sie bekommen eine Kopie. Darf ich vorlesen?«

»Selbstverständlich, lesen Sie.«

Er setzte sehr umständlich seine Brille auf und las vor: »Mein Herz! Ich bin sehr glücklich. Ich war heute noch einmal beim Arzt, und er hat die Schwangerschaft bestätigt und gesagt, daß alles vollkommen in Ordnung ist. Ich bin ein bißchen selig und freue mich darauf, daß wir nun bald einen Teil unserer Träume in die Tat umsetzen können. Dein gefährliches Leben wird damit zu Ende sein, und mein Leben, von dem ich geglaubt habe, daß es sinnlos ist, bekommt einen Sinn. Ich sehe Dich bald, und ich küsse Dich innig. In Liebe Deine Marianne.«

Er sah uns über den Rand seiner Brille an. »Wie Sie sehen, war diese Frau gebildet, wußte sich durchaus auszudrücken. Lyrisch, sehr lyrisch.«

»Darf ich den Brief fotografieren?« fragte Elsa erregt.

»Aber ja«, sagte er.

Elsa nahm den Brief und legte ihn auf den Schreibtisch unter eine Lampe.

»An wen war der Brief gerichtet?« fragte ich.

»An Lorenz Monning«, sagte er.

Elsa begann zu fotografieren, und das Klicken der Kamera kam mir sehr laut vor.

»Eindeutig an Monning?«

»Eindeutig«, sagte er und gab mir den Umschlag. »Wie Sie sehen, schrieb die Tote an das Bundeswehrdepot. Wir denken, daß Monning ein übler Typ war. Er hatte ja auch etwas mit der Marita Heims aus Blankenheim. Und er hatte wohl auch etwas mit der Serviererin Susanne Kleiber aus Hohbach ... Das heißt, wenn Sie sagen, daß auch die Kleiber beim MAD war ... Darf ich fragen, woher Sie diese Information haben?«

»Wir wissen es von der Marita Heims. Und die weiß es mit Bestimmtheit.«

»Die Heims haben wir nicht vernehmen dürfen. Soso, das ist ja erstaunlich, das zwingt zum Umdenken.«

»Wir haben daran gedacht, daß auch die Prostituierte irgendeinem Geheimdienst angehörte.«

»Möglich ist alles.«

»Vielleicht ein bißchen mehr als möglich«, sagte ich. »Der MAD wird durch einen Mann namens Messner vertreten, der auch Hartkopf heißt. Aber wahrscheinlich sind beide Namen falsch ...«

»Richtig«, sagte der erstaunliche Rodenstock. »Beide Namen sind genehmigte Legenden, also offizielle Decknamen mit jeweils komplettem Lebenslauf. Eigentlich heißt er Herrmann-Josef Schmitz, aber das hat er wahrscheinlich längst vergessen. Aber ich habe Sie unterbrochen.«

»Sehen Sie, nicht nur der MAD ist vertreten, sondern auch der Verfassungsschutz, obwohl wir keinen Vertreter dieser Organisation identifiziert haben. Der Verfassungsschutz hat, wie der MAD, seinen Sitz in Köln, und die Marianne Rebeisen kam aus Köln ...«

»Ach so«, murmelte er, »erstaunlich, dieser Gedankengang. Und sehr überzeugend. Aber dieser Brief an Monning legt rein private Motive offen ...«

»Ja, ich gebe zu, daß es so aussieht. Aber wie kommt der Monning an die Rebeisen?«

»Monning war oft in Köln und Bonn. Was haben Sie zum Tatverlauf herausgefunden?«

»Eigentlich nichts. Wir wissen, daß es einen Zeugen gibt, den Schäfer Meier. Aber der wurde zum Schweigen verdonnert, wie alle anderen auch.«

»Wir haben ihn vernomm... äh, gefragt. Zugegeben, ein etwas delikater Vorgang. Meier sagt folgendes aus: Er ist um zehn Uhr aus seinem Karren herausgekommen. Es regnete in Strömen, die Herde war in einem engen Pferch, die Hunde lagen ruhig unter dem Karren. Zunächst zog dann der in aller Munde befindliche Laster aus Dresden vorbei, zugeben auf einer Straße, die für ihn gesperrt war. Nach Angaben Meiers hielt der Laster nicht an, sondern fuhr durch ...«

»Einwand, Euer Ehren«, murmelte Elsa. »Wieso ist Meier aus dem Schäferkarren gekommen, wenn alles in Ordnung war?«

»Sehr gründlich«, murmelte er. »Ganz einfach: Er hatte ein paar hochtragende Mutterschafe in der Herde, und er ist ja ein bißchen wie der Papa, nicht wahr? Er war vom Tatort etwa einhundert Meter weg. Er ging in den Pferch, suchte die Mutterschafe heraus und betastete ihre Bäuche. Dann kam der Jeep in den Waldweg gefahren. Er hatte abgeblendete Lichter. Die Lichter gehen aus, drei Personen steigen aus. Meier ist nicht sicher, wer sie waren. Er erkannte nur einen: Lorenz Monning. Der hatte nämlich keine Regenpelerine an wie die anderen beiden, und Meier kennt ihn persönlich gut. Dann gibt es einen oder mehrere scharfe Knallgeräusche. Die Lichter des Jeeps gehen an, er setzt zurück, wendet und verschwindet wieder. Meier denkt sich dabei nichts, denn es können auch Auspuffgeräusche gewesen sein. Dann allerdings passiert Seltsames.« Er nippte an dem Kaffee, streifte die Asche seiner Zigarre ab, nahm ein Stückchen Schokolade, eine Winzigkeit Kognak, strahlte uns an, nuschelte: »Ein Genuß!«, trank Kaffee.

»Das Seltsamste war, daß der Jeep nach etwa zehn Minuten erneut kam, an derselben Stelle hielt. Der Schäfer Meier war nicht allzu konzentriert, denn eines seiner

Mutterschafe bekam nun ein Junges. Er sah, wie die Person, die rechts vom Fahrer saß, ausstieg und nach links in den Wald rannte. Die Person, die am Steuer gesessen hatte, rannte mit einem Knüppel in der Hand hinter ihr her. Die beiden kamen übrigens nie wieder. Erst jetzt kam dem Schäfer die Idee, da sei etwas faul. Er rannte zu dem Jeep und fand zwei Leichen. Er rannte aber nicht hinter den beiden Figuren her ...«

»Hörte er denn nicht den Schuß?« fragte ich.

»Nein, eben nicht. Aber wir wissen, daß bei besonderen Windrichtungen Schußgeräusche buchstäblich verschluckt werden. Meier findet also die Leichen und rennt zum Depot und meldet das.«

»Einspruch. Ungereimtheit«, sagte Elsa scharf. »Meier sagt also den Leuten von der Bundeswehr, er habe zwei Figuren weglaufen sehen, als der Jeep das zweite Mal kam. Wieso haben die nicht in dieser Richtung gesucht? Sie hätten die tote Marianne Rebeisen sofort gefunden.«

»Richtig«, sagte er bedächtig. »Aber vom ersten Anruf nach Bonn an durfte niemand mehr suchen und ermitteln, bis diese Geheimdienstexperten kamen. Irgendwie ist das untergegangen. Übrigens ist etwas sehr kurios: Auf dem Lenkrad fand man keine Fingerabdrücke, aber die Schleifspuren, mit denen Abdrücke abgewischt worden waren. Dasselbe übrigens an der Waffe bei der Leiche der Rebeisen.«

»Und die Tatwaffe?«

»In diesem Punkt folgen wir den Ermittlungen der Bundesanwaltschaft in vollem Umfang. Wir haben natürlich nur gerüchteweise davon gehört, aber die Tatwaffe gehörte Monning. Er nahm sie einmal ins Depot mit, um sie seinen Kameraden zu zeigen.«

»Die Tatwaffe war nicht Monnings Gewehr«, sagte ich. »Monnings Schrotflinte lag bei Marita Heims auf dem Dachboden. Nicht gebraucht und von uns fotografiert.«

»Heiliger Strohsack!« sagte er hastig und fuchtelte wild mit der Zigarre. »Haben Sie es nicht sichergestellt?«

Ich grinste. »Das kann ich nicht, ich bin kein Staatsanwalt. Es ist wohl noch immer auf dem Dachboden. Wenn Sie es wollen ...«

»Wenn Sie mir das besorgen, spreche ich Sie heilig«, sagte er begeistert und sog an seinem Glimmstengel.

»Ich werde das Ding holen«, sagte Elsa ruhig. »Und zwar jetzt. Wenn Marita im Krankenhaus redet, weil sie reden muß, ist es weg.«

»Tu das«, sagte ich.

»Bringen Sie es hierher«, murmelte Rodenstock. »Wenn Sie es haben, rufen Sie mich an, Tag und Nacht. Ich muß jetzt denken gehen. Es war mir ein Vergnügen.«

»Moment, Moment«, sagte ich. »Sie wirken wie ein skurriler, netter Opa, und das wissen Sie auch. Sie sollten aber nicht versuchen, etwas zu verbergen und ...«

»Ich verberge nichts«, sagte er schnell und böse.

»Doch, doch, die Spionagegeschichte, diesen Laster aus Dresden, der in Hohbach Station machte und nach der Tat spurlos verschwand. Sie wissen schon ...«

Er stand auf und murmelte: »Junger Mann, nun behalten Sie die Nerven. Durch die Eifel kurven dauernd LKWs aus der DDR, und vornehmlich meine Kollegen von den Geheimdiensten reden dauernd von Spionage, das ist schon krankhaft. Könnte es nicht sein, daß dieses Gerede etwas verbergen soll? Das wahre Motiv zum Beispiel?«

»Wie denn, verdammt noch mal? Marita Heims sagt klar aus, daß Lorenz Monning am Sonntag vor seinem Tod zum Depot gerufen wurde. Und zwar mit dem Ziel, genau diesen DDR-Laster anzugucken, zu überprüfen, was auch immer.«

Er warf die Arme heftig nach vorn, setzte sich wieder, rief wieder seinen Strohsack an und murmelte: »Wir konnten nicht genau vernehmen, wir mußten alles schnell und nebenbei machen. Ist das sicher?«

»Todsicher«, sagte Elsa.

»Dann muß ich anfangen, alles neu zu bedenken«,

murmelte er. Er verabschiedete sich freundlich und sehr höflich, und er nickte ernst, als ich ihm »Gute Rache!« wünschte.

Ich begleitete ihn zu seinem Auto und stellte eine letzte Frage: »Lorenz Monning hat die Wohnung der Marita Heims ungefähr um halb neun Uhr abends am Sonntag verlassen, Ziel war das Depot. Haben Sie rekonstruieren können, was er zwischen halb neun und dem Todeszeitpunkt vor Mitternacht getan hat?«

Er starrte auf einen Grasfleck zwischen uralten Pflastersteinen. »Junger Freund, wissen Sie, was es heißt, aus einer Morduntersuchung hinausgeschmissen zu werden? Wir haben zwar bestimmte Fragen gehabt, haben sie aber so stellen müssen, als interessiere uns die Antwort eigentlich gar nicht. Wir dachten, Monning schlief mit der Kleiber, wir dachten, daß plötzlich die Rebeisen auftaucht, wir dachten, wir dachten. Und jetzt ist alles falsch, alles Käse. Grau, Freund, ist alle Theorie, sehr grau.« Er starrte irgendwohin, er seufzte, er sagte: »Wir sehen uns. Ich werde nachdenken. Und seien Sie vorsichtig bei Ihren Recherchen. Die Stimmung im Depot ist kriegerisch.«

»Messner hat die aufgehetzt«, sagte ich.

»Tja, Messner«, sagte er. »Wir sagen immer: Geheimdienstler sind Leute, die es nicht ganz schaffen, Kriminalist zu werden.« Er lächelte um Verzeihung bittend.

»Eine Sekunde noch«, sagte ich. »Wahrscheinlich haben Sie es gehört: Die Marita Heims ist verunglückt.«

»Ja, ja«, er kicherte hoch und beglückt, »und das Autowrack wurde geklaut. Man stelle sich das vor!«

»Richtig«, murmelte ich. »Ich habe hier in der Garage einen Behälter für Bremsflüssigkeit. Aus einem Mercedes, wie die Heims ihn fuhr.« Ich drehte mich herum, holte den Plastikbehälter, der auf der Mülltonne lag, und reichte ihm den beiläufig an. »Wenn Sie sich den mal anschauen würden, bitte sehr. Es könnte ja die Möglichkeit von Fingerabdrücken bestehen, nicht wahr?«

Er hatte große, kugelrunde Augen, und er kicherte wieder unnatürlich hoch. »Mann«, prustete er, »das hältste im Kopf nicht aus, wenn du einen hast. Sie sind mir unheimlich.« Er barg das kostbare Gut auf seinem Schoß, strahlte mich an, schüttelte den Kopf und fuhr davon.

Ich diktierte die Unterhaltung mit Rodenstock auf ein Band, verpackte das Material und fuhr es zum Briefkasten. Als ich auf den Hof zurückkehrte, war der Chef am Telefon und sagte euphorisch: »Ihre ersten Ergebnisse sind wirklich gut. Wann werden Sie fertig sein?«

»Ich weiß es nicht, ich melde mich.«

Wenig später kam Elsa und trug das Gewehr wie eine Trophäe im Arm. »Hier ist unsere Bezahlung für viele Mühe. Es war ganz einfach, ich habe dem Mädchen gesagt, ich hätte was vergessen, und hab so lange auf dem Boden herumgewühlt, bis ich es fand. Und jetzt?«

»Jetzt wird zwei Stunden vorgeschlafen, wir haben Nachtarbeit vor uns. Mir gefällt nicht, daß Monning ein Kind mit einer Prostituierten hatte.«

»Er hatte es ja noch nicht«, warnte sie sanft.

»Ich weiß, aber irgend etwas stimmt da nicht. Wieso spart er dann mit der Marita so einen Haufen Geld?«

»Weil es ganz ungefährlich war, weil Marita ihm keine Fesseln anlegte, denke ich. Er konnte seinen Anteil nehmen und gehen. Und wahrscheinlich wollte er das auch.«

»Kann Marita sich dermaßen in dem Mann geirrt haben?«

»Aber ja, das kann jeder Frau passieren und jedem Mann. Darf ich bei dir schlafen?«

»Ich wollte dich gerade darum bitten.«

Der Wecker rasselte um halb drei, und ich war schon rasiert, ehe ich richtig wach war. Wir trabten auf Alfreds Hof unter einem sehr hellen Himmel, an dem schneeweiße Wolken im Licht eines halben Mondes segelten.

Alfred hatte im Schein der Bogenlampen den Unimog vor den Tieflader gespannt, auf dem das Wrack lag. Er war schweigsam.

»Fotografier das alles noch einmal«, sagte ich zu Elsa. »Samt Alfred und mir. Die Großwildjäger mit der erlegten Beute.«

»So'n Scheiß!« murmelte Alfred.

»Laß sie doch«, sagte ich. »Ist ja auch was für das Familienalbum.«

»Ich bin nicht rasiert.«

»Was ist dir denn über die Leber gelaufen?«

»Die Milchration«, sagte er wütend. »Erst sollen wir Kühe abschaffen. Dann sollen wir Kühe anschaffen, größere Ställe, mehr Milch. Dann sollen wir wieder abschaffen, dann schaffen wir ab. Und dann kriegst du erzählt, deine Milch wäre zu fett, also zu gut. Und dann kriegst du dafür, daß du gut warst, zwölf Prozent abgezogen. Es ist zum Kotzen.«

»Lacht doch mal«, sagte Elsa.

»Lach doch selbst«, sagte Alfred.

Er fuhr sehr geschickt über Nebenstraßen und näherte sich der Unfallstelle über einen asphaltierten Wirtschaftsweg. »Und wo legen wir den Blechhaufen hin?«

»An den Straßenrand«, entschied ich. »Genau an die Stelle, wo sie von der Straße abgekommen ist. Wir sichern das durch Warndreiecke.«

»Und was ist, wenn Bullen kommen?«

»Betriebsunfall. Dann hilft nur noch beten.«

Es machte einen Höllenlärm, als er das Wrack vom Tieflader zog. Er nahm die Mütze ab und kratzte sich. »Ist schon verrückt, das Ganze«. sagte er.

»Paß auf«, sagte ich zu Elsa. »Du baust die Kamera da oben hinter den Büschen auf. Du stellst sie auf das Stativ und hältst einfach drauf. Und du selbst läßt dich nicht sehen. Wenn alles gelaufen ist, ziehst du ab und besorgst dir ein Taxi. Jeden belichteten Film versteckst du so, daß ich ihn finden kann, wenn sie dich festnehmen. Also am besten ... Warte mal, da ist links von dem Gebüsch ein alter Baumstamm. Verbuddel die Filme da, solange du weiter fotografierst. O.k.?«

»Schon gut«, sagte sie und machte sich auf den Weg. Wir markierten das Wrack straßauf, straßab mit einem Warndreieck und zogen unseres Weges.

Unterwegs berichtete ich Alfred alles, was er noch nicht wußte, und auf halbem Weg fing es an zu regnen. Alfred fluchte und sagte, jetzt sei es aus mit dem Heumachen. »Nichts klappt mehr beim Bauern, nicht mal das Wetter.«

Wir trennten uns, und auch ich war muffig, obwohl die Geschichte Konturen bekam und wir schon erstaunlich viel wußten. Ich schlenderte durch das schlafende Dorf und fragte mich, ob meine Nachbarn etwas gegen mich haben würden, weil die Bundeswehr in meiner Geschichte nicht gut aussehen würde.

Wie üblich stand meine Garage offen, und ich achtete überhaupt nicht darauf.

Als er aus dem Dunkel leise sagte: »Guten Morgen, Sie Schwein«, zuckte ich nicht einmal zusammen.

Ich kann bis heute nicht erklären, warum ich freundlich »Ja, bitte« fragend in das Dunkel ging. Ich habe nicht den Hauch einer Entschuldigung, es sei denn den fraglichen Satz, daß mein Beruf zur Neugier verpflichtet. Ich kann nicht einmal behaupten, nicht begriffen zu haben, daß er mich Schwein nannte.

Ich sagte zum zweitenmal »Ja, bitte?«, als ich neben meinem Wagen stand.

Dann sagte ich jovial: »Sieh an, der Angehörige unserer Streitkräfte Norbert Lenz. Was machen Sie hier am frühen Morgen?« Nichts kann meine Friedfertigkeit besser beweisen als die Tatsache, daß ich noch immer nichts roch. Ich rieche Gefahr grundsätzlich nicht. Meine Augen hatten sich an das Dunkel gewöhnt. Er stand da vor mir, groß und massiv und jung. Er trug etwas, was wohl Kampfanzug genannt wird, und seine furchtbar klobigen hohen Stiefel deuteten an, daß er sie auch gebrauchen wollte. Er starrte mich nur an.

Er war nicht allein. Hinter ihm hatten sich zwei weitere

junge Krieger aufgebaut. Ihre Augen waren sehr groß vor Erregung.

»Sie sind ein Schwein«, sagte er leise.

»Können Sie mir das erklären?«

»Kann ich. Sie sollten sich da raushalten. Sie haben neulich gesagt, Sie hätten nicht fotografiert. Glaube ich nicht. Sie schnüffeln weiter rum. Sie waren bei Marita Heims, sie waren bei Schäfer Meier, und Sie hatten Besuch von einem Herrn der Mordkommission. obwohl die sich auch raushalten soll. Sie machen dauernd weiter, Sie schnüffeln. Und Sie verarschen Hauptmann Hartkopf.«

»Sieh an, nun isser auch noch Hauptmann. Bei mir nennt er sich immer Dr. Messner. Aber seien Sie beruhigt. Nach meinen Feststellungen trägt er den schönen Namen Schmitz.«

»Was soll das alles? Hartkopf ist ein Klassemann, Baumeister. Hartkopf ist ein echter Kamerad, Hartkopf hat uns zu einer echten Truppe zusammengeschmiedet. Gegen uns sind Sie schmierig.«

Dann traf er mich über dem linken Auge, und ich konnte nicht mehr sehen, weil da sofort Blut war. Seltsamerweise fühlte sich das kühl. Heiß rinnendes Blut gibt es wahrscheinlich nur in südlichen Ländern.

Ich stolperte nach rechts und wollte irgend etwas sagen, um ihn zu besänftigen. Aber dann trat er mir gegen den rechten Oberschenkel, und ich knickte ein und mußte meine Brille festhalten. Ich sah immer noch nichts – oder nur schemenhaft.

»In den Eingang«, sagte er scharf.

Ich brabbelte irgend etwas, weil ich dachte, er meine mich. Aber er meinte seine beiden Freunde, die an mir vorbei in das Tor der Garage glitten.

»Hör zu, Baumeister, du wirst dich da raushalten, hörst du? Wir sind ein echter Kumpelverein, und wir mischen dich jedesmal auf, wenn du wieder schnüffelst. Und du wirst nichts tun, daß wir Hartkopf verlieren, hörst du? Wir …«

Er traf mich mit dem Stiefel irgendwo an der linken Hüfte, aber es schmerzte nicht sonderlich, unterbrach nicht einmal meine Gedanken. Dann schlug er wieder mit den bloßen Fäusten, und die Wunde hinter dem Ohr riß auf. Das tat sehr weh, und ich bekam keine Luft.

»Hartkopf hat uns gezeigt, was Kampf ist, und du wirst deine Schnauze halten. Du hältst dich da raus, Opa, ist das klar? Die Bundeswehr hat nämlich was gegen Schweine wie dich.«

»Ja, ja«, sagte ich, aber ich glaube, ich brachte keinen Ton heraus. Ich drehte mich mit dem Rücken in das Dunkel der Garage und hatte ihn jetzt in der Einfahrt seitlich vor mir. Und seltsamerweise wußte ich plötzlich, was ich wollte.

Da hing eine Egge, jeweils 32 Eisenzähne auf vier Feldern. Alfred hatte gesagt: »Altes Modell. Wird nicht mehr gebaut.« Und wir hatten sie an die Wand gehängt.

Jetzt stand dieser junge Mann genau vor dem Ding und ich duckte mich schnell. Er machte das, was ich erwartete. Er nahm hastig beide Hände hoch und trat einen schnellen geduckten Schritt zurück. Er kam mit der Schulter unter die erste Eisenzahnreihe, zuckte mit dem ganzen Gewicht hoch, und die Egge kam von der Wand. Sie fiel auf ihn herunter, schwer und mit kreischendem Scheppern. Norbert Lenz fiel mit einem Schrei vornüber, und die Egge klebte an ihm wie eine riesige Distel.

»O Scheiße!« hauchte einer seiner beiden Freunde atemlos.

»Sie sollten einen Sanitäter holen oder so was«, sagte ich keuchend. »Es ist Krieg, Freunde.«

Sie standen da und sagten nichts, sie hatten ihren Anführer verloren.

Ich holte eine Taschenlampe aus dem Wagen und wischte mir mit einem Papiertuch das Blut aus dem Gesicht. Ich leuchtete auf Lenz nieder. Er lag vollkommen still und blutete stark aus Wunden am Hinterkopf und auf der ganzen Schulter.

»Nehmt die Egge runter«, sagte ich. »Dalli. Und tragt ihn schnell rein.« Ich ging auf den Hof und sah meine Nachbarin in der Tür stehen und neugierig herblicken.

»Morgen, Frau Bietig. Wir hatten einen Unfall. Könnten Sie Dr. Naumann anrufen? Er soll dringend kommen.«

»Mach ich doch, Siggi«, rief sie und verschwand.

»Vorsichtig, stoßt nicht an. Zweite Tür links. Legt ihn auf das Sofa.«

»Aber das mit dem Arzt geht doch nicht. Das ist Bundeswehrsache.« Der junge Mann war leichenblaß.

»Ja, ja, ihr Arschlöcher. Und wenn er krepiert, ist die Beerdigung auch Bundeswehrsache, oder?«

Er zuckte zurück, stieß mit den Kniekehlen gegen einen Sessel und setzte sich. Er sagte matt: »Sie bluten doch selbst wie ein Schwein.«

»Scheiß drauf«, sagte ich. »Helfen Sie mir, dem das Hemd auszuziehen.«

Er stand wieder auf, aber seine Hände zitterten so, daß er nicht zugreifen konnte. »Geht nicht«, hauchte er.

Ein Auto kam auf den Hof, und ich sagte: »Das ist der Arzt.«

Aber es war Elsa. Sie sagte im Flur: »Ich habe mir ein Taxi genommen. Alles klar. Baumeister? Wo bist du denn, Siggi?«

»Na hier«, sagte ich. Ich kriegte das Koppelschloß von Lenz nicht auf und sah sie an und sagte: »Er hat sich verletzt, aber Naumann ist schon unterwegs.«

Sie ließ die Tasche mit den Kameras fallen und sagte erstickt: »Nein! Wer hat das gemacht?«

»Eine Egge. In der Garage.«

»Nein, ich meine dein Gesicht.«

»Na, der hier. Ist bewußtlos oder so. Sie haben in der Garage auf mich gelauert. Lenz hier bekam eine Egge auf den Kopf. Die Egge, mein Partner.«

»Das ist ja rohes Fleisch, das über deinem Auge. Und hinter dem Ohr … und, oh, mein Lieber!«

»Das ist nur ein bißchen geplatzt«, sagte ich. »Schon gut, ich habe nicht mal Kopfschmerzen. Hilf mir doch mal mit diesem blöden Gürtel. Wir müssen dem Jungen diese modische Bluse ausziehen und das Hemd.«

»Herrje!« sagte sie, und dann erst sah sie die beiden taubstummen Soldaten hinter sich. »Ist das die Sanitätskompanie?« Dann begann sie zu weinen, und ich sagte hastig: »Werd bloß nicht ohnmächtig. Wir haben nur ein Sofa.«

Es gab eine Reihe solcher flapsiger Bemerkungen von meiner Seite, bis Naumann den Flur entlangkam und fragte: »Was hat er jetzt wieder angestellt?«

»Mit mir ist nichts Besonderes, aber der hier hat eine Egge auf Kopf und Schultern gekriegt.«

Naumann hatte die beiden Soldaten in ihren Sesseln bemerkt und sagte nichts mehr, murmelte nur: »Laß mich mal!« Er drehte Lenz sehr energisch hin und her, dann auf den Bauch und sagte scharf: »Los, ihr beiden, bewegt euch, die Klamotten müssen runter. Dalli, dalli!«

Lenz sah nicht gut aus, und irgendwann hatte ich es satt, ihn anzustarren. Zuweilen habe ich mich ohnehin im Verdacht, mit dem Anblick von Blut nicht männlich kernig verfahren zu können. Ich verschwand still in die Küche und hockte mich an den Tisch. Mir war schlecht.

Es dauerte eine ganze Weile, bis Naumann hinüberkam und sagte: »Elsa redet dauernd von rohem Fleisch und kann Sie nicht ansehen. Was ist denn mit Ihnen? Prügel gekriegt?« Er grinste und murmelte etwas von Nähen. Also nähte er meine Augenbraue und die alte Wunde hinter dem Ohr, die jetzt wieder neu war. Er hielt meinen lädierten Schenkel für wert, einen anständigen Druckverband zu bekommen.

»Was war denn?«

»Sie haben mir in der Garage aufgelauert.«

»Von Messner geschickt?«

»Das weiß ich nicht. Ich möchte, verdammt noch mal, wissen, wie es diesem Messner gelingt, diese Truppe

173

dermaßen anzuheizen, daß sie wie die Teufel sind, brutal und ohne jede Idee von Freundlichkeit.«

»Dann sollten Sie mal an Goebbels oder an seinen Meister denken. Die haben es nahtlos geschafft, aus Biedermännern menschliche Schweine zu zimmern – nur durch Reden. Seien Sie doch nicht so naiv, Baumeister.«

»Scheiß drauf. Die reden ja doch nicht. Lassen wir sie laufen.«

»Sind Sie verrückt?« Er steckte seine Utensilien in die Tasche zurück, winkte mir zu und ging hinüber in das Wohnzimmer. Er sagte großartig: »Herr Baumeister sieht zunächst von einer Anzeige ab. Ich hole jetzt einen Bundeswehrsani. Lenz muß ins Krankenhaus.«

Elsa saß hinter meinem Schreibtisch, rauchte abwesend eine Zigarette und sah mich so an, als hätte sie mich eben erst kennengelernt.

Ich sprach mit Naumann über Erdkröten, hier über eine spezifisch dicke grünlichbraune, die angeblich ihre Kinder monatelang auf dem Rücken spazierenträgt. Wir sprachen auch über die Möglichkeit, Feuersalamander von Zoos zu beziehen und wieder an Mutter Natur zu gewöhnen.

Die ganze Zeit über, in der wir auf das Sanitätsauto warteten, sagten die beiden Soldaten kein Wort, starrten auf den Teppich und zündeten eine Zigarette an der vorhergehenden an. Lenz schlief, weil Naumann ihm eine Spritze gegeben hatte.

Naumann, das war sehr deutlich, wurde immer nervöser, zupfte sich am Hemdkragen, sah auf die Uhr, stopfte sich eine Pfeife, vergaß sie anzustecken.

Dann platzte er. Er drehte sich zu den beiden Soldaten herum und fauchte: »Also ich mache diesen Unsinn nicht länger mit. Sie kommen mit Ihrem Kameraden Lenz hierher. Lenz versucht, Herrn Baumeister zu verprügeln. Das mißlingt. Und Sie haben die ungeheure Frechheit, sich hierherzusetzen und einfach den Mund zu halten, als ginge Sie das alles nichts an. Sie sind einfach brutal, und wenn es schiefgeht, halten Sie die Schnauze. Können Sie mir endlich einmal sagen, was da denn für eine Spionagegeschichte laufen soll?«

Der Kleinere, Bleichere sagte mit schnellem Blick auf seinen Kumpel: »Hauptmann Hartkopf hat uns dringend geraten, vor Zivilisten nichts auszusagen.«

Naumann stand auf und ging zwischen Tür und Kamin hin und her. »Hören Sie zu. Hier werden Zivilisten am laufenden Band von Soldaten verprügelt. Ich sehe das, ich muß die Patienten versorgen. Und kein Mensch weiß, warum das alles geschieht. Machen Sie das Maul auf, was ist mit Spionage?«

»Es geht wirklich um Spionage«, sagte der Bleiche. Er hatte Angst, und er zitterte. »DDR-Leute spionieren die Depots aus, und sie kriegen hier Hilfe von irgendwelchen Agenten. Der DDR-Laster war hier, um Verbindungen aufzunehmen und Nachrichten abzuliefern. Und dann muß es Zoff gegeben haben, irgendwie. Wir wissen noch nicht, wie. Jedenfalls haben die unsere Leute abgeknallt, oder es war anders …« Er merkte, daß er etwas sagte, was er nicht sagen durfte, und er versiegte wie ein Wassertropfen auf einem heißen Stein.

»Das ist alles geheim.«

Sein Kumpel war ein sehr bleicher Weißhaariger. Er sagte quälend langsam: »Mehr wissen wir auch nicht, ehrlich. Wirklich ehrlich.«

»Lieber Himmel, also war Monning eventuell ein Spion aus dem Osten?«

Er hielt den Kopf gesenkt, starrte irgendwohin auf die Dielenbretter, hob dann das Gesicht und fragte ruppig: »Warum nicht?«

Sie atmeten beide aus, hatten genug gearbeitet, waren offensichtlich erleichtert und sanken erneut in dumpfes Brüten.

Diesmal platzte ich, diesmal hatte ich eine Idee, steuerte mein Platzen, dosierte es. »Ich denke, Doktor Naumann, ich zeige Lenz und die beiden an.«

175

Naumann sah mich an, kniff die Augen zusammen und sagte dann: »Sie wissen, ich kann Sie nicht davon abhalten. Vielleicht ist es unvermeidlich.«

»Das ist es.«

»Was schreiben wir denn in der Anzeige?« fragte Elsa mit leicht belustigter Stimme.

»Na, Mordversuch natürlich«, sagte ich. »Was sonst?«

Dann war es sehr still. Ich stand auf und ignorierte die Soldaten vollkommen. »Wir wissen, was geschah. Sie versuchten, Marita Heims auszuschalten, sie stachen den Flüssigkeitsbehälter an. Elsa, stell ihre Personalien fest.«

»Geben Sie mir bitte Ihre Ausweise und Dienstausweise!« bat Elsa sanft.

Ich stopfte mir eine Pfeife, ich nahm die Punto d'oro, die so arrogant wirkt.

»Wir waren das nicht«, sagte der Bleiche. »Wir waren das – Ehrenwort – nicht.«

»Mitwisserschaft reicht auch«, sagte Elsa.

Der Weißblonde murmelte: »Das hat Lenz gemacht. Aber allein.«

»Weil Hauptmann Hartkopf das wollte«, sagte ich.

»Nee«, sagte der Weißblonde. »Hartkopf macht so was nicht. Hauptmann Hartkopf sagt niemals so was. Auf so was kommen wir selber, weil: Wir werden richtig trainiert, damit wir beim Denken auf so was selber kommen.«

»O Gott«, murmelte Elsa. »Warum diese Frau?«

»Sie sollte ja nicht tot sein«, flüsterte der Bleiche, »sie sollte nur nicht mehr reden können.«

Auf dem Hof war ein wischendes blaues Licht. Sie fuhren mit Lenz davon. Naumann schüttelte schweigend den Kopf und verschwand. Elsa sagte: »Das ist ja ein Irrenhaus hier!«

»Was war los? Haben sie das Wrack entdeckt, konntest du fotografieren?«

»Es lag keine halbe Stunde da, dann kam ein Streifenwagen, dann der zweite, dann der dritte. Und dann kam

Messner persönlich. dann andere Zivilisten, die ich nicht kenne. Im wesentlichen war es eine Versammlung von Männern, die kopfschüttelnd um ein kaputtes Auto herumliefen. Dann kam ein großer LKW der Bundeswehr mit einem Kran drauf und holte das Wrack ab. Sie haben die Straße die ganze Zeit über abgesperrt, und ich habe alles und jeden fotografiert, wie auf dem Schießstand.«

»Du bist ein As, vielen Dank.«

»Und du bist ein ganz verrückter, blöder Kerl, und ich habe so Angst um dich.«


## ZEHNTES KAPITEL


Es war Mittag geworden, die Sonne schien intensiv. Elsa lag unter dem Pflaumenbaum in einer einzigen Winzigkeit, die man Tanga nennt, und dachte vor sich hin. Ich wollte nicht einmal wissen, was sie dachte. Ich war heilfroh, daß ich keine Kopfschmerzen hatte und die Wunden nicht brannten. Ich hatte mich vor meine geliebte Mauer gelegt und beobachtete Fritz. Fritz hockte in einer Steinspalte fünf Zentimeter über der Erde und betrachtete mich oder die Welt oder das Spinnennetz drei Zentimeter vor seinen lustigen trägen Glubschaugen. Sein Kehlsack pumpte regelmäßig und gelassen, und zuweilen sah er aus, als mache er sich über mich lustig. Vielleicht amüsierte ihn auch meine Sonnenbrille, die ich tragen mußte, weil mein Blick ständig flackerte. Naumann hatte gesagt, eine Sonnenbrille sei notwendig, damit das angeschlagene Auge geschont werde. Die Sonnenbrille gehörte Elsa, ich habe nie eine besessen. Das Telefon und einen Radioapparat hatte ich auf den Gartentisch gestellt. Ich hörte meinen Lieblingssender WDR II, in dem man noch denken und das Gedachte sagen darf, wenn man einwandfrei meschugge ist. Irgendwer sprach mit irgendwem über die drohende Überalterung der Lehrer an den Schulen Nordrhein-Westfalens, und ich war von Herzen froh, daß ich nicht bei Greisen in die Schule gehen mußte. So tropfte der Tag unendlich langsam aus der Sonne, und Fritz war glücklich, weil er von all dem nichts wußte.

Krümel kam in wilder Lust herangefegt, sprang an den Stamm des großen Pflaumenbaums und kletterte blitzschnell in die oberste Spitze. Sie stand mit vier Pfoten schwankend auf vier bleistiftdünnen Ästen und sah arrogant zu mir hinunter. Ich klatschte ihr Beifall, und sie schloß gelangweilt die Augen und putzte sich.

Fritz entschloß sich zu einem Bad und sprang kühn an meiner qualmenden Dunhill vorbei in das kleine Plastikbecken, das ich ihm eingerichtet hatte, um seine Wohnverhältnisse den meinen anzupassen.

»Hast du dich endlich entschlossen, was wir jetzt machen?«

»Noch nicht ganz. Sag mal, glaubst du der Marita Heims, daß sie mit Lorenz Monning glücklich war?«

»O ja«, sagte Elsa. »Frauen lügen zwar besser als Männer, aber in dem Punkt hat sie die Wahrheit gesagt.«

»Dann möchte ich nach Köln und von dort ins Münsterland.«

»Köln kann ich begreifen, das Münsterland nicht. Die Verwandten von Monning haben doch keine Ahnung.«

»Das halte ich für schlicht ausgeschlossen. Außerdem müssen wir seine Heimat kennenlernen. Was willst du schreiben, wenn du Monning beschreibst? Daß er in einem feudalen Bauernhof im Münsterland groß wurde?«

»Ich verstehe schon. Also ziehen wir uns an und fahren?«

»O nein. Nicht vor morgen in aller Frühe.«

»Es ist nicht zu fassen, Baumeister verringert die Geschwindigkeit. Hast du den Kriminalisten angerufen? Der wollte die Schrotflinte haben.«

»Ich habe es vergessen. Ruf ihn an.«

»Was machst du eigentlich, wenn wir die Sache geschrieben haben?«

»Urlaub, was sonst?«

Fritz schwamm mit langen Stößen durch seinen Pool und tauchte unter einen Stein.

»Glaubst du an Spionage oder an privates Drama?«

»An beides«, sagte ich.

»Es ist sehr logisch«, sagte sie.

»Was ist logisch?«

»Daß Monning so etwas wie ein Spion war, daß er ausgeschaltet wurde von diesem Brummifahrer aus Dresden. Weil ich eine Spießerin bin, ist das zwar undenkbar, aber ich kann es mir vorstellen.«

»Aber was ist mit den beiden Frauen?«

»Vielleicht waren sie Helferinnen von Monning, vielleicht sind sie auch nur als dekoratives Beiwerk gestorben.«

»Du vergißt, daß Monning Gegner hatte, daß er irgend etwas entdeckt hatte. Daß er sich ausgenutzt fühlte ...«

»Ja, eben. Vielleicht wurde er von seinen Auftraggebern aus der DDR ausgenutzt. Er hat auch gesagt, alles wäre nur eine Frage der Macht. Das paßt doch, oder?« Sie stand auf und rief Rodenstock an und sagte freundlich, sie habe etwas für ihn, das er sich abholen könne. Dann ging sie zurück auf ihre Decke und begann sich mit irgend etwas einzureiben, das stark nach Anis duftete. »Und Messner paßt als Mörder.«

»Niemals«, widersprach ich. »Der Mann ist viel zu intelligent für drei dermaßen brutale Hinrichtungen.«

Fritz schwamm mit langen Stößen durch den Pool, tauchte unter einen Stein, verharrte dort, trieb dann ohne Bewegung an die Oberfläche, schnappte nach einer Fliege, erwischte sie, kroch auf einen Stein und sah sehr dekorativ aus.

Rodenstock stand neben mir und starrte Fritz an. »Reden Sie manchmal mit dem?«

»Das kommt vor.«

»Ein freundlicher Bursche.« Elsa hatte ihm das Gewehr gegeben, und er hielt es im Arm wie ein Baby. »Dieser

Fall wird wahrscheinlich viele unserer Denkschablonen umstoßen, nicht wahr?« Er drehte sich herum und stapfte über die Wiese davon.

»Ja, ja«, sagte ich vage, ich hatte keine Ahnung, was er meinte. Ich wünschte mir sehnlichst den Schäfer Meier mit seiner Klarinette. Vielleicht noch ein paar tanzende Elfen malerisch verstreut über meinen vom Mondlicht überfluteten Garten, nichts sonst. Ja, und Elsa, wohlriechend, sinnlich und voll Verlangen.

Als ich dachte, ich würde in der Sonne einschlafen, rief Naumann an und sagte widerlich lebendig: »Schwingen Sie sich ins Auto, ich habe durch Zufall etwas Merkwürdiges erfahren. Susanne Kleiber hat ein halbes Jahr vor ihrem Tod eine Kneipe gekauft. Und zwar eine alte Mühle Richtung Adenau in einem Seitental der Ahr. Sie hat bar bezahlt, angeblich vierhunderttausend bar auf den Tisch des Hauses. Sie müssen wissen, woher ich das weiß. Der jetzige Pächter hat die Kneipe zugrunde gerichtet, ist total verschuldet. Dieser Mann ist heute verunglückt, nicht allzu schwer. Seine Frau erzählte mir die ganze Geschichte, als ich ihn versorgte. Das ist nun wirklich komisch: Eine Tote mit Kneipe ohne Erben. Sie können sich auf mich berufen.«

»Danke, wir fahren. Wie heißt das Ding?«

»Ausgerechnet *Zum Kühlen Grund*.«

»Es gibt wieder Arbeit«, sagte ich.

»Das hat etwas mit dir zu tun«, sagte Elsa.

Ich fuhr sehr schnell durch die grellrote Sonne des Spätnachmittags und Elsa jammerte: »Sonst fährst du langsam, sonst erklärst du Bäume und Blumen. Und was machst du jetzt? Du rast.«

»Mich hat die Hektik gepackt und damit die Blindheit. Ich bin fahrig und umtriebig, weil die Geschichte mich verrückt macht. Spionage? Bürgerliches Drama?«

»Kann es denn nicht wirklich sein, daß Messner irgendeinen Spionagering aufdeckte und dieser Brummifahrer aus Dresden kam, um alle totzuschießen?«

180

»Seit Barschel kann alles sein. Aber das ist nicht wichtig. Wichtig ist nur, daß wir es irgendwann erklären können.«

»Muß man Leichen erklären?«

»Hierzulande ja, hier werden nur ordentliche Leichen mit schriftlichem Werdegang akzeptiert.«

»Stell dir vor, wir könnten auf einer Lichtung in der Sonne hocken und etwas miteinander haben.«

»Was denn?«

»Körperliches, rein Körperliches.«

»Geh nicht in Details.«

»Du hast wieder Furcht.«

»Nein, das regt mich auf. Ich kenne nämlich eine Lichtung mit roten Lichtnelken, die jetzt noch blühen.«

Die alte Mühle war ein Traumhaus unter Eichen. Man fuhr von der schmalen Straße einen Weg rechts hinein, rumpelte über eine uralte Brücke, deren Schlußstein vor zweihundert Jahren gesetzt sein mochte, und konnte dann unter einer Eichen- und Kastaniengruppe parken. Das Haus war aus Bruchsteinmauern gefügt, und an seiner Westwand lief ein breiter Bach über ein verwittertes, verfaultes Holzrad. Es war eine Antiquität, wie es sie in der Eifel zuhauf gibt, und von der alle Leute fürchten, daß andere Leute sie entdecken.

Die Schankstube war leer und sah trostlos und vergammelt aus, keine Spur von Gelächter und Fröhlichkeit.

»Hier ein kleines Hotel aufmachen, hier Gäste haben«, hauchte Elsa. »Ich würde denen Frühstück ans Bett anbieten und so zärtliche Sachen.«

»Hallo Wirtschaft«, schrie ich. »Du brauchst eine Million, um dieses Haus auszubauen, und sechzehn Stunden am Tag, um es in Schuß zu halten. Dein Traum hat in der Eifel mehr Pleiten verursacht, als die Amtsblättchen veröffentlichen können.«

Dann kam die Frau aus einer dunklen Tür hinter dem Tresen. Sie war jung, vielleicht zwanzig, vielleicht fünfundzwanzig, und sie war unförmig dick, und sie watschelte und sie kaute auf etwas herum. Ihr Gesicht war groß und rund und rot und rosig und außen an den Wangen fast violett. Ihr Haar klebte unordentlich, strähnig hellblond um den Kopf, und vorn an der Stirn hatte sie einen Lockenwickler vergessen. Sie trug ein kurzärmliges Kleid, etwas, das meine Mutter wohl Kattunkleid genannt hätte, etwas Weißblaues. Darüber eine weiße Schürze, die vollkommen verschmiert war. Sie sah uns nicht an, sie griff nach einem Lappen und wischte unter den Bierhähnen durch. »Bier? Oder was? Essen gibt es erst abends. Nur Tiefgekühltes.«

»Zwei Kaffee. Doktor Naumann ist ein Freund von uns. Er hat uns von Ihrem Pech erzählt, vom Verkauf hier.«

Jetzt hob sie den Kopf, sie hatte wässrige blaue Augen. Sie griff in den Glasschrank hinter sich, riß einen Snack-Streifen auf und schob sich den Riegel in den Mund. »Das kannste sagen, daß wir hier Pech haben. Sind vor einem Jahr aus Euskirchen gekommen, mein Mann und ich. Anfangs lief es gut. Die Kollegen von der Freiwilligen Feuerwehr kamen, und Skatklubs und so. Aber dann? Ich weiß auch nicht. Am Arsch der Welt ist das hier. Eigentlich ist es ja ganz schön. Aber, mein Gott, ich gehe hier ein in dem Kaff. Nee, wir wollen weg. Wir haben verkauft.«

Ich bugsierte Elsa an das nächste Tischchen, wischte den Staub von der Platte, und wir setzten uns.

»Ich mach mal den Kaffee«, sagte sie und verschwand.

Ich stopfte mir die *Straight Grain* von Jeantet und paffte vor mich hin. Sie kehrte zurück, stellte die Tassen vor uns hin, goß aus einer uralten Kanne ein und setzte sich zu uns. »Haben Sie was mit Dr. Naumann zu tun?«

»Nein, nein. Er sagte bloß, Sie hätten Pech mit dem Verkauf hier, weil ja die neue Besitzerin nicht mehr lebt.«

»Ja, ja. Mit der is was. Irgendwie ein Unglück oder so. Erschossen, sagen die Leute. Na ja, sie hat bezahlt, ist mir egal. Wir gehen nach Dortmund, mein Mann hat eine Stelle als Fahrer. Bezahlt hat sie ja, diese Rebeisen.«

»Rebeisen?« Elsas Stimme war hoch.

»Na ja, sie hat beim Notar den Namen gegeben. Ich weiß ja nicht, wer das Geld hatte, diese Rebeisen oder diese Kleiber. Kann ja auch sein, der Mimmig oder Mommig, dieser Blonde von der Bundeswehr jedenfalls, mit dem sie mal hier waren.«

»Wer hat denn nun gekauft? Die Kleiber oder die Rebeisen?« fragte ich.

»Die Rebeisen war beim Notar mit. Die hat den Namen gegeben. Komische Frauen. Dieser Mommig war auch komisch. Wollte der vielleicht mit zwei Frauen ...?« Sie lachte. »Es gibt heute Sachen, die hältste nicht aus.« Sie hatte verfaulte Backenzähne.

»Aber bezahlt ist alles?« fragte Elsa.

»Ja, sicher. Also, die müssen viel an die Füße haben. Die haben unsere laufenden Konten übernommen und die Hypotheken. Und den Rest haben sie auf den Tisch gelegt. Bar. Richtig wie im Film.«

»Und wann wollten sie einziehen?«

»Die beiden Frauen? Ende des Jahres. Sie haben gesagt, sie machen eine richtig gemütliche Kneipe mit Hotel. Die hätten sich vielleicht gewundert. Und sie haben auch gesagt, sie legten keinen Wert auf die Bundeswehr. Ha! sage ich nur.«

»Ist viel Bundeswehr bei Ihnen?« fragte ich.

»Na ja, nicht allzuviel. Aber wenn Messner mit seiner Clique kommt, ist schon was geboten. Also im Sommer kommt der dauernd. Meistens am Wochenende, wenn die Jungens frei haben und auf Ritt gehen. Auf Ritt gehen sagen sie immer. Messner ist ja vornehm und zurückhaltend und sitzt nur da und hat sie im Griff. Mann, das hältste nich aus, wie der die Kameradschaftsabende macht. Mit Kabarett im Saal, wir haben hinten einen kleinen Saal mit Bühne. Als Weiber sind die aufgetreten mit Damenwahl und so. Mann, haben wir gelacht. Und Messner immer schön ganz hinten und nur lächeln. Der hat die gut im Griff.«

Der Kaffee war umwerfend schlecht.

»Die Frauen sind tot, das Haus ist bezahlt. Was passiert denn jetzt?« Elsa sah mich an.

»Ich weiß es nicht, ich kenne die Rechtslage nicht.«

»Messner war schon hier«, sagte die Wirtin. »Er sagte, wir sollen uns keine Sorgen machen, das schaukelt er schon. Wir gehen jedenfalls raus und hauen ab. Nichts wie weg hier.«

Im Wagen sagte Elsa: »Laß mich zusammenfassen, was Monning tat: Er hat zwei Höfe im Münsterland, eine Frau und zwei Kinder. Das alles läßt er im Stich. Er hat hier eine Freundin namens Heims, mit der er dreißigtausend Mark spart und der er die Ehe verspricht. Er hat eine feste Verbindung zu seiner Kollegin Susanne Kleiber. Über diese Verbindung wissen wir nichts. Aber die Freundin der Kleiber, die Marianne Rebeisen, ist in Köln eine berufsmäßige Nutte. Und die kriegt ein Kind von eben diesem Monning. Es sieht so aus, als hätten wir es mit einem Monster zu tun.«

»Wir gehen jetzt nach Niederehe Forellen essen«, bestimmte ich. »Und du wirst mir erzählen, wie dein Leben in Hamburg aussieht, und wen du haßt und wen du liebst, und welche Kollegin dir auf die Nerven geht und welcher Macho dir in den Hintern kneift und dergleichen Sachen mehr.«

Wir aßen Forellen und unterhielten uns anderthalb Stunden darüber, ob Monning ein Schwein gewesen sei oder ein Heiliger oder beides oder nichts von allem. Dann kamen wir auf die Idee, daß Puffs besonders abends gut verdienen, und daß dieser Abend eben erst angefangen habe. Also fuhren wir nach Köln.

Das Wetter über der Kölner Bucht war wie üblich stickig, die Luft enorm wasser- und dreckgeschwängert. Die Bruderstraße ist eine langweilige Straße, das Haus Nummer 23 ist das langweiligste von allen. Wir blieben eine Weile davor stehen und beobachteten, wie Männer vorbeischlenderten, sich kurz und intensiv mit Habichtsaugen umsahen und dann mit einem Satz im Haus verschwanden, als biete es Rettung vor einer gefräßigen Welt.

Der Besitzer, Verwalter und Puffvater war nicht da, aber eine ältere, ausgemergelte Frau, die den Fußboden im Erdgeschoß schrubbte, schickte uns zu Tania. Tania arbeite im ersten Stock, und wenn sie gerade keine Freier habe, dann könne sie uns bestimmt Auskunft geben, denn Tania sei die beste von allen und wisse schlichtweg alles.

Wir warteten eine Weile mit anderen Männern, die auf Tania oder andere warteten, und ich bemerkte mit Unruhe, wie die meisten von ihnen Elsa mit schnellen erfahrenen Blicken abschätzten. Ich ärgerte mich, daß ich nicht lauthals verkünden konnte, wir seien eigentlich hier, um den Grund für ein Massaker in der Eifel aufzudecken.

Endlich war Tania frei, und als ich mit Elsa im Schlepptau zu ihr ins Zimmer ging, das so heimelig wirkte wie eine Bahnhofsmission, sagte sie schnell und rauh und endgültig: »Tut mir leid, für ein Trio mit Ehefrau bin ich nicht zuständig. Das macht Mady im dritten Stock. Und Mady ist wirklich Klasse.«

Elsa machte die Tür sehr energisch hinter sich zu und fragte: »Junge Frau, was kriegste denn für eine klasse Nummer?«

»Na ja.« Sie war rothaarig und hatte ein großporiges Gesicht unter einer hennaroten Mähne. Sie trug ein schwarzes Kleidchen, das kaum ihren Hintern bedeckte. Ihre Augen waren kalt und gut. »Das kommt eben drauf an. Von fuffzig bis hundert.«

»Baumeister, wir mieten drei Luxusnummern. Gib ihr dreihundert.«

»Ich brauche aber eine Quittung«, sagte ich.

»Kannste haben. Was soll ich schreiben? Ihr wollt doch bloß reden, oder?«

»Schreib Getränke«, sagte ich.

»Die Mama macht doch alles«, sagte sie und sah mich

an, als wolle sie fragen, was ich koste. »Also, erst die Piepen her, dann kommt die Quittung. Und dann sagt Ihr mal, was wirklich Sache ist. Presse, häh?«

»Presse«, bestätigte Elsa. »Wieviel Zeit haben wir jetzt?«

»Fuffzehn Minuten, aber ich gebe fünf drauf. Dann wird wieder gelöhnt.«

»Es geht um Marianne Rebeisen«, sagte ich und wollte mich auf einen Sessel setzen. Aber ich war unsicher, und Tania kicherte und sagte: »Hier ist alles sauber, Junge. Kein Aids. Willste meinen Schein sehen? Also die Mari, gut. Was ist eigentlich mit der? Daß sie einfach abhaut, paßt eigentlich nicht zu der.«

»Wir suchen sie«, sagte ich schnell. »Deswegen sind wir hier. Es geht nicht darum, daß sie was ausgefressen hat, sondern darum, daß ihr jemand was schuldet und es nicht los wird, solange wir sie nicht auftreiben.«

»Der Alte hat mir gesagt, daß irgendwelche Leute von den Geheimbullen da waren und nach ihr gefragt haben. Aber gesagt haben die auch nichts, bloß ihre Wohnung oben durchsucht. Also sagen wir mal, die Mari ist ein Profi. So was merkt man ja. Nicht so hippelig wie die Hausfrauen, die sich mal was dazuverdienen wollen. Sie hat auch Abitur, das weiß ich, das hat sie mir mal gesagt. Aber viele, die anschaffen gehen, haben Abitur. Sie hat oben eine kleine Zwei-Zimmer-Wohnung neben mir. Sie hat dieselben Freunde wie ich, also Bimbo, Köln-Josef, Koks-Frenzi, Dom-Bomber und alles diese Macker. Sie hat aber keinen festen Draufgänger, das wüßte ich.«

»Wie ist sie denn so?« fragte Elsa.

»Nett. Sie ist ein wirklich starker Typ. Und soweit sie mal gesagt hat, hat sie auch keine Verwandten. Jedenfalls keine, mit denen sie was zu tun haben will.« Sie lachte. »Wer will schon was mit Verwandten zu tun haben?«

»Ist sie hier auf irgend etwas spezialisiert?«

»Nein. Nur Standards, aber die gut. Hin und wieder auch mal 'ne Gruppe, wenn zu viele Kunden da sind. Aber sie ist in Ordnung.«

Elsa seufzte. »Sie muß aber doch privaten Besuch gehabt haben. Ganz ohne geht doch nicht.«

»Nein, hatte sie nicht. Viele von uns sind im Privatleben ziemlich allein.«

»Aber sie muß doch einen Lui gehabt haben, einen Beschützer, einen der abkassierte.«

»Hat sie auch. Das ist unser Chef. Der hat nur Prozente kassiert, glatt und kalt und nix sonst. Ja, und ehe ich es vergesse: Gespart hat sie, wie wild gespart.«

»Was kann man denn in diesem Beruf pro Monat sparen?« fragte ich.

»Wenn du nix am Kopp hast mit Saufen und anderen Sachen, dann können da locker drei bis vier Mille aufs Sparbuch gehen.«

Ich stopfte mir die *Orly* von Butz-Choquin. »Wenn ich das richtig kapiere, kann man im Jahr vierzigtausend auf die Seite schaffen.«

»Das ist richtig. Es gibt welche, die schaffen auch mehr. Aber dann kommt irgendwann ein Macker, und der fährt plötzlich einen Prachtwagen, und du bist pleite. Na ja, die Mari war so eine, die sagte: Ich schaffe an und spare, und dann habe ich alles und mach Schluß. Ja, ja und ein Kind wollte sie. Wir haben so gelacht, als die das erzählte. Damals sagte sie nämlich: Ich will ein Kind, aber nicht mit einem Kerl zusammen. Sie war schon ein Schätzchen, die Mari. Hat sie denn Zaster zu erwarten?«

»Vielleicht können wir ein Suchfoto veröffentlichen«, sagte ich. »Aber du hast wahrscheinlich keins, oder?«

»Na sicher habe ich eines«, sagte sie. »Wenn die Makker da sind und Mari ist dabei, dann wird auch schon mal fotografiert. Was bringt das?«

»Eine Nummer«, seufzte ich und legte einen Hundertmarkschein auf den Tisch. »Aber nicht ohne Quittung.«

»Für Getränke?« Sie lachte schallend und ging hinaus, um das Foto zu holen.

»Mir will das alles nicht in den Kopf«, sagte Elsa. »Sie würde doch etwas sagen, wenn sie etwas weiß.«

»Vielleicht weiß sie etwas, wenn wir richtig fragen.«

Tania kam zurück und gab mir ein Foto, sechs mal neun, schwarz-weiß. Marianne Rebeisen war auf den ersten Blick ein unscheinbares Blondchen. Auf den zweiten Blick kurzes, blondes Haar, ein gelangweiltes Gesicht ohne erkennbare Besonderheiten. Wenn man es allerdings länger betrachtete, hatte man den Wunsch, mit ihr zu sprechen, sie kennenzulernen, einfach zu fragen: Wer sind Sie eigentlich? Das Kinn war ausgeprägt, die Nase klein und gerade, dazwischen ein empfindsamer Mund, dessen Winkel leicht herabhingen. Die Augen waren groß und dunkel und sagten nichts.

»Ist die denn nie in Urlaub gefahren?« fragte ich.

»Nicht daß ich wüßte«, sagte Tania. »Kann sein, daß sie im Urlaub war, wenn ich im Winter in Mallorca Rentner abgestaubt habe. Aber das hätte sie mir gesagt.«

Elsa steckte das Foto in ihre Handtasche und murmelte: »Ich verstehe das nicht, Baumeister. Sie muß doch irgendwelche Anbindungen gehabt haben. Jeder Mensch hat Anbindungen an Menschen. Wie hat sie gearbeitet?«

»Montag bis Freitag Doppelschicht, etwas mehr als die Gewerkschaft erlaubt. Samstag, Sonntag Pause.«

»Was war samstags, sonntags? Ging sie nie aus?«

Tania überlegte und wollte es genau machen. »Sie gehörte irgendwie nicht zu unserer Clique, und sie war auch nicht der Typ, der ausgeht. Ich meine, mal ins Kino oder mal Kolleginnen besuchen oder mal Massage oder Friseur oder mal essen beim Griechen und so. Jetzt, wo ihr fragt, fällt mir das besonders auf. Freitagnachmittags verschwand sie und kam Montagmorgens wieder. Jedes Wochenende, obwohl am Wochenende wegen des stillen Ficks, wie ich das nenne, manchmal der große Reibach ist. Wir haben sie aufgezogen, wir haben gesagt, sie hätte irgendwo einen Macker. Sie lachte nur. Einmal hat sie mir gesagt, sie ging in der Eifel wandern.«

»Da lachen wir aber gar nicht«, sagte ich. »Und das war an jedem Wochenende?«

188

»Ja.«

»Und du hast keine Ahnung, wo sie war, ich meine, wo in der Eifel? Und wen sie traf?«

»Null Ahnung. Die zwanzig Minuten sind übrigens um also entweder oder.« Sie grinste sehr sympathisch.

Elsa sagte hastig: »Das reicht, das reicht.«

»Noch eine Nummer«, bestimmte ich. »Wie kam sie in die Eifel? Bundesbahn, Bus, Auto?«

»Weiß ich nicht, weiß ich wirklich nicht. Ein Auto hat sie nicht, das ist jedenfalls sicher. Sie packte so eine große pinkfarbene Reisetasche und huschte aus dem Haus. Sie ging immer rechts runter, dann links rein in die Merowinger Straße, dann war sie weg. Das habe ich x-mal aus dem Fenster gesehen. Also, wenn ich abgeholt werden sollte, würde ich an der Ampel an der Volksgartenstraße zusteigen.«

»Seit wann arbeitete sie hier im Haus?« fragte Elsa.

»Seit drei Jahren. Das weiß ich genau, weil ich ein Jahr hier war, als sie kam.«

Elsa starrte aus dem Fenster. »Und woher kam sie?«

»Tja, woher kam sie?« Sie griff unter ihr Röckchen und schob sich den Slip zurecht, der nicht mehr Volumen hatte als ein Bindfaden. »Irgendwoher vom Land – aus der Provinz sozusagen. Warte mal, ich hab's. Sie sagte, sie hätte viel mit Amis zu tun gehabt. Aus Bitburg.«

»Paß auf«, sagte ich, »ich will mir nicht den Vorwurf machen, dich beschissen zu haben. Wir haben dich belogen. Die Mari ist tot, sie wurde erschossen. In der Eifel.«

»Scheiße!« sagte sie mit grotesk schrägem Mund. »Ich hab sowas geahnt.« Sie sah uns an und setzte schnell hinzu: »Nicht, daß ich was gewußt hätte, so meine ich das nicht. Warum habt ihr mir das nicht gleich gesagt?« Da war ein sanfter Vorwurf.

»Wenn jemand hört, die ist tot, denkt er darüber nach und kann nicht mehr antworten«, sagte ich. »Kannst du dir vorstellen, daß die Mari zu irgendeinem Geheimdienst gehörte?«

»Wenn ich das so überlege, muß ich sagen, daß ich mir das gut vorstellen kann. Schon deswegen, weil wir ja alle nichts von ihr gewußt haben. Sieh mal, ich weiß alles von den anderen und nix von Mari. Und das ist doch komisch, oder? Und wenn gesoffen wurde, soff sie nicht mit. Und wenn wir mal ein bißchen Koks probiert haben, dann ohne sie. Und wenn wir mit den Mackern Quatsch machten, ging sie rüber in ihre Wohnung. Ja, Geheimdienst kann ich mir vorstellen.«

»Kann ich mir die Wohnung von ihr ansehen?« fragte Elsa. »Nur mal so.«

»Sicher«, murmelte Tania und verlangte keine Nummer dafür. »Der Alte hat mir den Zweitschlüssel gegeben, weil es sein konnte, daß Mari ihren Schlüssel verloren hat. Nun taucht sie wohl nicht mehr auf. Kann ich das Grab sehen?«

Elsa nahm den Schlüssel. »Welche Wohnung ist es?« Tania beschrieb es ihr, und Elsa ging hinaus.

»Mari hat kein Grab«, sagte ich. »Sie ist noch in der Anatomie in Bonn. Sie hat ja wohl keine Verwandten.«

»Doch, doch«, murmelte Tania. »Sie hat ja ein bißchen uns. Ich mach ihr eine Beerdigung. Da kommen alle Loddel und alle aus dem Betrieb und die Taxifahrer und die Masseusen von nebenan und andere aus der Südstadt. Sie soll eine Beerdigung haben. Kannst du mir helfen, daß wir ihre ... also, daß wir sie kriegen? Und wie ist das passiert?«

»Wir wissen es eben nicht. Drei Leute wurden erschossen. Außer ihr ein Bundeswehrleutnant und eine Serviererin. Wir wissen nicht, was Mari mit denen zu tun hatte. Alle drei wurden mit einer Schrotflinte umgelegt. Einfach so. Und wir haben durch Zufall davon erfahren und wissen eigentlich noch wenig.«

»Vielleicht waren das die Leute, mit denen sie in der Eifel gewandert ist?«

»Das kann sein. Aber ein bißchen mehr als wandern wird gewesen sein. Was für Kundschaft hatte sie denn?«

»Normale, würde ich sagen. Aber die Kundschaft ist heilig. Wir wissen manchmal, wie die mit Vornamen heißen, aber mehr wissen wir nicht.«

»Was würde es kosten, wenn du versuchst, herauszufinden, was das für Kunden sind?«

»Einen satten Tausender«, sagte sie schnell. »Ich übernehme Maris Kundschaft und versuche es.«

»Tausend sind mir zuviel, sagen wir achthundert.«

»Gut. Achthundert. Bar und jetzt.«

»Vierhundert jetzt, den Rest, wenn du rüberkommst mit den Informationen.«

»Sechshundert jetzt, den Rest, wenn ich dich anrufe.«

»In Ordnung. Hier ist meine Telefonnummer in der Eifel. Und beeil dich.«

»Hör mal, ich glaube, du hast das nicht mitgekriegt. Ich will, daß wir die Mari kriegen, damit sie eine Beerdigung hat.«

»Ich glaube, du mußt einen Antrag bei der Staatsanwaltschaft stellen.«

»Mach du das für mich«, sage sie, und ich sagte ja, weil sie anfing zu weinen.

Es gibt Fragen, die bei Frauen so erheblich sind, daß man sie erst dann stellt, wenn man einen Rauswurf riskieren kann, wenn man das Wichtigste schon weiß.

»Hör zu«, sagte ich. »Du hast selbst gesagt, daß die Mari gesagt hat, sie will irgendwann ein Kind. Tania, Mari war schwanger.«

Sie stand da, und ruckartig hörte das leise Weinen auf. Sie schniefte zweimal. Die Tränen hatten die schwarze, tintige Umrandung der Augen aufgelöst und in scharfen Strichen links und rechts auf die Mundwinkel zufließen lassen. »Nein«, sagte sie grell und ihr Clownsmund wurde gröBer. »Mach keinen Quatsch, verscheißer mich nicht. Sie war schwanger?«

»Ja. Im zweiten Monat. Hast du eine Ahnung, von wem?«

»Keine Ahnung.«

»Sie hat keinen Ton gesagt?«

»Nein. Aber warte mal, sie hat in der letzten Zeit davon geredet, daß sie fertig ist mit diesem Beruf und bald aufhört. Weißt du denn, wer der Vater ist? Sie hat es doch so sehr gewollt.«

»Ich weiß es nicht.«

Ich ging hinunter auf die Straße, setzte mich in den Wagen und hörte ein Band mit Haydn-Quartetten. Der Fall sah trostlos aus.

Nach einer Weile kam Elsa, setzte sich neben mich und sagte: »Laß uns fahren, das ist eine schäbige Welt. Irgendwer hat die Wohnung auf den Kopf gestellt. Das sieht grauenhaft aus. Sie hatte viele Plüschtiere, unheimlich viele Plüschtiere, einen ganzen Zoo.«

»Und sonst?«

»Nichts. Billigste Einheitsmöbel. Aber sechs Kugelschreiber und zwei Füllfederhalter. Keine Unterlagen, nichts. Nur die Plüschtiere. Wie wenig doch von einem Menschen bleibt.«

»Kleidung?«

»Normal. Nichts Besonderes. Eher bieder. Jeans und Blusen. Lieber Himmel, wir werden nie herausfinden, was da gelaufen ist.«

Ich sagte nichts darauf, weil ich dasselbe Gefühl hatte, weil ich enttäuscht und wütend war.

»Sie kam also aus Bitburg, sie kam daher, wo auch Lorenz Monning und die Susanne Kleiber herkamen. Sag mal, Baumeister, ist das nicht ein perfektes Spionage-Trio?«

»Perfekt ist das richtige Wort. Monning und die Kleiber arbeiten im Auftrag des MAD draußen an den Depots. Wenn sie bereit waren, und alles sieht so aus, etwas über die Lage der Depots und ihren Inhalt zu verraten, dann ist ein potentieller Feind in der Lage, allen Nachschub im Fall des Krieges abzuschneiden und zu zerstören. Sie liefern ... du lieber Himmel, ich bin kein Spion, aber es ist ja kinderleicht ... sie liefern ihre Erkenntnisse

192

weiter an die Marianne Rebeisen. Die wird von irgendeinem Kunden besucht, dem sie das Material übergibt oder nur einfach weiter berichtet. Genau das hat Messner entdeckt, genau das hat er recherchiert, das ist der Spionagefall. Und die Leute in der DDR oder beim KGB haben begriffen, was da lief. Sie schickten den Lastwagenfahrer aus Dresden, und der räumte auf.«

»Aber der Schäfer Meier hat ihn nicht halten sehen. Er sagte, der LKW-Fahrer fuhr vorbei, er stoppte nicht.«

»Das ist die Frage, über die ich nachgedacht habe. Der Fahrer hat sehr leicht hinter der nächsten Kurve halten und zurücklaufen können. Vollkommen ohne Risiko. Ich will wissen, wie die Rebeisen an jedem Wochende in die Eifel kam.«

»Marita Heims«, sagte Elsa schnell.

»Wir versuchen es«, entschied ich.

»Ich möchte jetzt ins Kino«, sagte sie träumerisch. »Oder *Chick Corea* hören, oder die *Westside-Story* mit Bernstein. Erlebst du das oft bei Geschichten? Ich meine, daß man total den Mut verliert?«

»Das kommt vor.«

Wir fuhren in den Nachthimmel über der Eifel, unterhielten uns kaum. Nur einmal sagte sie: »Es muß doch, verdammt noch mal, den Menschen geben, der alles weiß.«

»Sicher, den Menschen gibt es. Er hieß Monning, oder Kleiber oder Rebeisen.«

»Ob Messner mehr weiß?«

»Gewiß, aber er wird nichts sagen. Wo liegt Marita eigentlich?«

»Zweiter Stock privat. Chirurgie Frauen. Das kannst du aber doch telefonisch machen.«

»Sie werden ihre Leitung überwachen.«

»Eigentlich mache ich doch lieber Modethemen«, murmelte sie.

Dann lachten wir, und es war wie eine kleine Befreiung. Die Klinik in Blankenheim lag am Hang und sah wie eine uneinnehmbare Festung aus. Ich rief aus einer Telefonzelle an und verlangte die Nachtschwester der Station. Ich sagte: »Ich bin ein alter Freund von Frau Heims. Ich weiß, sie darf keinen Besuch haben, ich weiß auch, daß sich da einer wichtig tut, der sie bewacht. Kann man denn eine Minute zu ihr?«

Die Schwester lachte und sagte: »Da müssen Sie aber durch die Küche kommen. Und nicht lange. Der Zerberus, der sie bewacht, kriegt gerade sein Essen im Schwesternzimmer.«

»Sie sind nicht ein Engel, sondern eine Engelschar.« Ich ging also durch den Eingang, über dem ›Lieferanten‹ stand, und stieg ein trostloses Treppenhaus empor. Hinter einer Schwingtür lief ich einer drallen Krankenschwester in die Arme, die flüsterte: »Drittes Zimmer links. Und in zwei Minuten sind Sie wieder draußen. O.k.?«

Marita sah sehr gut und sehr gesund aus. Verbände sah ich nicht. Sie sagte erfreut: »Das ist aber eine Überraschung. Haben Sie schon gehört, daß irgendwer mein Auto geklaut hat?«

»Ich habe es schon wieder zurückgebracht.«

Sie kicherte und griff automatisch nach einem kleinen Spiegel, um sich zu schminken. »Das dachte ich mir. Ich habe gebremst und es funktionierte nicht. Der Bulle vor meiner Tür ist wohl bestechlich?«

»Der Bulle ist wohl MAD und weiß von nichts. Wir haben keine Zeit, also konzentrieren Sie sich. Wir wissen jetzt, daß Lorenz Monning erst in Bitburg stationiert war. Dort war auch Susanne Kleiber. Wir haben erfahren, daß die Marianne Rebeisen ebenfalls in Bitburg gewesen ist. Monning und Kleiber kamen dann nach Münstereifel. War die Rebeisen auch in Münstereifel?«

»Nein. Die war in Köln. Aber Münstereifel dauerte ja nur ein paar Monate. Dann kamen die nach Hohbach.«

»Zweite Frage: Marianne Rebeisen war eine Freundin der Susanne Kleiber und kam jedes Wochenende nach Hohbach. Wissen Sie, auf welchem Weg?«

»Aber ja. Lorenz hat erwähnt, daß Susanne, also Frau Kleiber, die Marianne immer Freitagabend abholte. Und einmal waren wir in Köln und haben sie sogar mitgenommen zum Depot.«

»Wissen Sie, daß Marianne Rebeisen im zweiten Monat schwanger war? Und haben Sie eine Ahnung, wer der Vater sein könnte?«

»Das weiß ich nicht, keine Ahnung, wirklich nicht.«

»Wissen Sie, daß Marianne Rebeisen und die Susanne Kleiber hier in der Gegend für sich eine Kneipe, eine alte Mühle gekauft haben?«

»Lorenz hat das erwähnt, er war ja mit Susanne Kleiber befreundet. Ja, das weiß ich.«

»Marita«, sagte ich, »dann müßten Sie eigentlich auch wissen, daß die Susanne Kleiber beim MAD gekündigt hat, weil sie am Jahresende die Kneipe zusammen mit Marianne Rebeisen machen wollte.«

»Ja, das wußte ich.«

»Warum haben Sie das nicht gesagt?«

Sie zog den Kopf zwischen die Schultern. »Ich habe einfach nur an Lorenz gedacht. Das ist doch alles nicht wichtig, dieses Gerede über die anderen.«

»Das verstehe ich nicht. Nächste Frage: Sie haben erwähnt, Lorenz würde Ihnen das schönste Geschenk Ihres Lebens machen, wenn er bei der Bundeswehr kündigt.«

»Ja.«

Alter Mann, dachte ich, gib mir Erfolg bei diesem Gelüge, gib mir einen guten Bluff. Draußen ging einer über den Gang, und jemand rief: »Hallo, Schwester.«

»Marita. Sie wollen doch, daß wir den Fall aufklären. oder? Warum haben Sie mir denn nicht gesagt, daß Lorenz auch zum Jahresende gekündigt hat?«

Sie sah mich sehr starr an., schloß die Augen und begann zu weinen. »Das sollte doch geheim bleiben. Er wollte doch nicht, daß ich darüber spreche.«

»Und warum das Gerede von der beruflichen Beförderung vom Lorenz?«

»Die Leute sollten es nicht wissen. Ja, er hat zum Jahresende gekündigt.«

»Wann war das genau?«

»Das ist ein paar Wochen her.«

»Die letzte Frage: Sie liebten Lorenz Monning. Sie wollten ihn heiraten. Was wollte er beruflich machen?«

Sie schluchzte und lachte und konnte sich für keines entscheiden. »Wir wollten eine Kneipe und ein kleines Hotel machen. Wir haben in der Walsdorfer Gegend einen alten Bahnhof gekauft. Wir wollten im kommenden Frühjahr umbauen und anfangen.«

»Eine Kneipe und ein Hotel für Susanne und Marianne und eines für Lorenz und Marita. Erstens: Wie wurde das alles finanziert? Zweitens: Was hielt denn der Lorenz von der Friedensbewegung?«

»Wir haben alles aus Ersparnissen finanziert, die Susanne und Marianne auch. Wir wollten keine Kredite – wir verdienten ja alle gut. Von der Friedensbewegung hielt Lorenz viel. Sehr viel, möchte ich mal sagen. Er hat sie in Köln und in Bonn und in der Eifel kennengelernt. Er sagte immer, sie hätte ihm seine Angst vor dem Ostblock gründlich genommen. Er hatte manchmal Zoff mit Messner, weil der immer auf den bösen Russen rumritt und auf der Gefahr aus dem Osten. Lorenz sagte, die Russen hätten viel weniger Interesse an einem Krieg als alle im Westen zusammen.«

»Sah er denn eine Möglichkeit, diese Gefahr irgendwie einzudämmen?«

»Na sicher. Abrüstung und so. Er sagte, wenn die Großmächte alles Wissen über Waffen austauschten, die Waffen wegschafften, dann könne keiner mehr Krieg machen.«

»Machen Sie es gut, ich muß gehen. Wir sehen uns wieder.« Ich rannte den Flur entlang und erreichte das trostlose Treppenhaus, ohne daß jemand mich sah.

»Lorenz und Kleiber haben gekündigt, sie wollten die Bundeswehr verlassen, sie wollten Hotelier spielen.

Monning mochte die Friedensbewegung, und es sieht so aus, als hätten wir einen klassischen Fall von Spionage. Es paßt, es paßt alles.«

»Hat Marita eine Ahnung?«

»Keine. Und sie soll auch vorläufig keine haben.« Ich berichtete genau, was Marita gesagt hatte.

»Das ist eigentlich eine sehr kleinliche Geschichte«, sagte Elsa mutlos. »Kleine Leute überwältigt die Idee des Friedens, sie verraten alles und jeden und werden getötet. Einfach so.«

»Es ist einleuchtend«, murmelte ich. »Es ist alles viel zu einleuchtend. Laß uns fahren.«

Wir fuhren auf den Hof, Krümel schwatzte um uns herum und wollte uns erzählen, wie der Tag war und was an Aufregung sie bewältigen mußte, aber wir hörten nicht zu. Ich ging unter die Dusche und legte mich auf die Matratze.

»Ich möchte mit dir schlafen«, sagte sie leise.

»Und ich mit dir«, sagte ich.

Krümel konnte sich später nicht entschließen, auf welchem Bauch sie schlafen wollte. Sie huschte und nörgelte zwischen uns her und maunzte zuweilen so laut, als sei das Leben grundsätzlich nicht zu ertragen.

Um sechs Uhr trafen wir uns vor dem Badezimmer.

»Wir müssen es irgendwie zu Ende bringen«, sagte ich.

»Ja«, sagte sie. »Laß uns auf den Bauernhof der Monnings fahren. Vielleicht fällt uns beim Anblick einer Münsterländer Kuh ein, was wir bisher übersehen haben. »Glaubst du, daß wir an den Brummifahrer aus Dresden herankommen?« fragte sie.

»Ich weiß es nicht, ich glaube es nicht. Welcher Mörder gibt ein Interview?«

»Ob Messner etwas sagt?«

»Kein Wort. Er genießt die Macht des Wissens, er wird befördert, er wird für das Vaterland schweigen.«

»Du sagst so kluge Sachen«, murmelte sie.

# ELFTES KAPITEL

Udo Lindenberg sang, es ginge hinter dem Horizont weiter. Ein paar Zeilen des Textes hatte er wohl aus dem Mülleimer geholt. Krümel kam gerannt und schubberte sich an meinen Beinen. Natürlich ahnte sie, daß wir fahren würden, aber sie wußte nicht, ob ich sie mitnahm. »Es geht nicht«, sagte ich. Und dann nur scharf: »Nein!« Das verstand sie, trollte sich und ging in eine dunkle Ecke, um zu trauern. Ich hatte mir das so zurechtgelegt, viel wahrscheinlicher war, daß sie sich mit einer Horde wüster Bauernkater verabreden würde, um oben auf den Hügel Spitzmäuse zu jagen.

Elsa trödelte herum und konnte sich nicht entschließen, ob Hosen oder Kleid.

»Ich nehme das weiße Kleid und Pumps. Werden wir übernachten?«

»Man sagt, Münsterländer Bauern seien stur. Nimm also die Zahnbürste mit.«

»Wir können nicht sagen, wer wir sind und was wir schon wissen. Wie wollen wir vorgehen?«

»Ich bin gegen Tricks und gegen Türken. Ganz ohne geht es aber nicht. Schau: Ein weißes Kleid und blaue Schuhe und blauer Gürtel, das ist doch gut.«

»Aber dann brauche ich ein blaues Hemd drüber, ein Männerhemd.«

»Es fängt immer sehr harmlos an. Im Schrank sind blaue Hemden.«

»Findest du meine Brüste noch in Ordnung?«

»Ja, sehr. Jedenfalls sind sie makellos gegenüber meinem Bauch.«

»Was ist mit der Naht über dem Auge und hinter dem Ohr?«

»Es pocht, aber es schmückt mich. So in der Richtung schwer angeschlagener, aber standhafter Held.«

»Trotzdem siehst du aus wie ein Strauß Feldblumen.«

Wir fuhren schnell, auf dem ersten Autobahnstück aus der Eifel nach Köln rauschte ich mit einhundertsechzig zu Tal, an Köln vorbei und wurde aufgehalten, wo alle immer aufgehalten werden. Die A1 zwischen Köln und Dortmund scheint vernagelt, ist immer im Bau, immer kaputt, feiert Triumphe bei der Staubildung und läßt Straßenbauer in einem miesen Licht erscheinen. *Chet Atkins* dröhnte auf WDR II ›Like a Crystal in the Night‹. Eine klare gute Gitarre, nicht verschwommen durch elektronische Schleifereien.

Jemand referierte über Glücksreisen, was immer das sein mag, und Elsa fragte: »Können wir nicht zusammen in Urlaub fahren, wenn wir die Geschichte hinter uns haben?«

»Bitte, nein«, sagte ich erschreckt.

Sie war ein bißchen beleidigt, und ich setzte schnell hinzu: »Erst die Geschichte, dann sehen wir weiter.«

»Du bleibst also der Alleinunterhalter?«

»Das ist zu befürchten«, sagte ich. »Ich bin nämlich der einzige, dem ich traue.«

»Du tust mir manchmal ganz schön weh.«

»Das ändert nichts an den Tatsachen.«

Erst weit hinter Dortmund war die Strecke frei, und ich konnte mich wieder beeilen. Wir erreichten Kalkdorf gegen zehn Uhr. Es war ein sehr ordentliches, schmuckes Dorf, die Kneipe hieß ›Zur Linde‹ und hatte ein Schild in den Butzenscheiben hängen: Schinkenbutterbrote. Es war alles so sauber, daß man die Schinkenbutterbrote vom Gehsteig essen konnte. »Zweites Frühstück«, sagte ich. »Sei nett zu mir, wir sind irgendwie verwandt.«

»Du trickst.«

»Uns bleibt nichts anderes«, sagte ich.

Irgend jemand im Radio dröhnte die zweihundertste Version von ›King of the Road‹, ich drehte ab. »Zurückhaltung und sanfte, aber wilde Trauer ist angesagt«, sagte ich.

»Scheiße«, sagte sie.

Die Kneipe war urgemütlich, wenn man das Bemühen bedenkt, sie so aussehen zu lassen, als lebten wir knapp nach dem Dreißigjährigen Krieg. Niemand war zu sehen, wir waren die einzigen lebenden Wesen.

»Ein Tisch nahe an der Theke«, flüsterte ich.

Die Wirtin erschien, wünschte ungeheuer forsch: »Schönen Tach auch«, und fragte: »Soll's was Alkoholisches sein?«

»Nein danke«, sagte Elsa. »Wir möchten gern frühstücken, geht das?«

»Würstchen, Eier auf Speck, ein bißchen Mettwurst, Marmelade selbstgemacht, Brötchen?« haspelte sie herunter. Sie war blond und unnötig dick und scheinbar ganz und gar von dem Gedanken beseelt, die Menschen seien eigentlich gut. Sie strahlte unentwegt.

»Ein bißchen von allem«, sagte ich. »Können Sie uns sagen, wo der Friedhof ist?«

»Aber es ist doch gar keine Beerdigung heute«, sagte sie irritiert.

»Das ist es nicht«, sagte ich und trat Elsa leicht auf den Fuß.

»Mein Mann besucht das Grab eines Kameraden«, plauderte Elsa. »Lorenz Monning, wissen Sie. Zur Beerdigung konnten wir nicht kommen.«

Das Lachen glitt von ihrem Gesicht wie ein Wassertropfen. »Der Lorenz«, sagte sie langsam. »So ein guter Kerl, und dann der Unfall.«

»Es trifft immer die Besten«, sagte ich.

»Ich zeige Ihnen den Friedhof«, sagte sie. Dann war sie wieder um Munterkeit bemüht: »Aber erst mal gibt es Frühstück.«

Wir waren unserer Rolle gemäß sehr schweigsam, während sie mit Bienenemsigkeit den Tisch deckte und uns eine kleine Vase mit Blumen hinstellte.

»Der alte Monning ist völlig von der Rolle«, sagte sie. »Und Lorenz' Frau, die Gabriele, mußte sogar zu einem

Nervenarzt, damit sie nicht durchdreht, sagen die Leute. Kennen Sie die Gaby?«

Ich schüttelte den Kopf und Elsa sagte: »Nein.«

»Lorenz wollte ja aufhören beim Bund«, sagte sie. »Der wollte zurück zur Frau und den Kindern und die Höfe machen. Gaby hat mir gesagt, er wollte sich auf Kälbermast spezialisieren. Da ist ja noch was zu holen. Es war ja auch die Rede davon, daß er eine Großschlächterei aufmacht. So Wurst aus dem Münsterland. Und nächstes Jahr sollte er Schützenkönig sein.« Sie arrangierte die Butter, die Milch, das Salz, den Pfeffer. »So nette Kinder, so eine nette Frau. Den alten Monning hat das geschmissen. Na ja, was Wunder.« Dann ruckte sie hoch und schrie durchdringend: »Oma, mach mal ein bißchen schneller, die Leute verhungern mir ja.« Dann vertraulich: »In der Küche herrscht unsere Oma. Bleiben Sie länger?«

»Wir hätten gern ein Zimmer«, sagte ich. »Ich weiß noch nicht, wie lange wir bleiben.«

»Ein Zimmer, jawoll. Ich gebe Ihnen eins nach hinten raus, weil heute abend der Gesangverein im Saal ist, und da ist es etwas laut.«

Das Frühstück war gut, die Wirtin rührend besorgt, wir fühlten uns unbehaglich.

»Waren Sie also ein Kollege vom Lorenz?«

»Ja. Eine andere Einheit, aber ich kannte ihn. Panzergrenadiere.« Das war das Einzige, was ich locker dahinsagen konnte.

»Ach so«, sagte sie. »Lorenz war ja auch Ehrenmitglied im Kriegerverein. Es war eine schöne Beerdigung, obwohl die Familie ihn ja nicht mehr ansehen konnte. Muß ja ein furchtbarer Unfall gewesen sein.«

»Furchtbar«, sagte ich.

»Aber gelitten hat er nicht«, sagte Elsa.

»Wollen Sie noch Kaffee?«

Wir wollten keinen mehr, rauchten in Ruhe und warteten auf das Stichwort.

Endlich sagte sie: »Sie gehen also die Dorfstraße runter bis zur Volksbank. Dann links, und dann sehen Sie den Friedhof schon liegen. Lorenz' Grab ist im Familiengrab von Monnings, das größte und erste linker Hand. So ein trauriger Fall.«

Als ich die Tür hinter uns schloß, sah ich sie den Telefonhörer abnehmen.

»Ich finde« diese Art der Recherche nicht gut«, sagte Elsa.

Wir gingen ordentlich untergehakt durch die Sonne, und die Leute, die uns begegneten, grüßten freundlich. Der Friedhof war zweigeteilt in einen sehr alten und einen sehr neuen Teil. Das Familiengrab der Monnings war so groß wie eine Vierzimmerwohnung und besetzt mit Findlingen, auf denen ohne kirchliche Sprüche die Namen der Toten, ihre Geburtstage und Sterbedaten in einfachen Bronzelettern eingelassen waren. Unwillkürlich dachte ich an ein Hünengrab, heidnische Rituale.

»Das ist der Adel dieser Gegend«, sagte Elsa. »Die großen Bauern sind schweigsam, gottesfürchtig, sauflüstern und geil.«

»Heh, das ist ja ein gewaltiger Spruch.«

»Na ja, ich weiß, wovon ich rede. Ich hatte mal einen Freund, der von einem der großen Höfe hier stammte. Zuletzt ging es ihm so schlecht, daß er sich pro Tag nur einen grünen Hering erlauben konnte. Aber den servierte er sich bei Kerzenlicht auf einem alten Silbertablett.«

Eine Frau auf einem Fahrrad fuhr zwischen den Gräbern durch und sah uns mit hochgerecktem Hals sehr intensiv zu, wie wir da in der Sonne standen, fuhr dann gegen einen Begrenzungsstein und fiel unendlich langsam um.

Elsa kicherte grell, und ich sagte schnell: »Reiß dich zusammen, lach in der Eifel.«

»Es ist aber so grotesk«, murmelte sie.

Wir blieben eine halbe Stunde, dann gingen wir zurück, und die Art der Leute auf den Dorfstraßen hatte sich kaum merklich verändert. Sie grüßten herzlicher, uns verbunden. Sie wußten alle, weswegen wir gekommen waren, sie verstanden es alle, und sie fanden es gut. Wir ließen uns das Zimmer geben, und ich sagte kein Wort, während Elsa munter plapperte und der Wirtin Komplimente der Art machte, daß sie das Dorf toll fand und das Frühstück toll und den Friedhof toll und die Landschaft toll.

»Du übertreibst etwas«, sagte ich.

»Laß mich und versink in deiner Trauer.«

»Lach mich nicht aus, aber ich glaube, ich hätte diesen Lorenz Monning gern gekannt.«

»Er war sicher ein seltsamer Mann«, sagte sie. »Und ich weiß immer noch nicht, ob er eine Sau oder ein Heiliger war. Was glaubst du, wer wird als erster kommen?«

»Keine Wetten, wir warten.«

Um ein Uhr gingen wir hinunter in den Schankraum. Ein paar Männer standen am Tresen, sprachen miteinander und tranken ihr Bier. Die Tische waren unbesetzt. Es herrschte sekundenlang vollkommene Stille, als wir eintraten. Dann grüßten sie freundlich und wir setzten uns.

Die Wirtin kam verschwörerisch heran. »Die Gabriele Monning, die Frau vom Lorenz, hat gehört, daß Sie hier sind. Und sie bedankt sich auch schön für Ihr Kommen und läßt fragen, ob sie mit Ihnen sprechen kann.«

»Selbstverständlich«, sagte ich kurz angebunden. »Wo und wann?«

»Vier Uhr zum Kaffee bei Meier zum Hofe. Das ist ihr Mädchenname. Ich würde Ihnen dicke Bohnen in weißer Soße anbieten. Kartoffeln dazu und ein Schnitzel natur.«

»Toll«, sagte Elsa schon wieder. »Die Gabriele wohnt nicht bei den Schwiegereltern?«

»Nein, nein, die haben sich den alten Hof von ihren Eltern eingerichtet. Der war ja eigentlich ein kleiner Bauer, ein kleiner Krauter, wie man so sagt. Ein bißchen Vieh noch, aber sonst nur das, was man braucht, ein paar Hühner und so. Lorenz hat für Gabriele ihr Elternhaus neu ausgebaut, für sie und die Kinder. Lorenz' Hof soll ja stark vergrößert werden, und sie brauchen das Wohnhaus da ja nicht mehr. Soll wohl ein Wirtschaftsgebäude werden, wenn sie das mit der Großschlachterei machen ...«

»Lorenz wollte wieder hier anfangen?« fragte Elsa schnell.

»Ja sicher. Das war der Plan, und die Gabriele hatte das alles ja fest in der Hand. Die ist tüchtig, die ist das, was die Leute clever nennen, die wollte was Neues anfangen, die hat ja auch Managerkurse in Hamburg belegt und alles sowas. Na ja, ich verstehe ja nix davon, aber die war dahinter her und die Gemeinde hat sich gefreut, von wegen Gewerbesteuer und so und neue Arbeitsplätze. Sieht ja hier beschissen aus mit den Arbeitsplätzen. Mein Gott, das war damals eine Hochzeit zwischen den beiden.«

Die Schnitzel hatten den Umfang einer mittelgroßen Bratpfanne, die Kartoffeln schmeckten nach Kartoffeln, die dicken Bohnen waren ein Genuß, nur die weiße Soße war des Guten zuviel.

»Ich würde hier in einer Woche fett«, sagte ich. »Ich frage mich die ganze Zeit, ob die Geheimdienste hier waren. Es spricht einiges dafür, daß sie die Angehörigen völlig rausgelassen haben, weil Lorenz Monning so gut wie nie hier war.«

»Und was bedeutet das für uns?«

»Das bedeutet, daß sie tatsächlich nichts wissen. Aber vorstellbar ist mir das noch immer nicht.«

»Ich bin auf die Frau gespannt«, flüsterte Elsa. »Wahnsinnig gespannt.«

»Ich bin überhaupt nicht gespannt auf die Dame. Sie wird eine der Hausfrauen sein, die alles für sich und die Kinder und den Mann wollen: liebevolle deutsche Mutter, Geschäftsgründung und die erste Million möglichst schnell. Und sie ist gescheitert. Aber dieser Lorenz Monning wird meinem Hirn immer unerträglicher. Er läßt sich von der Frau scheiden, oder er will das tun. Er verspricht einer zweiten Frau die Heirat und kauft mit ihr einen alten Bahnhof, um eine Kneipe und ein Hotel zu machen. Er kriegt von einer dritten Frau ein Kind, deren Freundin eine Mitspionin ist. Gleichzeitig wartet dieses ganze Darf darauf, daß er demnächst zurückkommt. Und zwar, weil er nicht nur Schützenkönig werden soll, sondern nebenbei auch noch eine Großschlächterei gründen will. Dieser Mann hat etwa vier Karrieren parallel machen wollen, dieser Mann muß schizophren gewesen sein.«

»Vielleicht war er das«, murmelte sie.

Nach dem Essen gingen wir zwei Stunden spazieren, sahen in der Ferne große Höfe, trödelten herum auf Sandwegen, auf denen stahlblaue Mistkäfer herumtorkelten, lagen unter einer Eichengruppe im samtweichen Gras und wurden immer ungeduldiger.

Wir gingen zu Fuß, nachdem wir uns um einige Schattierungen dunkler angezogen hatten. Die Wirtin hatte mir drei Teerosen aus dem eigenen Garten spendiert, weil es einen Blumenladen nicht gab. Elsa hatte auf Make-up verzichtet und sah bleich und edel aus.

Die Hofanlage sah von weitem gut aus, hatte etwas von deutscher Romantik, lag in einer Eichengruppe. Als wir näherkamen, sahen wir den Verfall. Kein Gerät ohne Rost, der landwirtschaftliche Betrieb offensichtlich aufgegeben, in einem nach vorn offenen Bretterverschlag rosteten zwei Traktoren. Das Wohnhaus war neu, sehr aufwendig aus roten Klinkern hochgezogen. Das roch nach Geld.

Es war offensichtlich die Uroma, die uns empfing, eine Frau mit einem schmalen, zerfurchten Ledergesicht auf unglaublich krummen Beinen. Sie murmelte etwas Burschikoses wie »Kommt man rein« und ging vor uns her. Sie hatten wohl versucht, das Haus so zu bauen, wie man sich vorstellte, daß die Herren dieses Landes einst gehaust hatten: Pompös und überladen. Hinter der kleinen

Diele war ein hallenähnlicher Raum, der bis in den Dachstuhl reichte: Von dunklen Eichenbalken durchzogene Klinkerflächen. Sechs Türenfenster ließen viel Licht einfallen, dahinter ein Garten, gepflegt, sehr sauber. An der Innenwand ein Kamin aus dunklem Stein. Darin ein Feuer und davor eine Sitzgruppe aus schwarzem Leder.

Gabriele Monning war eine schmale, zierliche Frau um die dreißig. Sie trug das dunkelbraune Haar lang herunterhängend ohne Schnörkel, und sie war sehr hübsch in einem dezenten, streng englischen Hosenanzug mit einem einfachen Männerhemd aus weißem Leinen. Ihr Schmuck war von Cartier, was nichts sagt außer über den Preis. Sie hockte in einem der Ledersessel, stand auf, drehte sich zu uns und sagte leise und affig: »Ich danke von Herzen für Ihren Besuch. Setzen wir uns.«

»Wir wollten Ihnen unser Beileid aussprechen«, sagte Elsa. »Er war ein feiner Kerl, mein Mann kannte ihn.«

»Ja, ja«, murmelte sie schnell. Ihr Lächeln kam und ging sehr schnell, als habe sie die Kontrolle über diesen Mechanismus verloren. »Es ist still im Haus. Meine Eltern sind mit den Kindern und Oma Monning nach Sylt gefahren. Hier … hier ist es zu still und bedrückend. Tee? Kaffee?« Sie hatte plötzlich rote Flecken im Gesicht.

»Wir nehmen Tee«, sagte Elsa.

»Waren Sie in der Kompanie meines Mannes?«

»Nein, nein. Nachbarkompanie, Panzergrenadiere. Wir hatten manchmal dienstlich miteinander zu tun.«

»Lorenz ist in der Arbeit für die Bundeswehr ja völlig aufgegangen«, sagte sie hohl. »Aber gegen Jahresende wollte er zurückkommen. Wir wollten neu anfangen.«

»Wir hörten: eine Großschlachterei«, sagte Elsa lächelnd.

»Nicht nur das«, sagte sie schnell und sie wirkte plötzlich erstaunlich sicher. »Auch Verarbeitung. Wurst und so. Wir dachten an eine Fünf-Millionen-Investition.«

»Das ist ja wohl zu Ende jetzt«, murmelte ich.

»Durchaus nicht«, sagte sie schnell, »durchaus nicht. Jetzt ziehe ich es allein durch, die Bank will es auch so.«

Elsa warf mir einen warnenden Blick zu, und ich verstand das nicht. »Wenn Sie die Bank hinter sich haben und es sich zutrauen«, murmelte ich, »dann wird es klappen.«

»Die Bank steht hinter mir, die Deutsche Bank. Sie haben mich sogar in die hausinterne Management-Schulung aufgenommen. Bullenmast, Schlachterei, Verarbeitung. Die Bank steht hinter mir, voll und ganz. Das ... das war ...« Da waren wieder die roten Flecken. »Das war ja wohl ein schlimmer Unfall mit Lorenz.«

»Ja«, sagte ich knapp. »Aber er hat nichts gemerkt, es ging so schnell.«

»Das sagte man mir«, sie geriet ins Stottern, wollte eigentlich nicht darüber sprechen.

»Sie müssen sich Zeit nehmen, um den Verlust zu überwinden«, murmelte Elsa schnell. »Vielleicht eine Reise.«

»Wir wollten am Jahresanfang mit den Kindern in die Staaten«, sagte sie. »Lorenz und ich. Um Kraft zu tanken für den Start hier.«

»Er sollte der Praktiker sein und Sie der Manager«, sagte ich, nur um etwas zu sagen.

»Ja, genau so«, sagte sie eifrig. Das war etwas, was sie sicher machte. »Arbeitsteilung, verstehen Sie? Er wußte alles über Mast und Verarbeitung. Ich komme mit Management und Marktetingsachen.«

»Ein Traumpaar«, sagte Elsa leise.

Die Uroma kam herein und sah uns nicht an. Sie hatte nur Augen für Gabriele Monning, und sie mochte sie nicht. Sie stellte das Tablett aus Sterlingsilber auf den Tisch und sagte muffig: »Ich geh im Garten Unkraut jäten.«

»Mach man, Oma«, sagte Gabriele Monning. Sie wartete eine Weile. »Sie ist auch noch ganz benommen von Lorenz' Tod.«

»Die Leute im Dorf auch«, sagte Elsa. »Richtig benommen.«

Gabriele Monning goß uns Tee ein, ihre Hände waren vollkommen ruhig. »Meinen Schwiegervater hat es besonders schlimm erwischt. Der läuft wie ein Traumtänzer rum und erzählt überall Sachen, daß man glauben könnte, der Lorenz kommt morgen zurück. Er trinkt wie verrückt.«

»Väter sind immer hilflos«, sagte Elsa seufzend und machte mich wütend mit diesem Gefasel. Aber dann ging sie zum Angriff über und ihre Schnelligkeit und Brutalität erschreckten mich.

»Sagen Sie, waren eigentlich die Marita Heims, die Susanne Kleiber und die Marianne Rebeisen bei der Beerdigung?«

Eine unendliche Weile lang war es ganz still.

Die Flecken in ihrem Gesicht wurden größer und intensiver. »Verzeihung«, sagte sie unnatürlich ruhig, »wer ist das?«

»Verwaltungsangestellte der Bundeswehr«, sagte Elsa freundlich. »Freundinnen von mir. Ich frage nur.«

»Ja, ja, aber ich kenne sie nicht. Damen waren nie hier.« Spätestens jetzt mußte sie wissen, daß irgend etwas mit uns nicht stimmte, aber sie reagierte nicht.

»Es war wohl nur Herr Hauptmann Hartkopf mit dem Ehrenzug der Bundeswehr«, sagte ich lächelnd.

»O ja. Der ist ein treuer Freund, ohne den wäre alles viel schlimmer gewesen, viel schlimmer. Ein treuer Freund. Er kam immer, und er kommt immer noch, wenn der Dienst ihm Zeit läßt, meist am Wochenende. Er ist uns eine riesige Hilfe.« Sie drehte das Armband ihrer Cartier-Uhr hin und her und sah darauf und runzelte die Stirn.

»Wir müssen, glaube ich, gehen«, murmelte Elsa. »Wir danken Ihnen und wünschen Ihnen Kraft und viel Glück.«

Sie gab uns die Hand, sie brachte uns vor das Haus, sie lächelte hektisch mit den roten Flecken im Gesicht.

»Leben Sie wohl«, sagte sie.

Elsa starrte auf die Haustür und murmelte: »Jetzt telefoniert sie mit Hartkopf/Messner. Was wird der tun?«

»Ich weiß es nicht, und es ist mir auch egal. Vielleicht schickt er ein paar Schläger, vielleicht macht er den Fehler noch einmal. Die Monning hat uns erwartet, sie wußte, wer wir sind und wie wir aussehen, und sie hat keine Sekunde geglaubt, daß ich bei den Panzergrenadieren bin. Ich habe Kopfschmerzen.«

»Psychosomatisch, denke ich.«

»Na sicher. Mich macht das verrückt. Da wird ein kleiner Bundeswehrspion erschossen, und sein Chef kümmert sich rührend um die Witwe. Mich macht das alles krank.«

Dann trödelten wir durch die Sonne zurück.

Auf den Vater des Lorenz Monning brauchten wir nicht zu warten, der war schon da. Er saß an der Theke, war ein grauhaariger Mann wie ein Schrank und stützte den Kopf in beide Hände. Leicht seitlich von ihm hinter dem Tresen stand die Wirtin und nickte uns freundlich zu, sagte aber nichts.

»Wir gehen uns ausruhen«, sagte Elsa.

»Nicht doch, nicht doch«, lärmte der Mann plötzlich. Er hatte eine rauhe Stimme. »Die Herrschaften sollten mit mir reden, jawoll.« Er drehte sich zu uns und sah uns aus sehr wässrigen Augen in einem roten Gesicht an. »Gestatten, Monning, Rittergutsbesitzer.« Und dann neigte er den Kopf und kicherte sehr hoch. Er war betrunken.

»Herr Monning hat heute gute Laune«, sagte die Wirtin so laut, als stünden wir einen Kilometer entfernt.

»Gute Laune ist wichtig«, sagte Elsa schnell. »Kommen Sie mit auf unser Zimmer, Herr Monning?«

»Das tue ich gern, gnädige Frau«, bellte er. »Das tue ich verdammt gern. Hier in diesem Kaff trifft man ja keinen vernünftigen Menschen. Gestatten, Monning, Rittergutsbesitzer.« Dann neigte er wieder den Kopf, schüttelte ihn langsam hin und her, als könne er diese Welt nicht fassen, und kicherte.

Dann kippte er langsam vornüber, offensichtlich nicht gewillt, sich irgendwo festzuhalten. Ich griff ihn und sagte: »Baumeister. Panzergrenadiere.«

»Ich war nur beim Volkssturm«, lallte er an meiner Brust.

Er war ein Zwei-Meter-Mann, ich hatte meine Schwierigkeit mit ihm. Er roch sehr intensiv nach Pils und Korn und schweren Zigarren, und er war so an die 65 Jahre alt, gemessen am Alter seines Sohnes und am Volkssturm. Im Treppenhaus sagte er, es sei ihm wesentlich lieber, zu ihm auf den Hof zu gehen. »Da kann ich baden und mir den Scheißalkohol von der Seele waschen.«

Elsa stand oben an der Treppe und nickte heftig.

»Gut, dann lassen Sie uns zu Ihnen gehen«, sagte ich.

»Haben Sie ein Auto?«

»Na, sicher doch«, sagte er.

Es war ein Mercedes-Geländewagen, forstgrün mit einem Drei-Liter-Diesel. Monning hatte eine sympathische Art, den Weg zu weisen. Er sprach kein Wort, wedelte mit gewaltigen Pranken in die gewünschte Richtung, und ich ließ den Wagen rollen. – Der Hof der Monnings war ein nach vorn offenes Geviert, ein Bilderbuchhof. Das Haupthaus im Hintergrund stand unter vier gewaltigen Eichen, die das uralte Ziegelfachwerk im Dämmer hielten.

»Wir haben alles allein für uns«, sagte er müde. »Meine Frau ist weg mit den Enkeln und den Schwiegereltern von Lorenz. Den Leuten habe ich freigegeben.« Dann lächelte er. »Sie können sich wie zu Hause fühlen.« Er stand neben dem Wagen. Sein englischer Pfeffer-und-Salz-Anzug sah so aus, als habe er eine Woche darin geschlafen. »Im Kirchspiel wird dieser Besitz bereits vor sechzehnhundert erwähnt.« Er war jetzt erstaunlich klar, sprach aber über Dinge, an die er wohl nicht dachte. »Wenn Sie mir folgen wollen, setzen Sie sich. Ich gehe mich umziehen und duschen.« Damit stapfte er davon, wütend und entschlossen, das Zwielicht des Alkohols beiseitezufegen.

»Ein Bullenkerl«, flüsterte Elsa. »Ein Bullenkerl in einem Traumhaus. Davon werde ich noch als Rentnerin träumen. Was ist mit dir? Du bist schon seit Stunden so maulfaul.«

»Ich saufe Milieu«, sagte ich. »Ist dir das mit der Bank aufgefallen, das mit der Deutschen Bank bei Gabriele Monning?«

»«Ja, ja, sie war ganz wild darauf, uns mitzuteilen, daß die Bank hinter ihr steht und verlangt, die fünf Millionen auch zu verbrauchen … meinst du etwa?«

»Ja, das meine ich. Wir werden telefonieren müssen.«

Monning hatte im großen, grünen hölzernen Rundbogen der Heueinfahrt eine kleine schmale Tür offengelassen. Wir kamen in die alte Diele, und es roch nach Sommer und Heu und geräuchertem Schinken. Es ging durch eine sehr große Küche mit einem riesigen Herd in der Mitte. Über diesem Herd hingen an hölzernen Stangen tatsächlich Würste und Schinken.

»Wie für einen Film«, sagte Elsa entzückt.

Wir kamen in ein Zimmer, das links hinaus in einen Blumengarten führte, rechts an der Wand stand ein großes grünes Ledersofa vor einem kleinen Tisch, geschnitten aus einer einzigen eichenen Baumscheibe. Dazu dunkelgrüne Ledersessel. An der gegenüberliegenden Wand ein Schrank mit aufgereihten Gewehren. Das alles auf rötlich braunen Fellen, Damwild wahrscheinlich.

»Das gibt es gar nicht«, sagte Elsa erneut.

Offensichtlich hatte Monning in diesem Raum in den letzten Tagen gelebt und geschlafen. Da lagen zerknüllte Wolldecken auf dem Fußboden, die Aschenbecher waren ungeleert, dreckige Eßteller standen auf einer alten Anrichte. Irgendwo im Haus lärmte Monning herum und sang Gaudeamus igitur, immer einen viertel Ton zu hoch. Dann drehte er ein Radio auf, eine aggressive, nachdenkliche schwarze Stimme kam mit ›Moon Over Bourbon Street‹.

»Das ist doch wie im Märchen«, murmelte Elsa.

Draußen vor der ersten Tür in den Garten war ein Beet mit blühendem Rittersporn. Das Unkraut war hochgeschossen und bildete einen dichten grünen Grundteppich. Hinter den Blumenbeeten stand ein Backhaus, dann ging es hinab in eine Senke, aus der sich vier große Pappeln reckten.

»Ich habe vergessen, das Gras in meiner Mauer zu gießen«, sagte ich. Ich stopfte mir die *punto oro* von Savinelli, sie schien mir angemessen.

Monning kam eine knarrende Treppe hinunter, stapfte hinein und murmelte: »Entschuldigen Sie bitte meine Entgleisung«, und stellte sich neben mich an das Fenster und sah hinaus in den Garten. Er hatte einen anderen Anzug angezogen. »Wollen wir uns eine Vesper machen? Mettwurst, Schinken, Schwarzbrot? Ich könnte was vertragen.«

»Das klingt gut«, sagte ich. »Mein Name ist Baumeister.«

»Habe ich nicht vergessen«, sagte er knapp. Dann drehte er sich zu Elsa. »Wenn Sie einen Kaffee machen, richte ich die Platte. Sie sind bei den Panzergrenadieren?«

»Ja. Bei Bitburg.« Ich wußte nicht, ob bei Bitburg Panzergrenadiere standen, aber plötzlich war mir das auch ganz egal.

»Kann es sein, daß Lorenz mal Ihren Namen erwähnt hat?«

»Das kann sein.«

»Wie war eigentlich dieser Unfall. Erzählen Sie mal, jetzt werde ich es durchstehen.«

»Ich weiß es nicht, ich war nicht dabei. Ich habe nur von seinem Tod gehört.«

»Ist ja auch egal«, sagte er schnell. »Kommen Sie, wir machen uns was zu essen.«

Während er mit Elsa hinausging, setzte ich mich in einen der Sessel und rauchte. Elsa kam mit Geschirr und dem Kaffee, und Monning legte Holzbretter vor uns hin.

In die Mitte des Tisches kam eine große Holzplatte mit Schinken, Mettwurst und schwarzem Brot.

»Wie fanden Sie meinen Sohn?«

»Ich mochte ihn«, sagte ich.

»Guter Junge«, murmelte er. Er legte die Handteller flach auf den Tisch und lächelte uns an. »Sie müssen nicht auf das Geschwätz der Leute hier hören, und schon gar nicht auf das Geschwätz meiner Schwiegertochter. Lorenz wollte nicht hierher zurückkehren, er war kein Bauer, er war nie ein Bauer. Die ganze Gegend träumt davon, daß er Bullenmast macht und eine Großschlachterei aufzieht. So ein Quatsch! Was man auch sagt, keiner will den großen Traum aufgeben.«

»Moment mal«, sagte ich heftig, »es geht uns ja nichts an, aber die Leute können doch nicht alle verrückt sein. Die reden doch von Tatsachen. Ihr Sohn wollte zurückkommen und was Neues aufziehen.«

»Das war ursprünglich so. Vor mehr als einem Jahr«, lächelte er. »Stimmt ja auch. Er hat mit Banken verhandelt, damals, die wollten auch einsteigen. Aber dann hat er sich entschieden, weil die Ehe kaputt war, und weil er letztlich kein Bauer ist und kein Bullenmäster und kein Großschlachter. Man kann es ihm ja nicht übelnehmen, daß er mal geglaubt hat, er könne die Ehe noch retten, oder? Nein, wir haben geredet, er wollte nicht zurück.«

»Und seine Frau hat die Investition von fünf Millionen für sich allein gekriegt?« fragte ich.

»Sie hat das gedeichselt, und ich will sie nicht stoppen und sie … sie ist … sie ist mir unheimlich. Sie war mir immer schon unheimlich. Es ist … irgendwie ist es für sie so, als wäre Lorenz nie dagewesen.«

»Eine harte Frau, nicht wahr?« fragte Elsa.

»Hart? Hart ist gar kein Ausdruck«, sagte er. »Sie war schon immer so, und eigentlich habe ich Lorenz nie verstehen können. Sie ist der Typ, der beim Bumsen, Entschuldigung, der beim Bumsen bemerkt, er hätte nicht genug Bargeld bei sich.«

»Das muß doch eine große Enttäuschung für Sie gewesen sein«, murmelte Elsa.

»Das war es, das war es wirklich«, sagte er. Er wandte sich zu mir: »Worin bestand eigentlich Ihrer Meinung nach seine Stärke?«

»Erst mal war er ein guter Soldat«, sagte ich. Zum erstenmal dachte ich flüchtig daran, daß es ein gutes Gefühl sein müsse, jederzeit ohnmächtig werden zu können. »Als Mensch war er einfach verläßlich und sehr freundlich. Kein Muffelkopf, kein Kriegertyp.«

»Das denke ich auch«, sagte er langsam, als sei er allein. »Als Vater sieht man ja leicht an der Wirklichkeit vorbei, aber für seine Freunde war er immer da – egal, wie der Hase lief.«

Elsa sah mich kurz an und fragte dann: »War er denn auch Ihr Freund?«

Er lächelte. »Das ist eine berechtigte Frage.« Er räusperte sich. »Ja, wir waren Freunde, Gott sei Dank, ich weiß, daß das selten ist. Ich habe ja seit Jahren gemerkt, daß er kein Bauer war und auch nie einer sein würde. Wir haben in der letzten Zeit viel darüber geredet. Sehr viel. Wir haben uns auch mal angebrüllt. Und zuletzt habe ich ihn verstanden. Er hatte zwar die Höfe hier, aber er brachte es nicht, wie man so sagt. Er sagte immer: Vater, wenn es dir ganz beschissen gehen sollte, komme ich und helfe dir. Das sagte er immer wieder, und darauf war Verlaß. Er wußte schließlich auch, daß unser Berufsstand in die Binsen geht. Das machte ihm Kummer.«

»Ihnen denn nicht?« fragte ich.

»Und wie!« sagte er. »Ich kann mich bei meinem großen Betrieb noch eine ganze Weile halten, aber auf Dauer bleibt nichts beim alten. Die kleinen Bauern hier sind längst kaputt, und manchmal erlebst du, daß einer sich drei oder vier Kühe hält, nur, um nicht zu vergessen, wer sein Vater war. Diese Scheißpolitik hat uns kaputtgemacht. Wenn ich ein Altenheim für Bauern aufmache, kann ich massig Geld verdienen. Aber dann bin ich von

214

Depressiven umgeben und gehe selbst ein. Ich bin zu alt, um noch was Neues anzufangen. Ich habe also der Gaby den Hof gegeben, sie will diese Mastindustrie aufbauen, und auf diese Weise kriegen meine Enkel, was sie sowieso gekriegt hätten. Hat Lorenz mit Ihnen darüber gesprochen?«

»Nein«, sagte ich. »Er war zu zurückhaltend.«

»Ja, er war kein Plappermaul.«

»Da sind aber viele Träume in den Arsch gegangen«, sagte ich mehr zu mir selbst.

»Das kannste laut sagen«, murmelte er. »Trinken wir ein Bierchen und einen Klaren? Ich sehe, Sie rauchen Pfeife, das gefällt mir.«

»Für mich ein Sprudel, oder so was, ich trinke keinen Alkohol. War Lorenz nie mit den Kameraden seiner Einheit hier?«

»Oh doch. Er brachte seine Truppe zum erstenmal vor anderthalb Jahren hierher. Dieser Hartkopf war auch dauernd dabei, der sich um meine Schwiegertochter kümmert. Na ja, ich mag den Kerl nicht, aalglatt, Sie kennen ihn ja. Die Truppe ging damals immer in die Sandgrube saufen. Das war tierisch, war das. Aber Lorenz war bloß höflich, der mochte den Hartkopf nicht. Wissen Sie, warum?«

»Keine Ahnung, vielleicht berufliche Konkurrenz?«

»Glaube ich nicht, dazu war mein Sohn viel zu selbstbewußt. Aber ich muß ja auch nicht alles kapieren.«

»Hartkopf kam immer mit der Truppe?«

»Anfangs ja, später kam er allein. Schon seit einem Jahr oder so, kam er immer allein. Eigentlich finde ich das ja rührend. Da gibt mein Sohn langsam seine Frau und seine Familie dran, und sein Kumpel springt ein. Hat sich wirklich doll um Gabriele bemüht, hat ihr auch später manchmal bei der Projektplanung geholfen, ist auch mit den Kindern spazierengefahren und so. Irgendwie gut. Aber ich kann ihn nicht ausstehen.« Er stand auf, klapperte nebenan in der Küche herum und stellte Bier und

Schnaps und Sprudel auf den Tisch. Unser Gespräch wurde seltsam flach, weil wir flache Gedanken austauschten und alle an Lorenz Monning dachten.

Ich sah Elsa und Monning wie Lebewesen in einem Aquarium. Sie hatten nichts mehr mit meiner Welt zu tun. Ich hörte ihn sagen: »Mein Lorenz war in vollem Umfang für diesen Staat...«, ich hörte Elsa sagen: »Vielleicht konnte er einfach mit dieser Frau nicht leben ...« Aber ganze Sequenzen ihres Gespräches hörte ich gar nicht, sah nur, wie sie den Mund bewegten. Bilder überschnitten sich. Ich sah, wie Susanne Kleiber in strömendem Regen den Mund vor Entsetzen aufriß, ich sah, wie Marianne Rebeisen in panischer Angst in den Wald rannte, ich sah den Schäfer Meier erstarrt auf zwei Leichen ohne Kopf in dem Jeep starren, ich sah, wie Messner das Gewehr langsam anlegte. Dann hatte plötzlich Gabriele Monning das Gewehr in der Hand und zielte irgendwohin, dann war es der Schäfer Meier, der schoß, dann wieder hatte Lorenz Monning das Gewehr auf Messner/Hartkopf gerichtet.

Ich öffnete die Augen, und Elsa sagte erstickt: »Mein Gott, ich bin vollkommen blau.« Sie versuchte aufzustehen, aber es klappte nicht Sie sah mich schuldbewußt lächelnd an, und ich sagte schnell: »Macht doch nichts.«

»Das tut mir aber leid«, dröhnte Monning und lachte. Wir packten Elsa auf das Sofa und sie jammerte, alles um sie herum drehe sich, aber dann schlief sie ein und atmete schwer.

»Gehen wir an die frische Luft«, sagte Monning, nahm die Schnapsflasche und steckte sie in die Jackentasche. »Kommen Sie mal, ich zeige Ihnen was.« Er wirkte verschmitzt wie ein kleiner Junge und war jetzt sehr betrunken.

Er ging durch die Diele auf den Hof, dann durch die Sonne in den Stall.

»Hier waren mal Schweine drin«, sagte er und hielt sich an einer von der Decke baumelnden rostigen Kette fest. »Schweinekoben aus Stein, noch ganz im Original. Und es riecht noch immer nach Schwein, obwohl fünfzig Jahre vorbei sind.« Er stapfte nach vorn auf ein riesiges Paket zu, das mit einer groben Sackleinwand verhüllt war, und zog daran. Eine Staubwolke flog auf.

Es war ein schwarz-grauer Wanderer, ein wunderschönes altes Auto.

»Toll, was?« Er lachte, und seine Augen funkelten vor Vergnügen. »Baujahr vierunddreißig. Reiselimousine. Die stand bei einem Kollegen oben in Husum, aber die Maschine war verreckt. Und in Berlin sitzt jemand, der die Motoren nachbaut. Ich habe einen bestellt und einbauen lassen. Ein Vermögen, sage ich dir, ein Vermögen. Aber ist es nicht ein Traum? Das waren noch Autos, was? Alles Originalteile. Und alles für meinen Lorenz, der jetzt endlich zurückkommen wollte.«

Er machte die Tür an der Fahrerseite auf und ließ sich seitlich in den Sitz fallen. Er nahm die Schnapsflasche und trank eine unglaubliche Menge. Dann verschluckte er sich, hielt sich an der Tür fest und ließ seinen Kopf auf den Arm sinken.

»Lorenz hat sich so was sein Leben lang gewünscht, und jetzt sollte er es kriegen.«

Da war plötzlich Wut in mir, und ich sagte laut und ganz ohne Beherrschung: »Verdammt nochmal, Bauer. Irgendeiner hier muß doch auf dem Teppich bleiben. Dein Sohn wollte nicht zurückkommen. Nie!«

Sein Kopf kam hoch, er sah mich verschwiemelt an und versuchte zu lächeln, aber es wurde nur ein Zähnefletschen. »Doch, doch«, sagte er schwer. »Wort ist Wort. Ist ja gut, Junge, daß deine Frau besoffen ist. Ist auch nix für Weiber, was ich dir zu sagen habe. Lorenz wollte kommen, nachdem die Sache mit dem Krankenhaus war, weißt du? Guck mal, guck dir das mal an!« Er kam mühsam schnaufend hoch, machte den Gürtel seiner Hose auf, ließ die Hosen auf die Füße sacken, hob das Hemd und deutete theatralisch auf eine kleine rote, quer über seinen Unterbauch laufende Narbe. »Die haben mich aufgemacht, verstehst du? Diesen Frühling. Sie haben mich wieder zugemacht und gesagt, alles wäre in Ordnung. Aber ich habe den Doktor an den Kanthaken genommen und gesagt: Mit mir nicht, Doktor, mit mir nicht. Was ist los? Und dann hat er zugegeben, daß ich Krebs habe und daß eigentlich nichts mehr zu machen ist. So ist das.« Er versuchte, sich die Hosen hochzuziehen, und als das nicht klappte, half ich ihm. Er sank in den Sitz zurück und keuchte.

Es war sehr still im Stall, nur ein paar Schmeißfliegen hatten sich verirrt und machten ihren Lärm.

»Und du bist zu deinem Lorenz und hast ihm das gesagt. Und er hat geglaubt, du wolltest ihn erpressen. Er hat gesagt: Ich komme nicht! Und dann hast du es getan!« Sein Kopf kam hoch, und sein ganzes Gesicht fiel in Falten, als er sich quälend bemühte zu verstehen, was ich gesagt hatte. Er verstand es nicht.

»Ich bin sechsmal zu Lorenz in die Eifel. Also nicht zum Depot, oder so, Mal in Bonn, mal in Gerolstein, mal in Adenau, mal in Köln. Wir haben uns getroffen, verstehst du? Wir haben geredet wie Freunde, verstehst du? Ach so, ach so, jetzt verstehe ich das mit der Erpressung. Nix Erpressung. Er hat es verstanden, er hat gesagt: Unter diesen Umständen komme ich für ein paar Monate und helfe bei der Übergabe. Ich habe ihm, na ja, ich habe ihm vorgeschlagen, er soll doch diese Hotelidee mit dem Scheiß-Bahnhof in Walsdorf sein lassen, er kann doch mit der Marita hierherkommen und die Sache hier aufziehen. Er konnte doch drauf bestehen, daß die Gaby mit den Kindern verschwindet, denn ohne sein Erbe, verstehst du, ohne sein Erbe, ohne meinen Hof und mein Land …«

»Ohne das alles kann sie nichts machen«, sagte ich.

»Richtig. Und ich glaube, er hat daran rumüberlegt. Auf jeden Fall wollte er ab Januar helfen, daß alles in die richtigen Bahnen kommt, verstehst du?«

»Wer wußte das?«

»Ich weiß nicht, die Familie weiß das, ich hab ja drüber geredet, ganz offen drüber geredet. Und ich kann die Gaby nicht ab, ich … na ja, sie hat die Kinder. Meine Enkel, verstehst du? Für meine Enkel …«

Sein Kopf fiel vornüber, und er begann zu weinen. Da war kein Geräusch außer diesem erstickten, grauenhaft hilflosen Weinen.

Nach einer Weile kam er mit einem ganz grauen Gesicht zu sich, ließ sich von mir aus dem Auto helfen, und dann deckten wir die staubige Plane wieder über sein Geschenk.

Er ging steif wie ein Ladestock vor mir her aus dem Stall und setzte sich auf die Bank unter der Eiche. Ich setzte mich neben ihn, und wir sahen zu, wie die Sonne vom Himmel kam.

»Ich habe in der letzten Zeit dauernd Angst vor der Nacht. Vor jeder Nacht.« Er preßte die Lippen aufeinander und blies die Luft aus sich heraus. »Deshalb saufe ich soviel, deshalb quatsche ich auch soviel. Die Angst macht mich verrückt. Man sagt doch immer, die Münsterländer sind schweigsam. Sind sie nicht. Nicht, wenn sie Angst haben. Lorenz hätte dieses Weib nicht heiraten dürfen, niemals. Die wollte nur den Hof, die hatte nur diese Scheiß-Großschlachterei im Kopf, von Anfang an. Die hat die Kinder gekriegt wie eine Pflichtübung. Und als Lorenz das begriff, ist er weggeblieben. Klar, wäre ich auch, wäre ich verdammt auch.« Er schluchzte und sagte: »Oh Scheiße, oh Scheiße, oh Scheiße!«

»Und dir fehlt jetzt ein Gewehr, nicht wahr? Eine zweiläufige Mauser Schrot, nicht wahr?«

»Ja, aber ist doch nicht wichtig, ist doch alles nicht mehr wichtig. Es ist so schwer, mitansehen zu müssen, wie hier alles vor die Hunde geht. Ich kann nichts mehr machen, ich bin ein alter Mann, und ich bin müde. Wenn ich könnte, würde ich sie alle umlegen, einfach alle.« Dann weinte er wieder lautlos und wiegte sich in seinem Schmerz hin und her.

## ZWÖLFTES KAPITEL

Ich weiß nicht genau, wie lange wir da wortlos unter der Eiche hockten. Als die Sonne sich groß und rot unter den Horizont senkte, sagte er: »Du kannst meinen Wagen nehmen, ich kann sowieso nicht mehr fahren. Ich hole ihn mir morgen an der Kneipe ab. Rede nicht über das, was ich sagte, es ist ja doch alles zu spät. Komm mal wieder, wenn du Zeit hast.« Er wirkte nicht betrunken, er wirkte so, als habe man ihn in einer öligen Lösung erstarren lassen.

»Ich will dir nicht länger was vormachen«, murmelte ich. »Du wirst es irgendwann erfahren, und du wirst dich fragen, warum ich dir so einen Stuß erzählt habe. Ich heiße Baumeister, aber ich bin nicht bei den Panzergrenadieren. Und dein Lorenz ist nicht bei einem Unfall umgekommen, dein Lorenz wurde erschossen.«

Er hockte neben mir und rührte sich nicht. Er saß vornübergebeugt, die Hände auf den Knien, und starrte in einen Grasflecken vor der Bank. »Du redest einen Scheiß«, sagte er endlich ohne Atem.

»Ich sage die Wahrheit. Ich bin Journalist und will nur wissen, was passiert ist. Irgendwie geht es mir unheimlich an die Nerven, dich übers Ohr zu hauen. Lorenz ist erschossen worden, mit einer Schrotflinte. Es hat nie einen Unfall gegeben.«

»Aber der Verteidigungsminister hat uns geschrieben ... ach so, so ist das.« Er stand auf und machte ein paar seltsam lächerliche Trippelschritte. Dann drehte er sich abrupt zu mir herum und brüllte: »Wenn das jetzt auch nicht die Wahrheit ist, bringe ich dich um!« Er setzte sich unvermittelt in einen Sandfleck im Gras, beugte sich weit vornüber, und sein Atem ging immer hastiger. Er flüsterte immer wieder: »Lorenz, ach Gott, Lorenz!« Er wiegte sich vor und zurück in seinem

Schmerz. Dann wurde sein Gesicht dunkel, und er rang nach Atem.

»Leg dich lang«, sagte ich fiebrig, packte ihn an den Schultern und drückte ihn flach in das Gras. Sein Mund stand halb offen, und etwas Speichel lief über sein Kinn. »Bleib ganz ruhig liegen und bewege dich nicht!«

Ich rannte in das Haus. Elsa lag auf dem Ledersofa und schlief fest. Ich rüttelte sie und sagte: »Monning geht es sehr schlecht. Hol einen Arzt ran, aber schnell.« Dann rannte ich wieder hinaus.

Er lag so, wie ich ihn verlassen hatte, und sein Atem ging mühsam und angestrengt, und seine Hände krallten sich in das Gras. Er flüsterte mit geschlossenen Augen: »Ist doch eigentlich scheißegal, oder? Tot ist tot.«

»Er ist tot«, sagte ich. »Hast du Schmerzen?«

Er schüttelte den Kopf. »Du hast keine Ahnung, wie schwer ich mich fühle. Wie Blei. Wieso erschossen?«

»Das weiß ich nicht genau. Ich habe durch Zufall davon erfahren.«

»Aber es gibt doch einen Polizeibericht. Und das Schreiben vom Krankenhaus.«

»Gefälscht, alles gefälscht.«

»Aber der Staat kann doch so was mit mir nicht machen ... doch, er kann, Mann, bin ich schwer, ich kann die Arme nicht bewegen.«

»Bleib ruhig liegen. Ich habe schon gedacht, du hättest ihn erschossen.«

»Ach so ist das. Jetzt verstehe ich das erst.« Er mühte sich zu lächeln. »Jetzt verstehe ich das, ach so.« Er war kaum noch zu verstehen, sein Gesicht war grau, und sein Atem ging mühsam. Ich hockte da im Sand und spürte mich nicht. Ich dachte trotzig, daß es trotz allem gut gewesen sei, ihm die Wahrheit zu sagen. Ich mochte ihn.

Der Arzt war ein alter, kleiner, dürrer Mann mit einem sehr unordentlichen gelben Schnurrbart und einem Hut auf dem Kopf, der schon die Bauernkriege überlebt haben mußte.

»Was ist?« fragte er ganz knapp mit schmalen Augen und stellte seine Tasche in das Gras.

»Er hat einen schweren seelischen Schock erlitten.«

»Tja, dann holen Sie mir mal Wasser, junger Mann. Was war in der Flasche da?«

»Schnaps.«

»Na ja, es war wohl alles zuviel. Zuviel Tod, zuviel Kummer, zuviel Schnaps.«

Er begann zielstrebig zu arbeiten, nahm eine Ampulle aus der Tasche, brach die Spitze ab und zog den Inhalt auf eine Spritze.

Ich rannte in das Haus. Elsa hockte mit angezogenen Beinen auf einer Truhe. Erst jetzt fiel mir auf, daß sie nicht aus dem Haus gekommen war.

»Du hast ihm die Wahrheit gesagt, nicht wahr?«

»Ja. Er ist verdammt zu schade für Lügen. Ich brauche Wasser.« Ich rannte mit einem Topf Wasser hinaus und stellte ihn neben den Arzt.

Der Arzt nahm den Topf hoch und goß das Wasser Monning einfach ins Gesicht. »Das wirkt bei Mensch und Tier«, sagte er resolut. »Es muß ein schwerer Schock gewesen sein. Konnten Sie ihm den nicht ersparen?«

»Nein. Wird er wieder?«

»Der wird wieder. Ist eben beste Qualität. Ich habe gehört, Sie waren ein Kollege von Lorenz.«

»Nein. Ich bin Journalist, ich habe Lorenz gar nicht gekannt.«

»Oh!« sagte er erschreckt.

»Der Schock war, daß Lorenz Monning erschossen worden ist. Aber Sie sollten nicht darüber sprechen.«

»Hannes redet nie über Patienten«, murmelte Monning mit geschlossenen Augen.

»Hör mal, du Suffkopp«, sagte der Arzt liebevoll, »bleib noch eine Weile liegen, und hör uns Erwachsenen zu. Du wirst in den nächsten Tagen kommen und dir Vitaminspritzen holen.«

»Scheiß drauf. Lorenz ist tot, und ich gehe sowieso

ein.« Das klang sehr wütend, und er hatte die Augen geöffnet, und deren Grund war ein Feuer.

Der Arzt lachte, er lachte überzeugend. »Natürlich wirst du irgendwann eingehen. Ja, ja, du und dein verdammter kleiner Krebs. Ich habe Leute wie dich noch fuffzehn und zwanzig Jahre leben sehen. Ehrlich. Ich kenne deinen Befund, für eine Tragödie reicht das nicht. Du solltest was tun, spuck in die Hände.«

»Und warum haben die mich nicht operiert?« Er blinzelte, weil das Licht wohl immer noch zu grell für ihn war.

Der Arzt warf fluchend die Arme in die Luft. »Weil sie verantwortungsvolle Ärzte sind, weil sie nicht gleich jeden Klacks operieren, weil sie damit rechnen, daß du leben willst, du Hornochse!« Er war richtig böse.

»Alter Gauner«, sagte Monning seufzend. Es war zu spüren, daß es ihm besserging, daß es ihm gutgetan hatte, angepfiffen zu werden. »Ich will aufstehen«, sagte er und sah mich an. »Ich habe eine Menge mit Ihnen zu bereden, junger Mann. Sieh an, da ist ja auch Madame.«

Elsa kam etwas zerzaust über den Hof und fragte: »Ist es drin denn nicht besser?«

»Sie sind wahrscheinlich auch gar nicht seine Frau, oder?« fragte Monning. Er stand jetzt wieder, er war wieder zwei Meter groß.

Elsa schüttelte den gesenkten Kopf wie ein Schulmädchen, das beim Mogeln ertappt worden ist.

»Ihr seid mir Genossen«, sagte er und ging ganz vorsichtig und langsam auf sein Haus zu.

»Du mußt dich aber schonen«, rief der Arzt im Ton einer Kindergärtnerin. Dann schüttelte er den Kopf und setzte hinzu: »Hat ja doch keinen Zweck.«

»Darf ich mal telefonieren?« fragte ich.

»Nur zu«, sagte Monning. »Ich leg mich auf das Sofa. Bedien dich.«

»Noch eine Frage vorher: Seit wann genau vermißt du die Schrotflinte?«

»Genau seit dem Donnerstag vor Pfingsten.«

»Und du hast keine Ahnung, wo sie ist?«

»Hier kann jeder rein, jeder kann sie nehmen.«

Es war spät, und die Bereitschaft der Kripo in Trier wollte mir die Privatnummer des Rodenstock nicht geben. Erst als ich brüllte: »Ich bin ein Kollege, verdammt noch mal«, ließen sie sich herab.

Rodenstock schien irgend etwas zu essen, wahrscheinlich bittere Schokolade, Kaffee und Kognak.

»Wir sind im Münsterland«, sagte ich. »Wir sind bei Lorenz Monnings Vater. Ich habe ihm die Wahrheit gesagt.«

»Wie reagierte er?«

»Mit schwerem Schock. Haben Sie den Soldaten Lenz verhaftet?«

»Ja, natürlich. Im Krankenhaus. Der Mann ist geständig. Er packt aus. Prügeleien, Nötigungen. Aber es ist nicht zu beweisen, daß Messner ihm das alles befahl.«

»Was ist mit Messner?«

»Der MAD hat ihn kassiert, sie lassen uns nicht an ihn heran. Die haben übrigens angedeutet, daß Sie Messner verbrannt haben. Stimmt das?«

»O ja. Ich habe an alle Geheimdienste geschrieben, ob sie Messner kennen. Und daß er sich Hartkopf nennt. Ein Bild habe ich beigefügt.«

Er kicherte hoch und belustigt, brach dann plötzlich ab und fragte ratlos: »Und was machen wir mit der Spionageaffäre?«

»Es gab gar keine«, murmelte ich.

»Wie bitte? Und der Brummifahrer aus Dresden?«

»Ich verstehe das auch alles noch nicht. Kommen Sie her, ich habe jemand für Sie. Eine Dame mit Gewehr.«

»Wen?«

»Gabriele Monning.«

»Was soll sie getan haben?«

»Sie brachte Messner die Schrotflinte.«

»Beweise?«

»Nun ja, sie hat es beim Schwiegervater geklaut.«

»Aha. Und wer schoß?«

»Messner/Hartkopf, ihr neuer Kronprinz und Kompagnon.«

»Beweisbar?«

»Indirekt, das gehörte zum Plan.«

»Leuchtet ein. Es gab nie Spione in diesem Fall?«

»Wahrscheinlich nicht.«

»Beweise?«

»Der Beweis liegt in der Tatsache, daß ein Lastwagen aus Dresden in Hohbach vor Anker ging. Dann fuhr der Lastwagen über die falsche Straße davon und wurde auf seinem vielstündigen Weg an die Grenze bei Herleshausen nicht angehalten, nicht gestoppt, obwohl Messner und Konsorten von den Geheimdiensten behaupteten, der Fahrer sei der Mörder.«

»Beweis genehmigt.« Er lachte. »Und die Monning?«

»Brachte das Gewehr und verschwand wieder.«

»Also wußte sie, was Messner vorhatte?«

»Sie wußte es, sie kann nicht so ahnungslos sein.«

»Und ich soll jetzt kommen und die Monning kassieren.«

»Wenn Sie so nett sein wollen.«

»Und was war mit den Frauen? Mit der Rebeisen, mit der Kleiber?«

»Das weiß ich nicht, aber vielleicht ist das alles auch sehr einfach.«

Elsa trat zwei Schritte vor, nahm mir den Hörer aus der Hand und sagte: »Ich bin's, die Elsa. Ich weiß, was mit den Frauen war. Also, ich versuche das mal: Es war ein Lesbenpaar, ganz einfach. Wenn die Rebeisen an den Lorenz Monning schrieb, dann nahm der den Brief und gab ihn der Kleiber. Wenn man darüber nachdenkt, ist das alles ganz einfach.«

»Verblüffend«, sagte ich, und Rodenstock muß das gleiche gesagt haben, denn Elsa begann zu lachen und murmelte: »Kommen Sie her, holen Sie sich die Monning, und trinken Sie mit uns einen Kaffee mit bitterer Schokolade und eine Zigarre.« Sie hörte noch eine Weile zu und legte dann auf. »Er bestellt sich einen Hubschrauber, er möchte schnell sein. Wie bist du drauf gekommen?«

»Sag mir erst, wie du auf das Lesbenpaar gekommen bist. Das ist mir zu schrill, das ist mir zu vulgär, das glaubt uns kein Mensch.«

»Es ist aber doch so einfach«, widersprach sie. »Und es ist wie im wirklichen Leben.«

»Und woher kam das Kind in der Rebeisen?«

»Nicht von Monning, so geschmacklos wäre der nie gewesen. Von irgendeinem Freund, vielleicht werden wir es nie erfahren. Sieh mal, wir wissen. daß die Marianne Rebeisen die Susanne Kleiber besuchte. An jedem Wochenende. Nun gut, die Morde waren an einem Wochenende. Also war sie in Hohbach bei der Kleiber. Sie ist erschossen worden, weil sie …«

»Weil sie da war. Sonst gibt es keinen Grund.«

»Ja. Deshalb. Wie bist du darauf gekommen, daß es keine Spionage gab?«

»Das war genauso simpel. Du kriegst nur Licht in den Fall, wenn du bereit bist, abwechselnd entweder die Spionage oder das miese bürgerliche Drama beiseite zu schieben. Dann wird auch klar, was logischer ist. Die Spionage bleibt dabei auf der Strecke, weil ein Punkt gänzlich idiotisch ist. Und wenn …«

»Welcher Punkt?«

»Na, stell dir vor: Die DDR schickt einen Brummifahrer mit Schrotbüchse in den Westen, um hier drei Leute nachts bei strömendem Regen abzuschießen und …«

»Du bist mein Held«, flüsterte sie.

»Wir sind überhaupt gut«, murmelte ich.

»Kann mich mal jemand aufklären?« fragte Monning dröhnend.

»Ich verstehe einfach nicht«, murmelte Elsa, »wie Messner diese unglaubliche Spionagegeschichte durchdrücken konnte.«

226

»Ich muß schlafen, ich erkläre es später.«

»Ich will es wissen.«

»Ich bin müde.«

»Ich will jetzt Aufklärung«, schrie Monning. »Ihr könnt mich doch nicht einfach vergessen.«

»Klär ihn auf«, sagte sie, »er ist so ein netter Kerl.«

Ich hockte mich neben ihn, ich berichtete. Ich versuchte, es einfach zu machen, aber ich konnte ihn nicht schonen. Ich wollte, daß er die Geschichte verstand und daß er anfing, diese Leute zu hassen. Haß kann ein Heilmittel sein, denke ich. Sein Gesicht zuckte, wurde kantig und hart. Dann begann er zu weinen. Sehr langsam begann er zu begreifen. Endlich schlief er ein.

Die Nacht war gekommen, der Mond dreiviertel voll, Wolken jagten, wir würden Regen kriegen. Dann schrie ein Käuzchen. Elsa zuckte heftig zusammen.

»Früher war das der Todesvogel«, erklärte ich. »Die Leute sagten, wenn ein Käuzchen am Haus schreit, stirbt ein Mensch. Tatsächlich ist das leicht zu erklären. Die Tiere jagen nachts und werden vom Lichtschein angelockt. Und Lichtschein war nachts nur in Häusern, in denen jemand schwer krank war.«

»Trotz deiner wortreichen Erklärung ist es mir unheimlich«, sagte sie und fuhr fort: »Glaubst du, daß du die Unsinnigkeit dieser Spionage-Erfindung klären kannst?«

»Ich bin sicher, daß ich die Lösung im Hirn habe, ich weiß nur nicht, welche Schublade ich öffnen muß.«

Sie hockte sich in eine Decke gewickelt in ihrem Sessel zurecht und starrte auf den schlafenden Monning.

»Der muß unglaublich viel Kraft haben, daß er das alles durchsteht.«

»Ich habe gezittert. Ich dachte, er nimmt ein Schießgewehr und geht rüber und legt seine Schwiegertochter um.«

»Glaubst du, daß er das könnte?«

»Er ist sehr erschöpft.«

Dann herrschte Stille, Elsa schlief ein, und ich starrte in den dunklen Garten. Ich döste ein, wachte aber immer wieder auf. Marita Heims hatte etwas gesagt, das mit Akten zu tun hatte. Die Aktenlage, etwas mit dieser Aktenlage stimmte nicht. Aktenlage, ein Zauberwort in Bonn.

Ich stieg einfach in die oberen Räume und suchte mir ein Schlafzimmer, das so aussah, als würden darin gelegentlich Gäste beherbergt. Ich schlief sofort ein. Ich verpaßte, wie Rodenstock einflog, ich verpaßte, wie Monning wach wurde, ich verpaßte, wie Rodenstock Gabriele Monning verhaftete. Aber tatsächlich verpaßte ich nichts, denn Elsa war dabei und fotografierte. Sie hatte entschieden, mich nicht zu wecken.

Als ich erwachte, schien die Sonne. Ich fühlte mich ausgeruht. Irgendwo im Haus waren Stimmen. aber ich hatte keine Lust auf Menschen. Ich suchte ein Badezimmer, fand eines und badete ausgiebig. Erst dann ging ich hinunter. Es war hoher Mittag, es war drei Uhr.

Im Wohnzimmer hockte Rodenstock mit verkniffener Miene am Tisch. hatte eine Unzahl farbiger Zettel vor sich liegen und schimpfte in das Telefon. Er sah mich an. lächelte und deutete mit dem Kugelschreiber in den Garten. Elsa saß mit Monning an einem Tisch in der Sonne und Monning sagte gerade: »Ich habe diesen Messner oder wie er heißt nie leiden können. Hallo, der Herr Redakteur.«

»Was hat die Gabriele gesagt. als man sie verhaftete?«

Elsa biß sich auf die Unterlippe. »Ich war zum ersten Mal bei einer Verhaftung. Es ging schnell, und eigentlich war es nicht die Spur aufregend. Rodenstock ist ein As. Er verhaftete sie und fragte dann ganz nebenbei: Warum waren Sie eigentlich so dumm, Herrn Hauptmann Hartkopf das Gewehr zu bringen? Da antwortete sie ebenso selbstverständlich: Weil er es haben wollte.«

»Und Messner?«

»Rodenstock hat ihn. Das Ministerium hat ihn zur Vernehmung freigegeben.«

»Und was telefoniert er da drin so wild?«

»Sie haben immer noch irgendwelche Zuständigkeits-
fragen zu klären. Willst du Kaffee? Es gibt hier einen
phantastischen Streuselkuchen.«

»Wie geht es dir denn, Rittergutsbesitzer?«

»Ein bißchen besser.« Monning lächelte. »Elsa ist
streng. Ich darf kein Bier und ich darf keinen Schnaps.
Ich habe ihr die falschen Berichte von der Verkehrspoli-
zei und der chirurgischen Unfallstation gegeben.«

»Und wie geht es deinem Bauch und deiner Seele?«

»Na ja, es geht so, es wird sich weisen. Ich leide wie ein
Hund, aber was willst du machen?« Sein Gesicht zuckte
heftig, als habe er keine Kontrolle mehr. Er stand hastig
auf und verschwand an der Hauswand entlang um die
Ecke. »Er weint noch oft«, murmelte Elsa. Sie sah blaß
aus. »Dann geht er in seinen Schießstand. Er hat so eine
kleine Maschine, die Wildschweine aus Blech auf einer
Kette transportiert. Auf die schießt er wie verrückt. Er
hat mir erzählt, er schießt mit einer Vierundvierziger
Winchester, die ihm Lorenz einmal geschenkt hat.
Manchmal weint er auch und feuert wie wild in die Gegend.«

Ich ging, um Monning zu suchen. Der Schießstand lag
an der Rückseite des alten Schweinestalles. Monning
stand an einen senkrechten schweren Holzbalken ge-
stützt und schoß auf die Wildschweine, die in zwanzig
Metern Entfernung monoton ihre Runden drehten. Er
schoß traumhaft sicher, die Blechtiere kippten der Reihe
nach um.

»Versuchs mal.« Er hielt mir das Gewehr hin.

»Ich nicht. Ich schieße nicht mal Blumen auf der Kir-
mes.«

»Ich muß mich irgendwie abreagieren. Ich denke, du
schreibst schon an der Skandalgeschichte.«

»Es ist keine Skandalgeschichte, es ist eine bösartige,
verdeckte, brutale Sache. Und ich verstehe sie immer
noch nicht.«

»Was verstehst du denn nicht? Lorenz wurde umgebracht, weil es um eine Menge Geld ging ...«

»Und um Macht, viel mehr noch um Macht. Wieso hat
sich die Bank bereit erklärt, deiner Schwiegertochter fünf
Millionen zur Verfügung zu stellen? Ist sie wirklich so
gut?«

»So einfach war das nicht«, brummte er. »Anfangs, als
Lorenz noch dachte, er könnte die Familie retten, da hat
er auch mit der Bank gesprochen, und es gab keine
Schwierigkeiten. Als dann die Gabriele plötzlich allein
stand, wollte die Bank nicht mehr. Sie verlangte einen
erfahrenen Partner oder sehr starke Mitspracherechte. Na
ja, und dann fand sie den Partner und kriegte die Zusa-
ge.«

»Messner, genannt Hartkopf.«

»Richtig. Messner wollte irgendwann in den nächsten
Jahren beim Bund aufhören und hier fest einsteigen. Bis
dahin sollte er gutbezahlter Berater sein.«

»Mithaftend?«

Er schüttelte den Kopf.

»Hast du denn nicht gerochen, daß da etwas faul ist?«

»Nein.« Er lachte trocken. »Ich habe wirklich an so etwas wie Kameradschaft und Hilfsbereitschaft geglaubt.
Sie hätte Messner dann geheiratet, nicht?«

»Sicherlich. Aber erst mußte Lorenz weg.«

»Warum denn eigentlich?«

»Weil er für dich zurückkommen wollte, weil ihr alle
Felle wegschwimmen würden, wenn ihr ehemaliger
Mann auftauchte, um das Schiff flottzumachen.«

»Ja, ja«, sagte er zu sich selbst. Dann feuerte er wieder
wahnsinnig schnell.

Ich ging zurück an den Gartentisch und hockte mich in
die Sonne. Rodenstock telefonierte noch immer, und Elsa
hatte einen Zettel hingelegt, auf dem stand: »Ich suche
mir ein Bett.«

Ich bin nicht der Typ, der vor einem Schachbrett hockt
und darüber nachdenken kann, wie der Gegner zu erle-

230

digen ist. Mag sein, daß das eindrucksvoll ist, ich kann es nicht. Ich bin gezwungen, etwas zu tun, damit die Sachlage sich bewegt.

Ich erwischte Landauer im Bonner Büro der Deutschen Presse Agentur. Landauer hatte Spätdienst und war deshalb mürrisch.

»Ich brauche deine Hilfe. Ich recherchiere eine Sache, in der ich nicht weiterkomme. Wie legt ihr bei dpa die Mitteilungen der Ministerien ab?«

»Normal eben, der Reihe nach, dem Datum nach. Und nach Ministerium.«

»Kannst du also leicht herausfinden, wann die Bundeswehr einen Unfall meldete?«

»Nichts leichter als das. Das haben wir zuerst unter dem Ministerium, dann unter dem Datum, dann unter Unfall.«

»Paß auf. Vor sechs Tagen etwa meldete die Bundeswehr einen Fall von Tötung und Selbsttötung in der Eifel. Suchst du mir das bitte heraus?«

»Warte, ich hole es.« Er legte den Hörer ab. Nach einer Weile kam er zurück. »Eine solche Pressenotiz hat es nie gegeben.«

Ich hängte ein, sagte nicht mal danke, ich war so wütend.

»Was ist denn«, fragte Rodenstock in der Tür. Er sah mich irritiert an.

»Ich weiß es noch nicht«, sagte ich. Dann wählte ich das Verteidigungsministerium und verlangte die Presseabteilung.

»Da ist aber niemand mehr«, sagte die Frau in der Zentrale.

»Dann den Nachtdienst«, sagte ich.

Jemand meldete sich mit einem Räuspern und sagte sanft: »Hauptmann Feller.«

»Baumeister hier, Siggi Baumeister. Ich bin der Journalist, der sich erkundigt hat, wer denn der Hauptmann Hartkopf oder Messner im Depot Hohbach/Eifel ist. Mit Foto. Sind Sie auf dem laufenden?«

»Wie bitte?« fragte er irritiert.

»Kennen Sie den Fall Monning?«

»Ja, ist mir bekannt.«

»Dann kennen Sie mich auch.«

»Baumeister? Sagten Sie Baumeister? Schrieben Sie uns die Anfrage nach Herrn Hauptmann Hartkopf?«

»Richtig.«

»Sie sind hier willkommen. Kommen Sie doch mal in den nächsten Tagen vorbei, wir würden gern mit Ihnen sprechen. Vertraulich, versteht sich.«

»Ich möchte gleich mit Ihnen sprechen.«

»Wann?«

»In zwei, drei Stunden.«

»Ist das nicht ein bißchen eilig?«

»Lieber Herr FeIler. Ihr Messner hat ein Massaker angerichtet, und Sie erlauben mir, in den nächsten Tagen mal vorbeizuschauen. In drei Stunden, sagen wir um neun.« Dann hängte ich ein.

»Was wirbeln Sie denn so?« fragte Rodenstock irritiert. In der rechten Hand hielt er eine Tasse Kaffee, in der linken eine schwergewichtige Brasil. Und er kaute auf etwas herum, auf Bitterschokolade, dachte ich.

»Ich fahre mal eben nach Bonn. Ihr Kognak fehlt.«

»Ich habe keinen gefunden.«

»In der Küche auf dem Regal neben dem Herd. Ins Verteidigungsministerium. Ist Messner an Sie überstellt?«

Er schüttelte den Kopf. »Mein Oberstaatsanwalt hatte bisher keinen Erfolg. Das Ministerium behauptet, die Sache sei geheim. Und damit können die machen, was sie wollen – sie behalten immer Recht. Was wollen Sie dort? Und Elsa?«

»Elsa soll ausschlafen. Ich habe einen Verdacht und fahre hin. Und wenn ich Recht habe, bin ich ein Held und kann mich ausruhen.«

»Sie sind verrückt«, sagte er bekümmert.

»Gott sei Dank«, sagte ich.

# DREIZEHNTES KAPITEL

Rodenstock fuhr mich zu meinem Wagen, der bei der Dorfkneipe stand, und er moserte widerwillig herum. Er sagte Sätze wie: »Was wollen Sie denn nachts im Verteidigungsministerium? – Das können Sie auch morgen erledigen! – Entscheidungsträger sind doch nachts im Bett! – Sie sind doch erschöpft! – Warum sind Sie eigentlich so verbissen und schweigsam?«

Aber ich gab keine Auskunft, ich war einfach wütend auf mich selbst.

Das Wetter spielte mit, zumindest regnete es nicht, und der Wind ging sanft. Ich fuhr so schnell ich konnte und brauchte wenig mehr als drei Stunden.

Das Beeindruckendste am Verteidigungsministerium ist seine Fassade – soviel Macht und Herrlichkeit.

Ich sagte dem Mann in dem Glaskasten, wer ich sei und daß ich zu einem Mann namens Feller wolle, Hauptmann Feller. Er schloß sehr demonstrativ die Sprechluke und begann mit wichtigem Gesicht zu telefonieren. Danach öffnete er wieder und teilte mit, Hauptmann Feller werde mich persönlich abholen.

Es dauerte nicht lange, und er kam aus dem Hauptportal herausgewieselt. Er war etwa fünfzig Jahre alt, klein und schmal und trug in seinem Sonnenbankgesicht einen richtig militärischen Schnauzer wie zu Willems Zeiten. Wenn er diesen Schnauzer zwirbelte – und er zwirbelte ihn andauernd –, tat er es mit der linken Hand und spreizte dabei den kleinen Finger weit ab. An dem Finger trug er einen Ring mit einem Wappenschnitt, ein zierliches goldiges Etwas.

Er eröffnete mit einem wieselflinken: »Das scheint mir aber eine ungewöhnliche Sache zu einer ungewöhnlichen Zeit. Ich weiß nicht, ob ich helfen kann. Sie sind mit unserem Kollegen Hartkopf nicht gerade zurückhaltend umgegangen, Sie haben wohl kein Verständnis für die Sicherheitsbelange des Landes, wie?«

»Nicht die Spur«, murmelte ich.

Er blieb stehen. »Und was, wenn ich fragen darf, war das mit der Massage von Hauptmann Hartkopf?«

»Mit was, bitte? Ach so. Nicht Massage, Sir, Massaker. Aber ich gebe zu, es ist fast identisch.«

»Ich verstehe nicht, ich …«

»Tja, also doch nicht gerade hier, oder? Vielleicht könnten wir …«

»Selbstverständlich. Darf ich vorgehen?« Er tanzte vor mir her und drehte sich ab und zu um und lächelte. Er ging zu einem Lift, dann zwei Geschosse in die Höhe, dann einen beängstigend endlosen Gang entlang, schließlich in einen gemütlich wirkenden Raum, in dem vor dem Schreibtisch ein Mann in Zivil in einem Sessel saß und uns entgegenblickte. Nur auf dem Schreibtisch brannte eine Lampe, es wirkte intim.

»Das ist mein Kollege Damrow«, sagte das Wiesel munter. »Sie verstehen, ich zog ihn zu. Er hat etwas mit der Sicherheitsseite zu tun, mit den Sicherheitsbelangen des Falles, wenn ich so sagen darf. Und noch etwas muß ich sagen: Dies ist sozusagen ein Vorabtreff. Morgen müssen wir den Leiter des Presseamtes zuziehen.«

»Selbstverständlich«, murmelte ich und setzte mich in den zweiten Sessel vor dem Schreibtisch. »Sie sind also beim MAD?« fragte ich den Mann namens Damrow.

Er nickte, aber er sagte nichts.

Das Wiesel setzte sich hinter den Schreibtisch und faltete betulich die Hände. »Wir müssen feststellen, Herr Baumeister, daß wir sehr befremdet sind. Sie als Journalist müssen doch von der Labilität der Sicherheitslage im Bereich der Bundeswehr wissen. Sie mußten doch wissen, daß Sie Hauptmann Hartkopf verbrennen, wenn Sie derartige Schriftstücke mit Fotos verschicken.«

»Er hat mich verprügelt, das kostet Geld, das Geld will ich vom Bund zurückhaben, deshalb schrieb ich.«

»Und was ist das Massaker, wenn ich fragen darf, das Massaker, das Herr Hauptmann Hartkopf angerichtet haben soll?« Er war sichtlich erheitert.

»Nun ja, die Sachlage ist die, daß Hartkopf/Messner, oder Herrmann-Josef Schmitz, wie er in der Geburtsurkunde stehen hat, drei Menschen mit einer Schrotflinte erschoß: den Leutnant Lorenz Monning, die Serviererin und Mitarbeiterin des MAD, Susanne Kleiber, sowie die Prostituierte Marianne Rebeisen aus Köln.«

»Beweise dafür?« fragte der Mann namens Damrow ruhig. Er hatte ein schmales, ruhiges Gesicht unter einem dichten, schwarzen Haarschopf, er war ungefähr vierzig Jahre alt. Er saß sehr ruhig in seinem Sessel.

»Ja, die Beweise hätten wir gern«, gluckste das Wiesel. Aus irgendeinem Grund wurde er immer heiterer.

»Ich vermute, daß Sie beide jetzt mit Inbrunst an den Fahrer eines LKW aus Dresden denken«, murmelte ich. »Aber der war es nicht. Die Stasi in Ostberlin spielt gar nicht mit. Ich habe mich gefragt, weshalb denn dieser Fahrer nicht irgendwo zwischen hier und Herleshausen gestoppt wurde. Und damit begannen eigentlich meine Zweifel.«

»Wir wollten ihn nicht stoppen, das ist alltägliche Praxis«, sagte Damrow. »Sie können sicher sein, daß wir den Mann unter Beobachtung haben.«

»Ich habe eine Verlautbarung des Ministeriums bekommen, in der es heißt, die Prostituierte Rebeisen habe Monning und die Kleiber erschossen und sich dann selbst gerichtet. Ich denke, Sie wollen nicht daran festhalten, oder?«

»Offiziell wohl«, sagte Damrow.

»Geht aber nicht«, widersprach ich und legte ihm das Foto vor. »Sehen Sie, die Leiche der Rebeisen und das Gewehr liegen etwa zwei Meter fünfzig voneinander entfernt. Sie kann sich aber nicht den Kopf weggeblasen haben, um das Gewehr anschließend wegzuwerfen, oder?«

Damrow sah sich das Foto an und fragte: »Woher ist das?«

»Ein Bundeswehrangehöriger machte es. Weitere Informationen gebe ich nicht.«

»Worauf wollen Sie hinaus?« fragte Damrow.

»Nun, sehen Sie, das Ministerium hat über die drei Todesfälle keine Information an die Presse gegeben – nur an mich, und nur, um meine Recherchen zu stoppen.«

»Richtig«, sagte Damrow. »Hauptmann Hartkopf hat das mit mir abgesprochen, die Pressemitteilung verfaßte er. Ich verstehe immer noch nicht genau: Sie wollen also behaupten, Hartkopf hat die drei erschossen.«

»Nicht nur das. Ich behaupte auch, daß es nie einen Spionagefall gab. Den Eltern des Monning wurde eine Unfallversion gegeben, mir wurde eine Spionageversion gegeben, offiziell war es eine miese Eifersuchtsgeschichte. Finden Sie nicht, daß das eine erstaunliche Geschichte ist, zumal keine der drei Versionen stimmt?« Ich stopfte mir die *Valsesia* von Lorenzo, diese Beschäftigung macht ruhig.

»Unter Hinweis auf strengste Geheimhaltung, Herr Baumeister, müssen wir darauf bestehen, daß diese Sache unter uns bleibt. Sie haben mit Ihrer Wahnsinnsanfrage genug Wirbel gemacht.« Das Wiesel war streng.

»Na ja, Sie haben außerdem einen veritablen Unfallchirurgen dazu gebracht, einen Todesfall zu erfinden, und irgendein Polizeichef hat einen Unfall erfunden. Alles im Dienste des Vaterlandes und eines Massenmörders.«

»Wir haben Beweise für Spionage«, sagte Damrow.

Die *Valsesia* brannte nicht gut. Ich kratzte sie aus und stopfte sie neu. Ich fragte mich, ob ich auf der falschen Spur sei. Dann erinnerte ich mich daran, mit welcher Unverfrorenheit in dieser Stadt Politiker vom Wohl des Bürgers sprechen. Ich sagte: »Ich bin bereit, den Mund zu halten und nicht zu schreiben, wenn Sie mir einen einzigen Beweis vorlegen. Ich glaube, Sie haben keinen.«

Das Wiesel warf Damrow einen abbittenden Blick zu. »Sie sind aber sehr unverschämt«, murmelte er.

Damrow saß da und sagte nichts. Schließlich murmelte er: »Was wissen Sie eigentlich?«

Ich sagte nichts.

»Kaffee?« fragte das Wiesel. Als wir nickten, stand er auf und verschwand im Nebenraum.

»Sie haben Ihren wirklichen Trumpf nicht rausgelassen«, murmelte Damrow.

»Sicher nicht«, bestätigte ich. »Ich frage mich, was geschehen wird, wenn diese Geschichte erscheint.«

»Ich kenne die Geschichte nicht.« Er war ein harter Mann.

»Weiß Ihr Minister davon?«

»Er wurde routinemäßig informiert.«

»Also im Sinne des Hauptmann Hartkopf?«

»Es gibt keinen anderen Sinn in diesem Fall.« Er zupfte an seiner Hose über dem rechten Knie, und wie ein Wasserfall kam das Wiesel hereingefegt. »Der Kaffee.«

Damrow ließ sich Zeit, trank einen Schluck und sah das Wiesel streng an, als sei der Kaffee schlecht. Er war schlecht. »Sehen Sie, Herr Baumeister, Monning war ein schwieriger Mann. Ursprünglich war er ein vielversprechender Offizier, bis er sich mit der Friedensbewegung einließ. Und dann wurde er leichtsinnig, leichtfertig, geradezu messianisch. Er fing an, geheime Dinge auszuplaudern. Es ist beweisbar: Er sammelte diese Dinge, er gab sie konzentriert an Susanne Kleiber weiter, die wiederum gab sie weiter an Marianne Rebeisen. Hauptmann Hartkopf begriff das und bekam den offiziellen Auftrag, zu ermitteln. Er ist ein blendender Mann, er hatte Erfolg. Leider kam die Gegenseite ihm zuvor: Das Trio wurde erschossen. Es ist richtig, wir haben sozusagen zivile Gründe für den Tod des Lorenz Monning vorgeschoben, aber im Sinne der Eltern war das sicher richtig. Sie hatten keine Ahnung von den Umtrieben des Sohnes, sie sind brave Menschen.«

»Also war Monning ein Spion für Ostberlin?«

»Diese Unterredung ist selbstverständlich vertraulich«, sagte das Wiesel schnell.

»Sicher«, sagte Damrow.

»Wo ist Hauptmann Hartkopf jetzt?«

»Hier im Hause. Wir sprechen seine Aussagen ab, er darf die Sicherheitsbelange nicht antasten. Wir haben gestattet, daß er dem Oberstaatsanwalt als Zeuge überstellt wird.«

»So ist das also«, sagte ich. »Und wie immer, wenn die Staatssicherheit mitspielt, braucht er nur auf die Fragen zu antworten, die ihm passen.«

»Keine Ideologie, bitte«, sagte Damrow. »Wie sieht Ihr Trumpf aus?«

»Moment bitte. Wie sah denn dieses Trio aus, diese Monning-Kleiber-Rebeisen-Connection?«

»Die Aktenlage sagt, daß Monning der Verführte war. Die Kleiber stammte aus Ostberlin, sie war eine Schläferin, wurde also erst aufgeweckt, nachdem sie am idealen Einsatzort war. Sie machte Monning abhängig, die Rebeisen half ihr dabei.«

»Also sehr einfach«, murmelte ich. Es gibt eine Zeit für Stoßgebete. Und meine Zeit war gekommen.

»Etwas an meinen Begegnungen mit Messner war merkwürdig«, begann ich. »Ich habe nie verstanden, woher er seine Sicherheit nahm. Er war immer so … so unverschämt sicher, fast arrogant.«

Lieber Himmel, Baumeister, laß dir etwas einfallen. Alter Mann, du kannst doch nicht immer von Versprechungen leben. Tu ein Wunder! Tu es jetzt!

»Ich wußte, Messner war auf einem totalen Erfolgstrip. Er war wie jemand, der nach einer quälend langen Zeit endlich Land sieht …«

Alter Mann, tu es jetzt, oder du siehst mich nie wieder!

»Phantastisch beschrieben!« sagte das Wiesel fast ehrfürchtig. »Genau, wie es in der Akte Eichhörnchen steht …«

238

Damrow beugte sich schnell weit nach vorn, und die Eleganz und Geschwindigkeit, mit der das geschah, war erschreckend.

»Die Akte heißt also Eichhörnchen«, sagte ich kühl. »Ich kann überhaupt nicht begreifen, daß sowohl Messner wie Monning beim MAD waren. Das begreife ich nicht.«

Damrow legte den Kopf nach hinten. »Feller, gießen Sie mir noch einen Kaffee ein?«

»Aber ja doch, selbstverständlich«, sagte das Wiesel. Er war der perfekte Oberkellner, und Damrow hätte ihn am liebsten erwürgt. Aber er merkte nichts, er gehörte zu den Selbstgerechten dieser Erde.

»Wenn ich diesen Spionagefall richtig begreife, war das doch sicher ein sehr langer Vorgang mit langen Untersuchungen und Beobachtungen des Herrn Messner/ Hartkopf?«

»Richtig«, sagte Damrow. »Sehr lange. Und wir wurden laufend informiert.«

»Und wenn ich es richtig begreife, dann kamen Lorenz Monning und Susanne Kleiber von Bitburg über Bad Münstereifel nach Hohbach, also langsam immer näher in den Einzugsbereich des Hauptmann Hartkopf?«

»Auch richtig. Das war beabsichtigt, sie sind von uns unmerklich genauso plaziert worden.«

»Was würde denn passieren, wenn ein Mann wie Monning oder die Susanne Kleiber merken würden, was geschieht?«

Damrow starrte durch das dunkle Fenster. »Vermutlich haben wir zwei Möglichkeiten: Entweder sie setzen sich in einem solchen Fall blitzschnell ab, oder aber sie fallen in den Schlaf zurück, das heißt, sie rühren sich nicht mehr. Wo bleibt Ihr Trumpf?«

»Monning hat es gemerkt«, sagte ich.

Das Wiesel atmete heftig ein, und Damrows Kopf ruckte nach vorn. »Gibt es dafür einen Beweis?«

»Sicherlich. Marita Heims, die Freundin von Lorenz,

wußte, daß Lorenz etwas wußte. Aber sie weiß nicht, was er wußte, sie weiß nur, daß das mit der Aktenlage zu tun hatte.«

»Sprach Monning wirklich von Aktenlage?«

»Ja, die Heims hat es so berichtet. Nun weiter: Monning wußte also, daß da ein Spielchen gegen ihn lief. Ob das Spiel zu Recht oder zu Unrecht gespielt wurde, sei dahingestellt, Tatsache ist, er wußte es. Anders formuliert: Er ist brav wie ein Schaf zur Schlachtbank gelatscht.« Ich ließ sie damit allein, zündete meine Pfeife an und paffte vor mich hin.

»Sprechen Sie bitte weiter«, murmelte Damrow.

Lieber alter Mann, hilf mir!

»Es kommt nicht nur hinzu, daß Monning und Rebeisen und Kleiber brav zu ihrer eigenen Hinrichtung marschieren, sondern der Staatssicherheitsdienst in Ostberlin oder der KGB so grandios dämlich ist, zur Erledigung eines eigenen kleinen Spionagenetzes einen Brummifahrer mit Schrotbüchse zu schicken. Und spätestens an diesem Punkt muß man aufmerksam werden. Das scheint zwar alles zu passen, aber tatsächlich paßt nichts.«

»Weiter«, sagte Damrow ungeduldig.

»Wußten Sie, daß Ihr Hauptmann Hartkopf der Geschäftspartner und wahrscheinlich auch Geliebte der Witwe Gabriele Monning ist?«

»Wie bitte?« fragte das Wiesel irritiert.

»Noch etwas am Rande: Gabriele Monning klaute ihrem Schwiegervater die Schrotbüchse, die angeblich Lorenz Monning gehörte. Monnings Gewehr lag die ganze Zeit unbenutzt auf dem Dachboden der Marita Heims. Die Monning brachte das Gewehr dem Messner/Hartkopf. Und der trat in Aktion.«

»Beweisbar?« fragte Damrow.

»Die Monning hat gestanden, also beweisbar. Sie wollte mit Messner/Hartkopf eine Bullenmast mit Wursterei aufmachen.«

»Beweisbar?« fragte Damrow.

»Beweisbar durch Zeugnis der Deutschen Bank.«

»Mit anderen Worten: Sie haben … Sie glauben, recherchiert zu haben, daß weder Monning noch die Kleiber noch die Rebeisen Agenten waren.«

»Richtig. Und die Lösung des ganzen Komplexes liegt hier im Haus, in der Akte Eichhörnchen. Messner/Hartkopf hat Sie geleimt. Und Sie sollten darüber nachdenken, warum Sie so leicht zu leimen sind. Wer nahm denn eigentlich Hartkopfs Berichte hier entgegen?«

»Ich«, sagte das Wiesel, »deshalb sitze ich hier mit Ihnen.«

Damrow war verwirrt. »Was soll das jetzt?«

»Warten Sie bitte eine Weile«, sagte ich. »Ich denke nach, und ich bin müde und nicht mehr so schnell wie am Morgen.« Dann war es wieder still.

Damrow suchte in den Taschen seines dunkelblauen Anzugs herum, und das Wiesel kramte in einer Schublade, fand eine Schachtel Zigaretten, rannte um den Schreibtisch herum und bot Damrow eine an. Der verzog den Mund verächtlich und zündete sie an. Er paffte.

»Es ist wie beim Schach«, murmelte das Wiesel, wieder hinter seinen Schreibtisch zurückgekehrt. »Der Meister überlegt seinen nächsten Zug.«

»Es ist gar kein Spiel«, sagte ich. »Es ist so verdammt blutig. Sagen Sie, Hauptmann Feller, wie gut kannten Sie Lorenz Monning?«

»Oh, ich denke, einigermaßen. Er kam manchmal hier in das Büro.«

»Hatten Sie dienstlich viel mit ihm zu tun?«

»Nein. Er lief hier seine Dienststelle an, und normalerweise habe ich mit den Leuten nichts zu schaffen.«

»Als die geheimen Untersuchungen gegen Monning liefen, kam er da auch noch zu Ihnen? So auf eine Tasse Kaffee hier ins Büro?«

»Einmal, zweimal vielleicht. Dann nicht mehr. Wir waren ja nicht … nicht intim, wir waren ja keine Freunde.«

»Können Sie klarmachen, auf was Sie hinauswollen?« fragte Damrow scharf. Er ahnte wohl, daß ich ihm Verdruß machen würde, und seine Schärfe war seine Art, es zu quittieren.

»Ich weiß noch nicht präzise, auf was ich hinauswill«, sagte ich ebenso scharf. »Drei Leute werden bestialisch mit einer Schrotflinte erschossen. Plötzlich ist alles das Verdienst eines Superagenten, eines Retters der Nation, eines Heiligen. Himmel, Arsch und Zwirn, das geht mir aufs Gemüt.«

»Starke Worte!« murmelte das Wiesel.

»Sie haben recherchiert und wußten nichts von der Akte Eichhörnchen«, sagte Damrow gelassen, als sei jede Gefahr vorbei.

Was hatte Marita Heims gesagt? Lorenz hat auf irgend etwas gewartet! Er war sehr aufgeregt! Er war sicher, daß er Erfolg haben würde!

»Hauptmann Feller, Sie verschweigen etwas. Sie verschweigen die zweite Akte.«

»Moment«, sagte Damrow scharf, »was meinen Sie mit der zweiten Akte?«

»Darf ich Hauptmann Feller dazu ein paar Fragen stellen?«

Feller wollte ablehnen, aber Damrow sagte scharf: »Nur zu!«

»Danke«, sagte ich. »Hauptmann Feller, mochten Sie Messner? Oder mögen Sie Hauptmann Hartkopf?«

»Na ja, nicht mehr als alle anderen auch. So ist das nun mal in einem so großen Haus. Und Messner, wie Sie ihn nennen, ist ja ein harter, erfolgreicher Mann. Wir alle wissen das und bewundern seine Art, Sachen knallhart durchzuziehen.«

»Er ist also ein Held. Sie sagten auch, daß Monning zuweilen herkam und mit Ihnen eine Tasse Kaffee trank.«

»Na ja, mein Kaffee ist berühmt. Ich mache ihn ohne Filter, ich gieße ihn richtig auf ...«

»Und Messner kam auch her, nicht wahr?«

»Ja, natürlich. Schließlich kegeln wir einmal im Monat zusammen. Hier in Bonn. Manchmal brachte er ein paar von seiner Truppe mit. Mann, waren das Sausewinds!«

»Was waren das?«

Er wurde verlegen, fing sich aber sofort. »Sausewinds. So sage ich manchmal.«

»Messner war also hier und trank ebenfalls von Ihrem Kaffee?«

»Na sicher. Er konnte wahnsinnig gut Witze erzählen. Richtig mit Pfeffer. Na ja, er hockte hier, trank einen Kaffee, einen guten Kognak dazu, dann zog er wieder in seine Wälder. Ich sagte immer zu ihm: Jetzt der Recke wieder in seine Wälder.«

»O Gott!« flüsterte Damrow leise.

»Hauptmann Feller, kurz bevor Monning erschossen wurde, war er hier in diesem Büro?«

»Ich weiß nicht mehr, wann er zum letzten Mal hier war. Ich führe kein Tagebuch.«

»Aber Sie können das doch unmöglich vergessen haben! Er war kurz vor seiner Ermordung hier. Wieviel Tage vor seiner Ermordung?«

»Drei, vier Tage, ich weiß es nicht mehr genau.«

»Und Sie haben ihm selbstverständlich nichts davon gesagt, daß gegen ihn ermittelt wurde?«

»Kein Wort. Das ist geheim, streng geheim.«

»Gut.«

Lieber alter Mann, laß mich jetzt keinen Fehler machen. Ich sah aus den Augenwinkeln, wie Damrows Schultern nach vorn kamen, als warte er auf den Dolchstoß.

»Sie sagten ihm kein Wort. Aber er sagte Ihnen etwas. Oder genauer: Er gab Ihnen etwas!«

»Nicht daß ich wüßte.« Da war ein Zögern in seiner Stimme, da flatterte er leicht.

»Herr Hauptmann Feller, er gab Ihnen etwas. Ich weiß das genau, ich kann das beweisen!«

Lieber alter Mann, verzeih mir den Bluff.

»Aber wieso denn das?« Seine Stimme wurde sehr schrill und quengelig.

»Weil er längst von der Akte Eichhörnchen gegen sich selbst wußte. Er hatte längst eine eigene Akte angelegt. Über miese Praktiken des Herrn Messner. Er ist hierhergekommen, er hat Ihnen diese Akte übergeben. So ist das.«

»O Scheiße«, sagte Damrow leise.

»Es war keine Akte, es war ein langer Brief. Es war Quatsch, reiner blödsinniger Quatsch, der reinste hysterische Irrsinn. Ich habe diesen Brief gar nicht beachtet.«

»Sie haben ihn aber gelesen«, sagte Damrow eisig.

»Ja«, sagte das Wiesel.

»Was stand drin?«

»Es war wirklich Irrsinn. Er hatte von den Ermittlungen Wind gekriegt und versuchte nun, das Ganze aus seiner Sicht darzustellen. Irgendwie kindlich, völlig hilflos.«

»Was stand drin?« wiederholte Damrow.

»Also es stand drin, daß er und die Kleiber und die Rebeisen genau wüßten, was Major Hartkopf seit zwei Jahren mit ihnen vorhabe. Daß Hartkopf ein mieses Schwein sei mit maßlosem Machtstreben, daß er unter Verfolgungswahn leide und vorgebe, Monning, die Kleiber und die Rebeisen seien ein Agentenring. Jetzt seien sie gewillt auszupacken. Hartkopf hätte eine Art Männerclique aufgemacht, die er hart und unmerklich und geschickt steuere. Mit Prügeleien und allem Drum und Dran. Hartkopf, stand in dem Wisch, mache Soldaten abhängig, sei faschistisch. Und er habe seine Laufbahn mit einem Agentenring krönen wollen, den es gar nicht gebe, und all solcher widerlicher Blödsinn. Achtzig Seiten, man stelle sich das vor, achtzig Seiten! Und unterschrieben von Monning und von der Kleiber und sogar von der Rebeisen, mit der wir doch hier im Amt rein gar nichts zu tun haben. Und dann noch die Kündigungen

244

zum Jahresende von Monning und Kleiber. Nein, also wirklich, das war zu dick, das mochte ich auch nicht zu Ende lesen. Ich habe den Brief kopiert und nach Vorschrift behandelt. Zu den Akten.«

»O Gott, nein«, seufzte Damrow.

»Und dann kam Messner, nicht wahr?«

»Wie bitte?« Das Wiesel zuckte zusammen.

»Und dann, als Monning das abgeliefert hatte, kam Hartkopf/Messner hierher, nicht wahr? Oder riefen Sie ihn an und erzählten ihm von dem Brief?«

»Ich rief ihn an, natürlich rief ich ihn an. Solche Drecksudeleien kann man doch nicht so stehenlassen.«

»Und er kam?«

»Er wollte sich das Geschmeiß durchlesen.«

»Holen Sie Monnings Brief«, sagte Damrow tonlos.

»Er hat ihn nicht mehr«, sagte ich.

»Wie?«

»Er hat ihn nicht mehr«, sagte ich. »Hartkopf hat ihn sich unter den Nagel gerissen. Deshalb ist er so sicher.«

»Hat er etwa die Kopie und das Original?« schrie Damrow.

Das Wiesel zuckte zusammen. »Ich kriege jede Woche derartige obszöne, widerliche Schreiben von irgendwelchen Verrückten.« Er wedelte hilflos mit den Armen. »Hartkopf hat die Kopie und das Original.«

»Na also«, sagte ich. Ich stand auf und ging hinaus, und sie merkten es nicht, weil sie sich anstarrten.

An meinem Wagen lehnte Elsa.

»Wie zum Teufel kommst du hierher?«

»Mit dem teuersten Taxi meines Lebens. Warum bist du heimlich abgehauen?«

»Bin ich nicht, du hast geschlafen. Du warst wirklich Klasse in diesem Fall, und du warst todmüde.«

»Weißt du jetzt alles?«

»Fast alles. Bist du fit, kannst du mich heimfahren?«

»Ich habe unsere Sachen mitgebracht, ich fahre dich.«

Sie nahm den Weg über die A 565 zum Autobahnkreuz

Meckenheim und von dort nach Altenahr. Sie fuhr sehr langsam, steuerte mit einer Hand und war verkrampft.

»Es war eine miese, brutale Geschichte, die nur zu verstehen ist, wenn man bedenkt, daß die Menschen auf der Reise sind, nicht stillstehen, sich entwickeln. Monning begriff wohl die Idee des Friedens, konnte sich aber lange nicht entscheiden. Messner roch die Macht und wollte sie immer mehr. Die Gabriele Monning scheint noch die Stabilste: Sie wollte nach oben, möglichst hoch, und sie wollte das immer schon. Warum diese Spionagegeschichte sich in allen Köpfen festsetzen konnte, ist einfach zu begründen: Depots sind tatsächlich Ziele von Agenten, und die Bewacher dieser Lagerstätten leben ein endlos eintöniges Leben, in dem nichts geschieht. Wenn man die Geschichte verstehen will, muß man Messner zu verstehen suchen, alles andere ist nicht so wichtig. Messner war MAD-Mann, Außenmann, nicht sonderlich wichtig, aber von brennendem Ehrgeiz. Er sammelte junge Krieger um sich, beeinflußte sie unmerklich, aber so beeindruckend, daß sie ihm kaum widerstehen konnten. Der Soldat Lenz, der durch Sabotage am Auto fast die Marita Heims tötete, ist so ein Beispiel. Allmählich wurde das Wochenende mit Messner für diese Soldaten wichtiger als der Dienst, wichtiger wohl auch als ihre Privatsphäre. Messner gelang damit wohl ein Meisterstück: Er trieb ihnen den Frust aus. Periodisch tritt in der Eifel das Gerücht von Spionen auf, und meistens ist absolut nichts dran. Als das wieder einmal der Fall war, begriff Messner seine Chance. Im Zuge irgendwelcher Sicherheitsüberprüfungen fielen nun Monning und die Kleiber durch irgendeinen Umstand auf. Wahrscheinlich war es Monnings allmähliche Annäherung an die Friedensbewegung, wahrscheinlich war es die Tatsache, daß die Kleiber vor Jahren aus Ostberlin kam. Wie auch immer: Der MAD beschloß, sich dieses Duo anzusehen, und lancierte sie sehr langsam von Bitburg nach Bad Münstereifel und dann nach Hohbach. Diesen Auftrag bekam

Messner, denn Messner war ein eiskalter Krieger, Messner war einfach gut. Man entdeckte die Freundin der Kleiber, die Nutte Rebeisen in Köln. Und siehe da, alles schien zu stimmen, die Bedingungen für Geheimnisverrat schienen bei dem Trio geradezu ideal ...«

»Aber es war doch gar nichts dran«, sagte sie unwillig.

»Das soll dich nicht stören, das ist in Bonn und der Bundeswehr so. Wer unter einem so kontinuierlichen Zwang von Aggression lebt, denkt so etwas. Und er denkt es auch dann konsequent weiter, wenn nicht der geringste Verdacht besteht. Dinge machen sich selbständig.«

»Aber die Beweise ...«

»Vergiß die Beweise, wenn es um Spionage geht. Die sind nicht wichtig, wichtig ist nur, daß man Spionage voraussetzt. Messner fing also an, seine Untergebenen Monning und Kleiber auszuforschen, schrieb Berichte. Dabei benutzte er natürlich sowohl sein Amt wie sein Privatleben, denn er arbeitete mit den Verdächtigen zusammen und ließ sich vom Hauptverdächtigen, einem Bauernsohn aus dem Münsterland, sogar nach Hause einladen. Und dabei hat er sein Paradies gefunden, er entdeckte nämlich Gabriele Monning, die Ehefrau des Hauptverdächtigen. Er wußte: Die Ehe ist kaputt, nicht mehr zu reparieren. Er sah zwei Bauernhöfe und den Plan der Gabriele Monning, eine Industrie zu gründen. Und weil er sich zweifellos mit der Frau geradezu ideal verstand, war der Plan ziemlich simpel: die Stelle des Lorenz Monning einzunehmen. Aber Monnings Verhalten stiftete Unruhe, denn auf der einen Seite wollte er sich für immer aus dem Münsterland verabschieden, auf der anderen Seite aber wollte er noch ein letztes Mal seinem Vater helfen. Außerdem hatte er längst begriffen, daß Messner ein wirklicher kalter Krieger war, ein faschistisch denkender Mensch. Er hatte auch begriffen, daß Messner in sein Bett steigen wollte. Und weil er wohl um seine Kinder fürchtete, war das ein zusätzlicher Grund, noch einmal nach Hause zurückzukehren. Möglicherweise für kurze Zeit, möglicherweise aber auch mit Marita für immer. Und genau das war etwas, was Gabriele Monning nicht gebrauchen konnte, denn sie wäre neben ihrem ehemaligen Ehemann zur Bedeutungslosigkeit geschrumpft. Und Messner paßte das alles wunderbar in den Kram. Wir wissen noch nicht, ob er den Mord mit Gabriele Monning besprach, oder ob er nur Andeutungen machte, aber das ist nicht wichtig. Sie wird gewußt haben, was er vorhatte, als sie ihm die Schrotflinte brachte. Messner entdeckte den DDR-Brummi aus Dresden am Mittwoch vor Pfingsten in Hohbach. Er sprach mit dem Fahrer, wie wir rekonstruieren werden. Er erfuhr, der Fahrer werde irgendwo laden und dann das Wochenende vor der Rückfahrt erneut in Hohbach verbringen. Erinnere dich, der Fahrer aus Dresden war immer in Hohbach, wenn er durch die Eifel fuhr. Messner wußte genau, was passiert. Er ließ sich also das Gewehr bringen. Am Sonntag abend ließ er durch die Kleiber Monning holen. Und zwar mit dem Auftrag, sich diesen Laster aus Dresden genau anzugucken, immer mit der wahnwitzigen Idee, da sitze ein Spion am Steuer. Ungefähr um die Zeit, als der Brummifahrer losfuhr, ging Messner mit Monning und der Kleiber in das Gelände vor dem Depot. Ich weiß nicht, mit welcher Begründung, aber das spielt keine Rolle. Er erschoß sie und klappte das Verdeck des Jeeps zurück und setzte die Toten hinein. Dann ging er zurück und holte unter irgendeinem Vorwand die Marianne Rebeisen, die in der Wohnung der Kleiber war wie an jedem Wochenende. Wahrscheinlich begriff die Rebeisen, was gespielt wurde, wahrscheinlich rannte sie noch weg, aber sie hatte keine Chance.

Im Grunde war der Plan einfach, brutal und gut. Es war nur Pech, daß ich auftauchte. Und dann machte Messner Fehler, er verprügelte mich. Er ließ Alfred verprügeln, er ließ Marita Heims fast töten ...«

»Wenn du nicht in die Geschichte eingestiegen wärst, hätte also Messner nichts befürchten müssen?«

»Ich glaube, doch. Denn da waren der tote Monning, die Kleiber und die Rebeisen. Die haben etwas gerochen, die haben zunächst vage, dann immer klarer verstanden, um was es ging. Und sie haben begonnen, nun Messner zu beobachten. Dann, als sie begriffen, daß es eine Akte über sie als mögliche Spione gab, schrieben sie einen langen Brief, der alles erklärte. Ich bin ziemlich sicher, daß eines Tages ein Mensch diesen Brief sehr aufmerksam gelesen hätte. Ich glaube nicht, daß er davongekommen wäre.«

»Du bist ein Romantiker.«

»Nicht doch, ich glaube nur an die Neugierde im Menschen.«

Wir fuhren auf den Hof, und ich ging nicht einmal mehr unter die Dusche. Ich spürte noch, wie Krümel versuchte, es sich in meiner Armbeuge bequem zu machen, dann war ich schon eingeschlafen.

Als ich aufwachte, war die Sonne ein schmaler, greller Strich an einem blutroten Horizont. Elsa war schon aufgestanden, das Haus anheimelnd ruhig.

Sie hatte mir einen Zettel geschrieben und ihn auf den Küchentisch gelegt.

*Liebster Baumeister! Ich bin auf dem Weg nach Hamburg. Einer muß sich um das Bild- und Dokumentationsmaterial kümmern und die Produktion der Geschichte in Hamburg überwachen. Ach Scheiße, das ist es nicht. Ich habe Angst, mich in dir zu verlieren und bald verloren zu sein. Wahrscheinlich hast du recht, wahrscheinlich sind wir beschädigt. Auf jeden Fall sind wir mißtrauische alte Krähen. Elsa.*

»Wir sollten hinter ihr herfahren und ihr den Arsch versohlen«, sagte ich zu Krümel. Aber ich blieb und holte Zittergras für meine Mauer.

# Krimis von Jacques Berndorf

**Eifel-Blues**
ISBN 3-89425-442-4
Der erste Eifel-Krimi mit Siggi Baumeister
Drei Tote neben einem scharf bewachten Bundeswehrdepot.

**Eifel-Gold**
ISBN 3-89425-035-6
Der zweite Eifel-Krimi mit Siggi Baumeister
Riesengeldraub in der Eifel: 18,6 Millionen sind weg. Wer war's?

**Eifel-Filz**
ISBN 3-89425-048-8
Der dritte Eifel-Krimi mit Siggi Baumeister
Totes Golferpärchen. Das Mordwerkzeug: Armbrust. Das Motiv?

**Eifel-Schnee**
ISBN 3-89425-062-3
Der vierte Eifel-Krimi mit Siggi Baumeister
Sehnsüchte, Träume und Betäubungen junger Leute.

**Eifel-Feuer**
ISBN 3-89425-069-0
Der fünfte Eifel-Krimi mit Siggi Baumeister
Wer hat den General in seinem Landhaus liquidiert?

**Eifel-Rallye**
ISBN 3-89425-201-4
Der sechste Eifel-Krimi mit Siggi Baumeister
Auf dem Nürburgring wird ein großes Rad gedreht.

**Eifel-Jagd**
ISBN 3-89425-217-0
Der siebte Eifel-Krimi mit Siggi Baumeister
Ein Hirsch aus der Eifel kann teurer sein als ein Menschenleben.

**Eifel-Sturm**
ISBN 3-89425-227-8
Der achte Eifel-Krimi mit Siggi Baumeister
Tote träumen von der sanften Windenergie.

**Eifel-Müll**
ISBN 3-89425-245-6
Der neunte Eifel-Krimi mit Siggi Baumeister
Müllprofit und Liebe machen Menschen mörderisch.

**Eifel-Wasser**
ISBN 3-89425-261-8
Der zehnte Eifel-Krimi mit Siggi Baumeister
Toter Trinkwasserexperte läßt Rodenstock rätseln.

**Eifel-Liebe**
ISBN 3-89425-270-7
Der elfte Eifel-Krimi mit Siggi Baumeister
In Annas Clique beginnt das große Sterben ...

# Eifel-Krimis von Andreas Izquierdo

## Der Saumord
ISBN 3-89425-054-2

In Dörresheim geschieht Seltsames: Die vielversprechende Zuchtsau Elsa wird aufgeschlitzt, und die preisgekrönte Kuh Belinda begeht Selbstmord. Jupp Schmitz, Reporter des ›Dörresheimer Wochenblattes‹, glaubt nicht an einen Zufall. Bei seinen Recherchen legt er sich nicht nur mit dem mächtigen Fabrikanten Jungbluth an, sondern zieht den Haß aller Dörresheimer auf sich und gerät schließlich selbst unter Mordverdacht. Einzig Jupps Jugendliebe Christine hält zu ihm.

*»Der Saumord ist eine Geschichte mit haarsträubenden Bildern, urkomischen Szenen und seltsamen Typen. Eine Geschichte voll ernster Inhalte, menschlicher Schwächen und echter Freundschaft.« (Blickpunkt)*

## Das Doppeldings
ISBN 3-89425-060-7

Eine wertvolle Münze aus der Antike wird gestohlen. Dann taucht sie wieder auf, wird wieder gestohlen. Eine Menge Leute scheinen sie besitzen zu wollen. Auch Jupp Schmitz, Redakteur des »Dörresheimer Wochenblattes«, macht sich auf die Suche. Derweil kämpft die »IG Glaube, Sitte, Heimat« für die Schließung des kürzlich eröffneten Bordells.

## Jede Menge Seife
ISBN 3-89425-072-0

Der kanadische Seifenopern-Spezialist Herb Buffy soll der schlappen Serie »Unser Heim« quotenmäßig auf die Sprünge helfen. In den Colonia-Studios und beim Außendreh in Dörresheim beginnt eine dramatische Krimi-Oper. Die Serienhelden werden entführt, Reporter Jupp Schmitz in einer Scheune in Dörresheim halbtot geschlagen.

## Schlaflos in Dörresheim
ISBN 3-89425-243-X

Hat ein Geilheitsvirus die Ställe der Dörresheimer Bauern befallen? Verfügt ›Föttjesföhler‹ Martin über die Viagra ähnlichen magischen Kräfte? Ein düsteres Familiendrama bildet den Hintergrund dieser Ermittlungsburleske voller Komik und Sprachwitz.

# Wilsberg-Krimis von Jürgen Kehrer

# Krimis aus Europas Süden

**Sandrone Dazieri: *Ein Gorilla zu viel***
Deutsche Erstausgabe ISBN 3-8425-503-X
Mailand: Eigentlich soll ›Gorilla‹ Sandrone nur verhindern, dass
Alices Punkerfreunde die Party der Industriellenfamilie stören. Doch
alles läuft aus dem Ruder und am andern Tag ist Alice tot.

**Sandrone Dazieri: *Keine Schonzeit für den Gorilla***
Deutsche Erstausgabe ISBN 3-89425-514-5
Cremona/Turin: ›Gorilla‹ Sandrone soll die wahren Hintergründe des
Mordes an einem jungen Albaner herausfinden und einen Verleger
beschützen, der um sein Leben fürchtet.

**Guillem Frontera: *Das Mallorca-Komplott***
Deutsche Erstausgabe ISBN 3-89425-507-2
»Spannung zeichnet den Krimi aus, der Mallorca ganz anders zeigt,
als wir es aus den Reiseprospekten oder vom ›Ballermann‹ her
kennen.« (Emsdettener Volkszeitung)

**Jorge M. Reverte: *Gálvez stößt an Grenzen***
Deutsche Erstausgabe ISBN 3-89425-521-8
Madrid: Journalist Julio Gálvez soll Fremdenführer für eine
japanische Kollegin spielen. Ein Handtaschendiebstahl und der
Verlust wichtiger Dokumente wecken Gálvez' Spürsinn. Dann
tauchen die Leichen zweier marokkanischer Kinder auf und Gálvez
bekommt es mit der chinesischen Mafia zu tun.

**Giampiero Rigosi: *Nachtbus***
Deutsche Erstausgabe ISBN 3-89425-522-6
Bologna: Die schöne Beischlafdiebin Leila wird von Polizei und
Mafia gejagt, weil sie ein kompromittierendes Dokument entwendet
hat. Auch der Nachtbusfahrer Francesco will ein neues Leben
beginnen ...

**Jacques Vettier: *In eigener Sache***
Deutsche Erstausgabe ISBN 3-89425-500-5
Nizza: Die Untersuchungsrichterin Carole Ménani wird beinahe
Opfer einer Vergewaltigung. Der Täter macht auch weiter auf sich
aufmerksam und zwingt die Juristin, einen alten Fall wieder
aufzunehmen.

# Das Jacques Berndorf-Fanbuch

**Jacques Berndorf – Eifel-Täter**
Mit Texten von und über Jacques Berndorf
Herausgegeben von Rutger Booß
Fotografie: Karl Maas
Hardcover, fadengeheftet
Mit beigefügter CD ›Best of Berndorf‹
ISBN 3-89425-499-8

»Für eingefleischte Berndorf-Fans ist dieses exzellent vierfarbig
gedruckte Begleitbuch fast ein Muss. Eifel-Liebhaber finden darin
eine Fülle von Fotos, die von der mal rauen, mal lieblichen, aber
immer stillen Schönheit der Region zeugen.« (Bergsträßer Anzeiger)

Die CD ist auch einzeln erhältlich:
Jacques Berndorf: **Best of Berndorf**
CD, 73 Minuten
ISBN 3-89425-498-X